墮落的學者

知識技藝、學術與社會

張讚國 —— 著

巨流圖書公司印行

國家圖書館出版品預行編目（CIP）資料

墮落的學者：知識技藝、學術與社會 / 張讚國
著. -- 初版. -- 高雄市：巨流圖書股份有限
公司, 2021.07
　　面；　公分
ISBN 978-957-732-622-5（平裝）

1.言論集　2.時事評論

078　　　　　　　　　　　　110011431

墮落的學者：

知識技藝、學術與社會

著　　　者　張讚國
責任編輯　李麗娟
封面設計　余旻禎

發 行 人　楊曉華
總 編 輯　蔡國彬

出　　　版　巨流圖書股份有限公司
　　　　　　802019高雄市苓雅區五福一路57號2樓之2
　　　　　　電話：07-2265267
　　　　　　傳真：07-2233073
　　　　　　e-mail: chuliu@liwen.com.tw
　　　　　　網址：http://www.liwen.com.tw

編 輯 部　100003臺北市中正區重慶南路一段57號10樓之12
　　　　　　電話：02-29229075
　　　　　　傳真：02-29220464

郵撥帳號　01002323 巨流圖書股份有限公司
　　　　　　購書專線：07-2265267轉236

法律顧問　林廷隆律師
　　　　　　電話：02-29658212

出版登記證　局版台業字第1045號

 ISBN 978-957-732-622-5（平裝）
初版一刷・2021 年 7 月

定價：360 元

~~獻給所有教過我的學者，識與不識~~

包括我的學生

墮落的學者：知識技藝、學術與社會

目次

圖目次

表目次

前言

這是我計劃要寫的有關流行文化、新聞、社會評論與學術批判的中文書之一，主要依據我多年來在大學教書與從事學術研究的經驗與反思。其它三本——《塗鴉香港》（第一版，2012；第二版，2016）、《匆促的記者》（2013）與《民主、民意與民粹》（2016）——先後在香港出版，它們多少都是我以記者的視野，對中國、香港與臺灣社會現實所做的片段觀察、紀錄與批判。

反思與謝詞

《墮落的學者》是反思多於實證、評論多於理論的書籍，談不上是系統化的學術研究與紮實的知識宣稱。即使如此，沒有許多人的對話、協助與支持，這本書要出版大概不容易。書中對臺灣學術界一些現象與學者的觀察和挑剔未必會引起認同，更可能會帶來文人相輕的譏諷或爭議，特別是以「墮落」評斷他人是非。

在社會科學領域裏，學術辯證與知識宣稱很難定於一尊，而是一個反覆觀察、分析和驗證的作用過程，其間有太多可能的視野轉折與方法取徑。知識社會學的一個根本主張是，我們看到的現實，不可能不受地理與心理位置的影響，尤其是個人幾十年的時空歷程和經驗。

Mannheim（1936）對知識社會學的定義是，一個有關思想的形成如何受到社會情境或存在的制約影響。在他看來，儘管程度有別，在社會結構與歷史過程中，所有知識和觀念都受制於與地點相關的各種條件。

由於觀念根基於倡導者的差別時空和社會結構，思想因此無可避免的被觀點或視野所侷限。視野是思考的一種正式鑑定，它顯示我們看現實的方式，我們從中感知到的，以及我們如何在思考中建構現實。

橫看成嶺側成峰，這是中國宋朝蘇軾七言絕句裏的第一句。過去幾百年，中國學者卻從來沒有發展出類似知識社會學的一套理論和研究方法。蘇東坡的敏銳觀察、想像力和寫作只停留在文學的詩詞裏，後來的學者顯然未能從歷史與文化經驗中學到知識、教訓與啟發，並在抽象層面延續前人的智慧。

概念，不會無中生有，每一個概念所指涉的現實操作，也都有歷史軌道可尋。即使在概念未出現前，我們很難說，它所指涉的相關行為或動作不曾存在，總有一點蛛絲馬跡，只是還無以名狀。至少，前人為後來者開疆闢土，指引路徑，讓我們可以在既有的學術路上，跨出第一步，不至於舉步維艱。

本書提到的相關理論與研究方法，特別是內容分析與問卷調查，大部分可以上溯到我在美國奧斯汀德州大學新聞系博士課程的知識技藝基礎訓練，一些教授——Wayne Danielson、James Tankard Jr.、Maxwell McCombs、Pamela Shoemaker、Alfred Smith 和 Stephen Reese——亦師亦友，我才有機會擔任他／她們的研究助理和共同作者，經由「做中學」（learning by doing），理解學術並非光說不練，更非虛晃一招，總有實踐的起點與路徑。

良禽擇木而棲，適當的場域是學者操練知識技藝的必要條件，但非充分條件。國立政治大學新聞研究所二年的經歷顯然只是個起步，打下的基礎薄弱。我的學術生涯真正開始於德州大學新聞系，五年半的博士班訓練讓我深刻感受到，所謂一山比一山高。明尼蘇達大學新聞與大眾傳播學院（SJMC, 1990-2009）則提供了最後的踏腳石，我得以攀爬學術界的梯階，環顧沿路的風景線與人文景觀。

　　明大是美國大眾傳播研究的重鎮，幾位同事，特別是李金銓（Chin-Chuan Lee），Phillip J. Tichenor，[1] Donald M. Gillmor，Hazel Dicken-Garcia 與 Ron Faber，在量化和質化研究方面所做的努力與知識宣稱，使我認識到明大所以在美國學術界叱吒一時的學者風範與學術尊嚴，他／她們都是他山之石。

　　在我加入之前，明大 SJMC 的全美排名曾經在前五名內。雖然我們從未合作做過任何研究，這些學者促使我在一個不錯的學術場域更上層樓，與他／她們多年為伍，是任何學者的榮幸。不幸的是，在他／她們於 2000 年起相繼退休後，SJMC 的全美學術光環不再，排名頂多是中庸而已。SJMC 的興衰說明一個事實，江山代有人才出，再好的學術排名，不進則退，甚至隨風而逝。

　　在明大 20 年間（1990-2009），我有機會教授幾門博士班的課程，並短暫出任研究部主任（1994-1995）。為了讓博士生在畢業前能實際演練，我跟同事設計了一套有關學術會議報告、期刊發表和求職面談的步驟要領，也根據學生需要和反應，每年修改與增添內容，整體綱要逐步成形，不過還是少了實務經驗的佐證和案例。

　　我曾擔任多年期刊副編輯（JMCQ, 2002-2012），也替中英文學術期刊評審過不少投稿論文，具有旁觀者的經驗和心得。另外，自己還發表了一些主要期刊（major journals）[2] 的論文，同時出了兩本書，多少有理論與操作結合的親身體會。我在明大 SJMC 從助理教授一路升到教授，在取得終身職（tenure）後，其實可以安穩的待在明大，當一天和尚撞一天鐘，直到垂垂老矣。明大沒有退休年齡限制，去留，全憑教授自己決定。

---

[1] Tichenor 與明大社會系兩位學者 George A. Donohue 和 Clarice N. Olien 於 1970 年提出 knowledge gap（「知溝／落差理論」）。

[2] 有 major journals 當然就有 minor journals，在 impact factor 出現並被錯認為是期刊論文的影響力之前，美國學術界對哪些傳播研究期刊屬於 major journals，大致有個不成文的共識，而且往往會在聘任教授與升等時做為評審的標準之一。

　　在美國大學，許多學者在升上副教授後，除了教書（還未必教得好），不再從事任何學術研究，對知識與文獻毫無貢獻，成了所謂的「死木頭」（deadwood），或一潭死水。原因自然是，他／她們安於現狀，佔著茅坑，甚至尸位素餐。教授名額固定，若非退休或辭職，年輕學者很難取得一席之地。

　　一個蘿蔔一個坑，學者佔著位置而無所事事，影響的不僅是他人，更故步自封。Benedict Anderson 是研究民族主義的美國學術泰斗，2015年在校對自傳初稿後去世，*A Life Beyond Boundaries*（《超越藩籬的一生》）於 2016 出版。他在自傳中說，人不能在一個地方停留太久，甚至安頓下來，以免心胸狹窄，屬於地方性，又自我感覺良好。

　　換句話說，一旦我們對環境中的人事物習以為常，或視為理所當然時，盲點的產生將無可避免，難以做批判性的觀察和思考，學者也一樣。Anderson（2016）的訓誡在我提前從明大退休，並在香港城市大學媒體與傳播系任教的 7 年間，得到對比的驗證。如果我繼續留在明大，這本中文書應該不會見到天日。

　　城市大學是我在香港任教的第二所大學，1993-1994 年，我在美國明大升為副教授後，到香港中文大學新聞與傳播系擔任訪問學者一年。在 1997 年之前，香港的學術自由與新聞自由大致無礙，政治與學術基本上是井水不犯河水。我一方面教書，一方面在當地的中文報紙發表評論文章，不曾感受到任何有形或無形的政治壓力，學術上也沒有以量取勝的傾向。

　　過了 14 年，我在 2009 年再次踏上香江，停留的時間較長，深深發覺到整個學術環境已然變質。城市大學尤其走火入魔，不僅在聘任上以量化數字（期刊論文數目）為主要指標，在學術品質方面的追求，更逐漸以 SCI 和 SSCI 的影響因子（impact factor）來區隔學術期刊的份量與影響力，甚至在校內升等申請時，堅持校外評審必須是大學排名在世界百大之內的教授才夠份量。種種措施，都以類機械化的操作為出發點，讓人嘆為觀止。

　　城大時常以名列世界百大自豪，似乎無視在香港八所政府資助的大學間，不論是主觀評價（家長與學生多年的看法）或客觀認定（大學評鑑），最好的排名頂多是第四（偶而第三），也就是中等而已，排在香港大學、香港中文大學與香港科技大學之後。大學排名，就像政治一樣，都是在地的才算數，所謂世界百大，不過是一個自欺欺人的假相。

　　在申請城大教授職位時（2008），校方要我依照表格規定（圖 0.1），列舉過去十年每一篇學術期刊論文被引用的次數（citations），並從最高排到最低，再統計總數。城大的用意相當明顯，作為學者，我的所有論文被引用的次數加起來如果達不到一定門檻，就微不足道了，至於門檻如何訂定與是否合理，則是另外一回事。

　　因為在明大就職與升等（助理教授到教授）時，校方從來沒有如此要求過（其實也不太注重），我花了點時間在網路上收集相關數據。原來，學術研究早已被簡單量化，一個學者的份量可以透過引用數字來概括，其中最普遍的數據是 Web of Science Citation Indexes 和 Google Scholar Citations。這個事實說明的是，美國大學的學術遊戲規則延自歷史經驗與學術的獨立自主，根本不適用於其它情境。孰好孰壞，全憑數據的用途與目的。

　　到了香港後，因為距離近，我跟臺灣的學術界開始有些具體接觸。2010 年 11 月 24 日，我應國立臺灣大學新聞研究所邀請，第一次以國語報告本書中的一些概念。新研所的研究生與幾位教授——林麗雲、洪貞玲與張錦華——跟我分享臺灣學生和學者面對的知識技藝問題，謝謝他／她們提供一個機會，讓我能以局外人的身分，進一步思索局內人的難題。局外人的好處是可以暢所欲言，不過局內人會充耳不聞；局內人的壞處則是不敢相互批評，投鼠忌器（Schweizer, 2020: 23-124）。

```
Citations of Publications of Professor CHANG Tsan-kuo

Department of Media and Communication


1.    Search was accessed in _____.


2.    Number of citations (excluding self-citation) based on Social Sciences Citation
      Index (SSCI) <1976 to present> and, Arts and Humanities Citation Index (A&HCI)
      <1975 to present> :

Social Sciences Citation

      (a)   Total number of citations for all publications      - _____

      (b)   Total number of citations for publications in the   - _____
            past 10 years (e.g. 1997 – 2007)

Arts and Humanities Citation

      (a)   Total number of citations for all publications      - _____

      (b)   Total number of citations for publications in the   - _____
            past 10 years (e.g. 1997 – 2007)


3.    Citation figures (excluding self-citation) for each publication are attached.
```

圖 0.1   香港城市大學媒體與傳播系著作引文表格

　　在香港任教七年間（2009-2016），本書中的主要概念更進一步在博士班課程裏探討，另外也在人文與社會科學院的研究生講座課上報告過。系上博士生幾乎都來自中國的頂尖大學，知識程度與研究態度代表一個變項，可以查驗因地域不同而造成的視野差異。媒體與傳播系的同事，特別是李金銓（我在明大的 20 年同事）、祝建華、何舟、李喜根與假芝雲，在教學和研究方面，或多或少啓發我對本土學術活動及知識生產的觀察與反思。

　　一個深刻的感受是，機構（城大）和制度（香港的大學體系）對學者的知識技藝有直接或間接的社會化作用。感謝城大同事與幾位研究生（尤其是易妍、劉娜、宋韻雅），陪我渡過一段不算短的歲月，讓我在

教學之餘，能够對中國、香港和臺灣就近觀察，並訴諸文字，在報紙與書籍中記載一些兩岸三地的社會檔案，盡到一點知識份子的社會責任。在他／她們看來，作為傳播學者，我似乎不務正業，尤其是寫《塗鴉香港》，它們卻是我對知識生產不能脫離社會現實的一種堅持和實踐。

從 1980 年辭去《聯合報》的記者工作到美國唸書起，我在國外停留了約 40 年，其中在美國的大學任教 24 年（1986-2009）與香港七年（2009-2016），包括在香港中文大學（1993-1994）與新加坡南洋理工大學（1996-1997）各客座一年。全部以英文授課，發表的學術期刊論文也幾乎都是英文（1994 年《台大新聞論壇》的一篇文章算是例外），沒有任何中文講課與論文寫作的經驗。這是一種個人歷史的缺口，多少是人生歷練的遺憾。

由於少了一段耳濡目染的親身歷練，一個大致合理，而且容易被當成口實的評斷是，我的教學與研究都跟臺灣本土無關，對當地學術界因此缺少實質參與和具體貢獻。這樣的論斷合乎我離鄉背井快 40 年的事實，不過也多少排除了一個局內人的地位，不受小圈子與人情世故的干擾，讓我具有局外人冷眼旁觀的一點自在。

我在臺灣當過三年《聯合報》記者（1976，1978-1980），總編輯是張作錦。剛開始在美國教書後，我到紐約探訪在《世界日報》任職的研究所同學與前同事盧世祥。張作錦正好也調到《世界日報》當總編輯，我們有機會交談了一陣子。走在法拉盛街道上，他問我當記者與學者有什麼感受，我無法確定他問的真正用意，那時他也不太可能知道我曾經用筆名（端木少華）在黨外雜誌《八十年代》發表《聯合報》不可能或不願意刊登的文章。

由於論文發表的理論需求，我開始接觸知識社會學的相關文獻，尤其是社會現實建構的理論框架，加上我當記者（臺灣）和學者（美國）的地方是兩個截然不同的場域，情境不同，心境也就會有所變異。簡單說，我們所處的地理和心理位置，影響對現實的觀察和評斷。我記不得當時回答張作錦的確切內容，但不外是局內與局外視野的差別。

　　即使事過境遷，張作錦可能忘了，他的問題卻點出一個學術上的難題：如果與本土脫節，學者的社會角色與作用到底是什麼？經過多年觀察與反思，這本《墮落的學者》與 2013 年出版的《匆促的記者》放在一起閱讀，也許會有比較完整的答案，感謝他在紐約法拉盛街道上提出的一句話，讓我沉吟至今。

　　因為終身制的保障（Childress, 2019），明州大學沒有退休年齡的限制（實際上很少人教一輩子書，通常接受校方提出的優厚條件卸任），香港城市大學則規定 65 歲必須退休。2016 年我剛好達到法定年限，前一年我開始計劃何去何從：回美國明州，還是回臺灣定居？由於臺灣科技部推出的客座教授計劃，我覺得是用中文教書的唯一機會，決定申請，也獲得國立政治大學傳播學院的支持。

　　科技部竟然很快就通過申請案，讓我在 2016 年暑假正式到政大擔任客座教授。在申請時，我原本希望能在新聞系教新聞報導或寫作課程，以及一堂影音編輯課。後者是因為從 2014 年起，我在香港以公民記者身分，在臺灣公共電視的 PeoPo 公民新聞平台上發佈了不少影音報導，自信能帶給政大一些非傳統的新聞視野與編輯手法。

　　雖然我在政大唸了二年的新聞研究所，與新聞系的淵源並不深，儘管有幾年的實務經驗，在講究科班出身的新聞系看來，大概算是雕蟲小技。不管是什麼原因，我最後未能以國語開授新聞報導或寫作的任何課程，反而被安排在國際傳播英語碩士學位學程，以英語教授本地生與國外生各半的碩士課。在非英語國家成立一個英語碩士學程，真是一個很奇怪的設計，也許，我的國外教學經驗正好解決了它師資短缺的問題。

　　在政大一年，我的貢獻有限，但是在知識技藝的驗證上不無所獲。透過近距離觀察，我可以感受到傳播學院山頭林立，深以臺灣傳播學術界「龍頭」的地位自豪，有時幾近傲慢。這種現象自有歷史與現實原因，推到極致，教授難免互不相讓，甚至彼此傾軋或排擠，帶來近親繁殖的學術弊病。感謝方孝謙、林元輝、施琮仁、孫曼蘋和馮建三在課堂內外的協助，讓我理解傳播學院在學術、研究與實務方面遭遇的挑戰和

困境。

　　政大的經驗不光是教訓，更是啓發。對我來說，想要在臺灣以自己熟悉的語言上課，顯然並不如想像中的單純。一方面，因為積習成俗，有關課程的權利／權威感自然形成（我的課別人憑什麼想教就教）；另一方面，由於學術圈的倫理關係（小圈子或論資排輩），某種門派／門户的凝聚在無形中建構（外來的和尚憑什麼侵門踏户）。我因此必須另起爐灶。

　　在一場因緣際會中，國立交通大學傳播與科技學系決定替我再申請一年客座教授的職位，科技部同樣也很快核准。2017 年，我轉到新竹交大繼續一段未完成的學術之旅。感謝彭芸、黃静蓉、魏玓與陶振超在學術與課程方面的安排，讓我有難得的機會和經驗，接觸臺灣本土的博士生，經由課堂内外的互動，教學相長。

　　交大應用藝術研究所的陳静君與黃芷晴是第一批我以中文教過的博士生，她們的邏輯思考與研究能力不差，也具有足够的想像力，除了英文能力外，程度未必輸給外國學生。我把她們跟美國或香港的博士生等同看待，開出的書單清一色是英文，份量也不算輕。我的單純想法和期待是，博士班學生應該都有相同的知識和研究基礎。

　　一學期下來，我的體會是，要求她們閱讀英文文獻，課堂討論卻使用中文，在知識技藝的訓練上（例如思考與寫作）未必有實質幫助。原因無它，英文畢竟不是她們的母語，大學時她們大概沒什麼機會讀寫英文，在博士班也以中文寫各種學期報告，幾乎很少用到英文，更別提要發表英文期刊論文了。感謝陳静君與黃芷晴，讓我看到臺灣年輕學者面對的英文學術霸權與知識生產的兩難，以及網路知識的輔助作用。

　　我原以為交大傳科系會是學術生涯的最後一站，峰迴路轉，出乎意料。1980 年，我在美國德州理工大學（Texas Tech University）唸了一學期，因為理工大學當時並沒有傳播相關的博士課程，我決定在隔年轉學到德州大學奥斯汀校區（University of Texas at Austin）。這是德大系統的旗艦大學（主校區），而非分校，後者通常是地區的教學型大學。

　　人生的際遇常常出乎想像，轉學前，我在 Lubbock 的室友是 40 年後的交大代理校長陳信宏（德州理工大學電機博士），當時不過是一個學期的萍水相逢。我到交大時，陳信宏是副校長（Provost）。傳播研究所的郭良文（我們共同教一堂博士班課）帶我去拜會陳信宏。這是我離開德州理工大學後第一次跟他碰面，而且是在我們共同的原鄉。

　　世事演變，個人往往難以預期。陳信宏大概覺得我還可以幫一點忙，在客座期滿後，以約聘教授身分讓我留在交大傳播所。感謝陳信宏的信任與郭良文的推荐，我才能延續大學的教書生活，正式接觸第一批本土的博碩士生，並能抽空完成這本書。

　　交大與陳信宏校長對我個人的生命也有另一層深刻意義。在交大三年間，我動了兩次手術，第一次（2018 年 2 月）是因為人事室堅持我必須進行健康檢查，並提交報告。我到政大時也許就應該做這項檢查，不過相關單位卻未要求體檢報告，不然，乙狀結腸的腫瘤可以發現得更早，治療起來可能相對容易。教職員的健康當然不是大學應負的責任，體檢報告的要求倒也顯示交大和政大對一年客座教授的差別規範。

　　第二次是第一次的後續發展，但是交大校方相當關切。2020 年 11 月，經由陳校長和林奇宏副校長[3]的安排，我才有機會到臺灣大學醫院生醫分院見到院長余忠仁和外科部主任何明志，他們建議我到臺北臺大醫院接受手術，切除部分肝臟。整個過程相當順利，臺大的醫療團隊與醫護設備不愧是臺灣的大學龍頭。沒有這幾位學者專家的知識、技術與經驗，我個人的生活大概會是一個不同的局面。大恩，不言謝。

　　本書初稿在手術前完成，住院八天是個非常獨特的生活經驗。在政大客座那一年（2016-2017），我與妻子以公民記者身分，在凱達格蘭大道附近採訪過不少社會運動的新聞，來回走過台大醫院和台大兒童醫院不少次，從來不曾想過在醫院的建築裏，有一群專業與敬業的醫師和護理師，日以繼夜的照顧更多的成人及小孩病患。局內人與局外人所經歷

---

[3] 林奇宏於 2021 年出任國立陽明交通大學首任校長。

的，確是兩個不同現實世界，只有設身處地，我們才能理解為什麼社會上會有那麼多分歧和紛擾。

八天不算短，分秒加起來，時間更長。我有時坐在椅子上，有時站在走廊，面對著總統府，透過一窗之隔，比對窗裏窗外的兩個世界，思緒起伏不定，像跑馬燈，一幕一幕，歷歷如繪。C. Wright Mills（2000）提到的思考與寫作過程，不斷在我的腦海和 iPad 之間穿梭。住院幾天內，真正入眠的時間不多，我反覆思索自己的經歷與由此而形成的許多認知和知識宣傳，以及在課堂上的教學內容，並一再檢視本書中探討過的不少問題，有些地方做了必要的修改。

本書中的所有主張、想法與知識技藝的操作形式，分六個星期，在 2020 年碩士班的「新媒體與傳播工作坊」訴諸文字和行動，謝謝傅湘妮、李睿廷、鍾國暉、黃詩云、簡廷恩、文品堯、周均澤、謝婷昀、陳思翰、余佳靜、田詠葳、陳架欣、蘇可柔、鄭宇芯、陳亭安和林俊延，分享他／她們在研究所面對的最大壓力，以及知識技藝上碰到的難題。從他／她們身上，我看到自己唸研究所時的處境。交大傳播所教授都有博士學位，當年整個政大新研所只有楊孝濚是博士，其他全是碩士，獨木難撐大廈。

交大傳播研究所的歷史不長（1991 年成立），是臺灣三所招收傳播博士生的院所之一，其它二校是政大與世新大學。師資名額只有七個，每年招收的博碩士生不超過 30 名，絕大部分是碩士班學生。感謝李秀珠、黃惠萍、陳延昇、李峻德、羅仕宇、吳泰毅和羅禾淋在教學與行政上的支持及安排，讓我能夠在交大停留了三年，見識到科技與傳播互動對學術和知識技藝的影響。

交大傳播所的博士學位設在應用藝術研究所之下，名額不多，一年頂多招收三名新生，經常只有一個學生。曾懷寬、神雨丹（陸生）和李玠璥，以及陳禹先和游若婕是我在臺灣教到的第二批與第三批博士生，書中的理論、概念與研究部分都在課堂上多少討論過，並做增添和修正，感謝她們所展示的困惑、追尋和頓悟對我的啟發。

　　神兩丹在一年後轉學到應藝所，李玠瑱又很少出現在傳播所，陳禹先與游若婕則在應用藝術研究所出入。在人社二館裏，整個一間很大的博士生研究室便只有曾懷寬進出，見證了學術道路上千山獨行的寂寞。一個人的博士班也突顯臺灣年輕學者在知識技藝上，缺少世代群體相互支持與切磋的環境，就像一本書跟現實和文獻脫節一樣，難以把知識情境化。

　　因為少子化與就業困難，臺灣許多本土的博士畢業生勢必面臨何去何從的困境或難堪局面，特別是那些把招收博士班學生（即使只有一個）與博士班課程當作裝飾研究所門面和師資份量（我們有能力指導博士生）的大學，不妨仔細閱讀 Herb Childress（2019）的 *The Adjunct Underclass: How America's Colleges Betrayed their Faculty, their Students, and their Mission*（臺灣翻譯成《兼任下流》），重新思考大學的目的和使命。

　　本書涵蓋太多社會科學的概念、想法、理論視野和操作，不可能全是我自己的思考和創見結果，要感謝的人太多，特別是散佈在社會學、政治學、心理學和人類學的無形學院。過去 35 年，我教過不少博士生，讀過不少學期報告與博碩士論文，評審過不少期刊的文稿，拜讀過不少學者的審稿意見，參閱過不少中英文書籍和期刊，發表過不少評論文章和中英文的期刊論文，引用過不少他人的論點。點點滴滴，積沙成山。

　　或多或少，每一個學者，即使是名不見經傳，與每一篇文章，即使是未發表的學期報告或博碩士論文，都對我的思考和寫作有所影響。更多時候，我站在一些學術巨人的肩膀上，看得更遠更廣，全部揉和在一起，就形成我自己的一套學術研究體系和知識技藝，對無形學院，我無法也不可能一一致謝。如果《墮落的學者》能有一點學術貢獻，便算是我的卑微回報。

　　跟前面三本書一樣，我的妻子，從霖，都是第一個讀者與書評家，她陪我在學術場域裏，從臺灣到美國，經由香港，最後再回到臺灣，走了很長一段路，甘苦與共。一路上，我並不孤單，她幫我校對原稿，除

了找出錯別字，更在說理或論證上，提出質疑，我的中文寫作才不至於貽笑大方，感謝她縱容我在學術路上奔馳與對家庭的疏忽。

兩個小孩——昰昱（James）與少白（Alex）——在我們離開美國多年後，隔著大海大洋，各自在加州和明州過著獨立生活，感謝他們讓我們能安心在香港與臺灣走一段未竟的路，並抽出時間跟我們定期聚會。本書出版後，他們應很高興終於不須再考慮送我什麼退休禮物了。

回到臺灣後，從霖與我有時會想像當年如果不出國，我們目前會是什麼樣的光景。一路走下去，轉個彎或拐個角，其間有太多可能的路徑選擇，越過了不回歸點後，便只能像過河卒子。這當然是一個無解的人生弔詭，唯一可以確信的，我應該會繼續當記者，最後也許成為一個所謂的「資深媒體人」，除了用一支筆或一張嘴批評時事，難免一事無成。從網下到網上，目前一般記者的能力、地位和形象已遠非當年，無可比擬。

如果不出國，臺灣終究是個小池塘，邊小水淺，只憑政大的碩士學位，比起博士，難免相形見絀，我的知識技藝大概會停滯不前，想在臺灣當個學者是緣木求魚，要想在學術研究上取得一席之地，恐怕更會自取其辱。即使在國外幾個地方教過書，臺灣的經歷總是個起點，所謂行百里路始於足下，跨出一步，就是里程碑的建構。

學術道路再長，總有駐足的地方。寫這樣一本書，算是一種反思與自省，儘管根據事實，《墮落的學者》不是學者的墮落，指名道姓，提到不少人，他／她們未必具有代表性，也難以概括整個學術界的好壞。既然是論斷其他學者的是非，便帶有相當的主觀性，頂多是象牙塔內的個人話語，談不上是一家之言。

學海浩瀚，掛一漏萬難免，書中的所有錯誤、缺失或認證偏差，都是我的疏忽與知識技藝訓練的不足。學術道德與倫理不假外求，沒有誰可以佔有道德高地，任何對本書的質疑和批判全不為過。畢竟，不經一事，不長一智，真理愈辯愈明。

第一章
學者、政客與學術

不論是臺灣或其它民主國家，表面上看，學術與政治似乎互不相干，其實經常糾纏不清，學者和政客不時指責對方危言聳聽或極端反智，有時還惡言相向，口水四濺，霸凌對方，自以為站在道德高地，俯觀四方，足以指點萬物蒼生。

以美國來說，2008 年諾貝爾經濟學獎得主、《紐約時報》專欄作家 Paul Krugman（2020）就指出，政治一向會侵犯學術研究的任何領域，有些政客總有強烈動機指鹿為馬，例如否認氣候變化。即使在新冠肺炎（Covid-19）於 2020 年開始肆虐全球時，一些國家的領導人，包括美國總統 Donald Trump（臺灣翻譯為川普），一再質疑是騙局，否認任何科學證據。

面對政客的反科學宣傳與恫嚇，專家、學者與科學家所能做的是，持續發掘事實、證據與追求真理，並在知識上提出一套足以令人信服的宣稱，而非趨炎附勢。從學術角度看，作為知識生產的具體條件，知識技藝（intellectual craftsmanship）固然是一種不斷演練的技能和手藝，但並非是政治操作的一個手段，更不是學者顛倒是非的工具。

跟所有人一樣，學者生活在象牙塔之外一個較大的現實世界裏。學術研究自然基於實證，學者的知識工作卻不該只停留在事實層面。事實不會自己說話，學者的社會作用與使命是透過反思，結合個人經驗與知識，以批判性的態度積極參與社會生活。至少，這是知識技藝特別著重

的哲學立場和實踐。

　　知識技藝是美國社會學家 Mills（2000）在 1959 年出版的《社會學的想像》中一個特殊概念與操作（見第二章）。儘管並未明確定義，Mills 使用 craft 這個名詞，用意不外是在區分社會科學中的技藝，不同於研究方法與一般理論。在創造產品時，知識技藝是一種自省與自發的過程，學者需要費一番腦筋、直覺與知覺思維，並擺脫方法與框架僵化的結構限制，也應有某種藝術取向的衡量。

　　在臺灣，社會科學家並不缺乏研究方法與理論的訓練，知識技藝的形成和運用卻是另外一回事。早期的社會學者都在美過受過相當嚴謹的學院薰陶，並把相關的理論、研究方法與經驗帶回臺灣，他／她們的學術研究、社會參與和知識生產多少開啓了臺灣的社會學想像（蕭新煌，2010）。至少，他／她們引進了西方的學術新知與見解。

　　蕭新煌（2010，頁 8）認為，「1980 年代到 1990 年代不但是臺灣民間社會運動展現的黃金時代，也是臺灣政治自由化民主化改造典範的黃金時代」。在 1987 年解除戒嚴後，臺灣的學術自由大致不受外在政治力量的無理干涉。[1] 從 1996 年總統普選起，學術與政治場域往往相安無事。2020 年總統大選倒是例外，一個蔡英文 1984 年的學位真假驗證，竟然攪起一陣政治塵埃，弄皺一池春水。

「論文門」：蔡英文的學位爭議

　　在相當程度上，參與爭辯的學者就算沒有學術以外的政治動機（例如阻止蔡英文連任），他／她們對知識技藝的運用，特別是相關問題或

---

[1] 理論上，因為學術自由的保障，大學教授在教學與研究方面通常不受政治因素的干預。事實是，從學而優則仕與官大學問大的現象來看，臺灣的學者與政客的身分一直可以互換，特別是在 1987 年前的威權時代。即使在解除戒嚴 30 多年後，不管是否基於事實，藍綠之間所謂御用學者的爭論，也從來沒有停止過。

難題（見第三章）的辯證，卻多少受到意識形態的侷限，思緒與邏輯又過於浮面粗糙，意氣用事，未嘗不是整個過程中的敗筆，留下為反對而反對的印象。

　　30 多年前，蔡英文到底有沒有於英國倫敦大學政治經濟學院取得博士學位，在 2020 競選期間，不僅成為選舉新聞中的一個插曲，甚至還越演越烈，變成所謂的「論文門」事件，攻擊的一方更自認立於不敗的道德高地。選舉過後，當事人雙方對簿公堂，把原本是學術真偽的辯證問題，轉化為法律爭端。

　　一些學者只不過寫了評論文章，也遭受池魚之殃，被告上法院，例如國立臺灣大學新聞研究所教授王泰俐遭受妨害名譽的指控。[2] 不管法律紛爭如何纏鬥，政治過程依照既定路徑行進，「論文門」件事並未影響到選舉結果（民主進步黨的蔡英文以 817 萬票擊敗中國國民黨韓國瑜的 552 萬票），卻鬧得沸沸揚揚，眾聲喧嘩。

　　由於藍綠政治立場的左右，國內媒體對蔡英文學位／論文的新聞和評論多少會有程度上的差異，其實是信者恆信，幾近宗教的狂熱。根本關鍵在於，作為相關文獻的一部分，蔡英文的博士論文因為並未出版成書，當然不可能成為經典（她倒是自稱難得之作），至於是否算得上原典（見第四章），一直是爭執的焦點之一。

　　藍媒[3] 不免誇大其詞，唯恐天下不亂，堅持蔡英文不曾提出論文；綠媒則難免一筆帶過，強調她的論文既已送交倫敦政經學院，[4] 事情應

---

[2] 王泰俐在 2019 年 11 月 29 日發表「政治微（偽？）網紅與假訊息的距離」，分析如何分辨「論文門」的假消息，被網路「童溫層」節目製作人兼主持人童文薰，以自訴方式控告妨害名譽，台北地方法院第一審判決王泰俐無罪。見王聖藜（2020 年 6 月 24 日）。

[3] 臺灣新聞媒體的政治立場通常以顏色區分，藍媒，代表中國國民黨或贊成中國統一的新聞媒體；綠媒，則是支持民主進步黨或臺灣獨立的新聞媒體；紅媒，則是附隨中國共產黨與中國統一的新聞媒體。

[4] 倫敦政經學院 2019 年 7 月 24 日表示，蔡英文的論文副本已送到倫敦大學的圖書館，並正式編入書目（中央社，2019 年 7 月 24 日）。

到此為止，一副天下本無事庸人自擾之的淡定。一旦國外新聞媒體也加入報導，事情便顯得有點重要了。英國 BBC 於 2019 年 9 月 27 日，以中文報導「蔡英文英國博士論文爭議：四大焦點看透來龍去脈」，就把一個國內新聞提升到國際層面，BBC 的中文新聞不會光以臺灣讀者為對象。

　　一些學者與記者在評論時，以「論文門」簡稱蔡英文的論文紛爭，不僅危言聳聽，或語不驚人死不休（見第七章），更帶有價值取捨和判斷。「論文門」的概念可以上溯至 1972 年，美國總統尼克森監聽民主黨全國委員會的水門大廈總部，事後又企圖掩飾的政治醜聞。作為一個濃縮符號（Edelman, 1985），「水門案」已是美國政爭與政府濫權的腐敗代稱。

　　蔡英文論文的真偽被貼上「論文門」的標籤，可能也有點日本「羅生門」電影的味道，不管公婆是否各自有理，背後所暗示的，當然是臺灣政府與倫敦政經學院相互勾搭的某種陰謀，目的不外在隱瞞一個跨國的政治與學術醜聞。始作俑者，無疑直指蔡英文本人，[5] 除了類似開玩笑的誇大（一個半博士學位），偏偏在時間次序上，她的回應與過往的相關文件留下一些前後不一致的矛盾和邏輯解釋。

　　以「蔡英文論文門」為關鍵詞，透過 Google 的網路搜尋（結果會隨時間增減），在 2021 年 4 月 2 日當天，約有 601 萬項（6,010,000），數量相當龐大，包含各種媒體對正方雙方的報導與其它評論（有些是轉貼或複製）。如果以 2019 年 5 月賀德芬提出質疑為起點，到 2021 年 4 月，網路上有關蔡英文博士學位的文章，兩年間平均每天至少有 8,200 則以上在流傳，在在顯示這件公案所引起的社會關注。

　　蔡英文是否獲得博士學位，只有她自己與倫敦政經學院最清楚。除非握有第一手證據，其他人根本無從定奪，更別提這是學術誠信與倫理操守的辯證。本書無意就事件的來龍去脈多做著墨，一個不爭的事實

5　蔡英文在 2011 年出版的自傳《洋蔥炒蛋到小英便當：蔡英文的人生滋味》中指出，「論文委員會決定授予我一個半的博士學位」，頁 78。

是，從頭到尾，倫敦政經學院從來沒有否認授予蔡英文博士學位，相關文獻也確實記載她在 1984 年獲得學位。

儘管原始事實如此，一些國內外學者、記者和評論家（如賀德芬、林環牆、曹長青、彭文正、徐永泰、林保淳、歐崇敬和邱毅等），加上 175 個博士組成的「華人博士團」，卻一再質疑，有時甚至捕風捉影，拿著雞毛當令箭，鐵口直斷，堅稱蔡英文的論文造假，不可能獲得博士學位，要求她公開原始文件，澄清一切。他／她們都是原告，拿不出定罪的證據，卻要被告證明清白，依據「誰主張、誰舉證」的原則，無疑本末倒置。在羅世宏（2019）看來，「簡直是匪夷所思」。[6]

臺大法律系名譽教授賀德芬、臺大新聞研究所前所長彭文正和美國北卡羅萊納大學經濟學系副教授林環牆被總統府於 2019 年 9 月 12 日告發妨害名譽罪，彭文正也反告蔡英文誣告罪。經過一年調查後，臺北地檢署在 2020 年 10 月 14 日，傳喚賀德芬與彭文正應訊。賀德芬拒絕出庭，林環牆不在臺灣，彭文正在庭訊後於臉書上發表聲明，要求具體求處死刑。原本是學術辯證的問題，卻演變成法律事件，更是政治鬧劇。[7] 北檢於 2021 年 3 月 31 日以「未進一步查證下，持續刻意曲解蔡英文提出的事證」，起訴彭文正，但放過賀德芬與林環牆。法院何時開庭審理，再走完整個程序，蔡英文總統說不定都卸任了。

博士學位的取得屬於學術研究的範疇，驗證的途徑必須從事實出發，尤其是歷史事件。假定 1984 年蔡英文獲得博士學位的事實，並非如文件中所記載的，任何質疑的人就得提出證據，直接反駁或推翻政經學院當時認定的事實，從而指出真正的事實是什麼，也就是說，替代事實是否存在，又存在於何處。對事實的挑戰，並不等於事實不曾發生。

---

[6] 羅世宏現任國立中正大學傳播學系教授，2001 年獲得倫敦政經學院媒體傳播博士。

[7] 彭文正的庭訊與聲明，見《蘋果日報》，〈質疑蔡英文論文造假！彭文正出庭求死刑　檢察官衝出偵查庭開罵原因曝光〉，2020 年 10 月 14 日，取自 https://tw.appledaily.com/local/20201014/5MNTVMTHGBCE7HMGFXT32FZR3M/，下載 2020 年 10 月 15 日。

　　純粹從學術辯證的原則看，這些學者、記者或名嘴都犯了一個心理學與行為經濟學中（Thaler, 2015）探討的認證偏差（confirmation bias），分不清**事實**、**判斷**與**推論**基本上並不相同（Hayakawa, 1939）。一方面，他／她們不承認官方的事實宣稱，以陰謀論[8] 打發可以驗證的既存事實；另一方面，他／她們堅信自己的推論經得起檢驗，以推論取代既成事實。換句話說，他／她們的主觀事實否定了客觀事實。

　　依 Richard Thaler（2015）在 *Misbehaving: The Making of Behavioral Economics* 中的探討，認證偏差是心理學與經濟學裏的一個重要理論假設，基本論點是，人們在尋求證據時，會有一種自然傾向，只搜尋確認自己是對的證據，並排除推翻自己看法的反證。當站不脚的假定認為反證不太可能時，認證偏差可能被突出，這種傾向多少涉及陳述之間的交互作用。

　　S. I. Hayakawa 在 *Language in Action*（《行動中的語言》，1939）中指出，任何陳述都可以分為三種：報告（reports）、判斷（judgments）與推論（inferences）。報告是可以驗證的事實（如房間的溫度是攝氏 35 度），判斷是一種價值取捨（如房間太熱了），推論則是從已知事實猜測其它或未來（如明天大概也會很熱）。只要分清陳述類別，蔡英文論文引起的爭議就不至於各說各話，毫無交集了。

告洋狀：彭文正的正經或鬧劇

　　如果蔡英文不是現任總統，或者不競選連任，她的博士學位不會有多少人在意，大概也不會成為 2020 年選舉期間的一個爭論話題。在從政之前，由 1984 年到 2000 年間，她在國立政治大學與東吳大學先後擔任過副教授與教授，從最初聘任到後來升等，學經歷資格無疑要通過相關單位的認證，這些也全是客觀事實，有案可查。

---

[8] 任何事情一旦扯上陰謀就永遠說不清了，因為正反雙方都可以是陰謀的一部分，無關事實或證據。

　　就算客觀事實都經不起檢驗，蔡英文的學位爭論頂多是個人麻煩（原始博士學位證書丟了，或圖書館的論文不見了），質疑者卻認為是社會問題（總統的誠信不足以領導國家）。前者是微觀（個人層面），後者是宏觀（社會層面），由微觀到宏觀，兩者之間的一個邏輯關係一旦成立，臺灣的學術問題就茲事體大，特別是新聞媒體從旁煽風點火，其中又以統獨意識形態最能代表正反立場的指標。

　　中廣新聞網 2019 年 12 月 3 日以「蔡英文連政大教職也是假的？**獨派提證據嗆政大是共犯**」為題（粗體字為作者所加），報導旅美學者林環牆指控政治大學是蔡英文教職作假的共犯，要政大與教育部出面交代清楚。標題以「獨派」表明林環牆的政治立場，除了在新聞報導中注入意識形態，更暗示他的指控可信（證據來源是獨派，而非統派），政治企圖與學術辯證也就糾纏不清。

　　林環牆的用意大概不過是想把原本是一個私人問題（蔡英文的學術尊嚴）提升到更高的一個社會層面（官官相護）。他的推斷是，只要政大與教育部都參與掩飾蔡英文的缺失，她的學位爭辯便不再是個案，而是公眾議題。依這個脈絡推展下去，既然是眾人之事，蔡英文作為總統候選人的誠信與資格，便值得選民認真檢驗或進一步評價。官官相護，確是臺灣政界與學術界的特殊現象（見第八章）。

　　沒有人可以一手遮天，由正面角度看，學者、專家與記者窮追猛打，不斷質疑蔡英文論文／學位的真假，追求的是水落石出的終極結果（真相只有一個），亦即真理的宣稱。依據美國社會學家 Robert Merton（1972）的論點，不論是局內人或局外人，有關對方真理宣稱的評估，必須透過對實質（最重要部分）或邏輯結構（部分之間的關係）的調查，而非憑藉個人的好惡。

　　就學位來說，蔡英文與倫敦政經學院無疑是局內人（只有她與大學最清楚學位的授予），所有非當事人自然是局外人（他／她們都不曾參與蔡英文論文的審核）。蔡英文既然表示「真的假不了，有學位就有論文」（這是她的真理宣稱），反對她的學者就應在實質（學位記載）或

大學和蔡英文的關係（邏輯結構），提出不存在的事實反證，進行辯駁，否則越描越黑而已。

往負面角度看，整件事的原始事實記載於倫敦政經學院的文件裏，在無法否定白紙黑字的情況下，任何後續的解讀或詮釋都是事實如何產生的臆測，不僅無損事實的真實存在，對房間裏的一隻大象視而不見，難免有點無理取鬧。

不管是在臺灣或國外，有些學者鍥而不捨，堅持眼見為憑，多少帶有學術會議中人在現場觀察的嚴謹態度。如果草率為之，就有點像是學術拜拜了（見第五章），熱鬧有餘，理性不足。前臺灣大學新聞研究所教授彭文正除了在網路上持續質疑蔡英文的論文，還告洋狀，2019 年 10 月 18 日與林環牆到英國倫敦 Savoy 飯店，召開國際記者會，企圖引起國外媒體的注意，製造國內新聞。不過，事件的發展並未如他們所預期的，可能還雷聲大雨點小，更找不到一把「冒烟的槍」（smoking gun），讓對手難以狡賴。

當既存研究（文獻記載的發現）在未被新研究（最新發現）推翻或取代時，學術研究的一個基本原則，至少學者應有的謹慎態度，是接受既有證據的知識宣稱，直到新的事證出現，而非毫無實據，單憑臆測，透過話語，企圖改寫文獻，特別是未經同儕嚴謹審核的陳述。許多事實不會因時空變遷而改變或失效，例如 1984 年倫敦政經學院的博士學位記載。

在「論文門」的爭論中，當官方的原始公告／事實／宣稱無法被證實為偽時（倫敦政經學院捏造事實），原告只能接受最早文件的真實性和效度，沒有道理要求被告拿出證據澄清自己當初沒有做假。至於以利比亞強人格達費兒子曾經花錢買到政經學院的學位，影射蔡英文的博士學位也可能是捐錢買來的，就有點牽強了。在某種層面上，學者拒絕向事實低頭，又曲解事實，或企圖挾洋自重，多少是一種學術墮落。

學者墮落的形式與內容

個人學術墮落，或許事小；集體學術墮落，就不能等閒視之。在臺灣，墮落的學者雖然未必滿街跑，但也不會是小貓兩、三隻。事實是，學者的墮落時有所聞，論文造假也層出不窮，整個社會為學術弊病所付出的代價難以衡量。

學者墮落，除非是明目張膽的抄襲或剽竊，涉及版權或知識產權的侵犯，基本上並非法律可以定奪的問題，而是道德或倫理問題。一個學者墮落，是個人麻煩；許多學者墮落，就是學術界問題了，牽涉社會的有效監督與控制。

墮落的字典定義大同小異，在不同文獻中的使用，也因上下文而有抽象或具體的差異，例如墮落深淵，可以是真的掉到一個深坑裏，也可以是形容個人所處的困境。一個共同特徵是，個人的思想行為或屬性從一種正常狀態，轉變到一種非常態或不該為而為的局面，通常被認為是淪落，或降格以求。根據教育部重編國語辭典修定本，墮落的意義是腐化、沉淪，陷入惡道、惡事，也指人品趨於下流。[9]

本書對學者的墮落採取比較廣泛和寬鬆的認定，以有所為與有所不為，作為墮落與否的界定或分野。有所為，是因為學者，特別是大學教授，從事於知識生產、運用與傳播的工作，往往被認為是知識份子，該做的，便須承擔，否則便是推諉卸責；有所不為，是由於學者，尤其是大學教授，處於特定社會地位，屬於精英階層，在工作關係與資源存取／近用方面，不該做的，就不應逾越規矩，不然就是犯法違紀。

跟其它國家一樣，在臺灣，學者的墮落有不同的形式與內容，可以發生在個人身上、人際之間（師生、同事直接互動）與社群層面，後者是機構（大學）與制度（學術界或無形學院）的問題，更可能是跨國問

---

[9] 墮落字詞的釋義，見 http://dict.revised.moe.edu.tw/cgi-bin/cbdi/gsweb.cgi?ccd=58nj5E&o=e0&sec=sec1&op=v&view=1-1 第一項。下載 2020 年 5 月 24 日。

題，涉及財務利益和輸送等。即使在學術操守要求嚴謹的美國大學，學者也很難跳脫金錢的誘惑。

根據美國之音報導，2020 年 6 月 9 日哈佛大學化學和生化系前主任 Charles Lieber，因為在與中國的關係上，向聯邦當局說謊，被美國司法部起訴。Lieber 於 1 月被捕，罪名是違反政府規定，隱瞞參與中國的「千人計劃」，獲取私人利益。「千人計劃」的目的在招募海外高科技人才為中國服務。Lieber 每個月從武漢理工大學獲得 5 萬美元酬勞，並在當地建立一個超過 150 萬美元的研究實驗室。

一個學者的墮落，並不等於所有學者的墮落。論形式，從象牙塔到走出課堂，最等而下之的，是作奸犯科，例如國立中山大學教授徐正戎 2014 年 3 月因持假造的高鐵驗票章出站，以偽造文書與詐欺未遂被起訴（《自由時報》，2015 年 1 月 20 日）；論內容，由文字到行動，最不可縱容的是，假藉名目性侵學生，例如輔仁大學哲學系副教授沈清楷 2019 年 6 月因約會強暴女學生被教師評鑑委員會解聘（《ETtoday 新聞雲》，2019 年 6 月 24 日）。

教授廁身大學殿堂，竟不能知書達禮，反而為非作歹，已不是學術良窳的範疇，群起而攻，無妨。大學教授而如宵小之輩，固然不可輕易縱容，但畢竟不多見，或是個案而非常態，所有的大學都有懲處和預防的機制，除了有礙觀瞻，影響所及，頂多是局部。

師者，所以傳道、授業、解惑，這是老掉牙的一般看法，從小學到大學，適用於教育體系中的各個階層，不因層級高低，而有社會要求的輕重之別。因為涉及知識的生產、驗證與傳遞，又位處社會精英的專業團體，大學教授尤其扮演舉足輕重的角色。學術敗壞，往往在於學者不傳（不傳承知識）、不授（不認真教學）與不解（不追求真理）。

不學無術，或是佔著茅坑，也是學者墮落的表徵之一。更多的墮落存在於個人與個人（師生和同儕互動）、個人與群體（系所單位內的小圈子或裙帶關係）、個人與制度（研究、評鑑與升遷）等層面。例如，合併前的國立交通大學材料系教授林健正（2020）就認為，「臺灣學界

的重病徵兆反而在於少數學閥圈地築起的高牆，嚴重地壟斷學術資源」。至於學閥如何形成，則是另外一回事了。

個人層面的墮落也許不難察覺，制度層面就難說了。一如南華大學通識中心教授謝青龍（2020 年 5 月 29 日）所說的，校方行政人員有時會暗示教授，「向現實妥協，不要一天到（晚）講大學理念，只差沒直接講白話：知識份子又怎麼了，難道知識份子不用吃飯嗎？」。亦即，知識份子無異一般人，也得每天混一口飯吃，別跟自己過不去，自命清高，以為出污泥而不染。

跟所有人一樣，知識份子總得在柴米油鹽醬醋茶中打滾。也就是說，學術無法脫離現實，學者也難以離群索居。只是，知識份子一旦為五斗米折腰，屈服於外在政治、經濟或社會等壓力，便是生活現實中的莫大悲哀。

學者的墮落更可能是利用理性的算計（如升等要求），從事非理性的學術活動（如避開同儕評審等機制），包括投稿論文到一些似是而非的國際期刊或會議，從而換取虛假的學術研究認可。這種現象在網路與數位媒體盛行的當代社會特別明顯，所謂「國際」學術期刊或會議，不過是假藉學術之名而從事營利的變相商業行為（見第五章）。

嚴格說，本書頂多是在說一些我經歷過或聽說的故事，並非原創性的實證研究，既沒有系統性的量化數據做為佐證，也缺少質化研究深度訪談的第一手資料，更談不上是個人學術生涯的回憶錄。

在質化研究中，不管是學者自己動筆或由他人捉刀代寫，回憶錄的最大問題在於如何驗證資料的信度和效度。Thomas Kuhn 的見解是對的，他說，我們不是自己的歷史學家，更不會是自己的心理分析師（Horgan, 2012）。歷史學家或心理分析師都非當事人，沒有切身的個人利益。借用美國社會學者 Robert Park（1927: 807）的看法，傳記與自傳因此並不是知識的最佳來源。

成王敗寇，是一個不變的歷史定律。大我的歷史，毫無例外的都任由勝利者大書特書，失敗者頂多一筆帶過，在斷簡殘篇中苟延殘喘。依

據歷史學者 Seth Cotlar（2019）的觀點，歷史就是歷史，我們不能改變過去發生的事，但是永遠在變的是，我們如何挑選國家過去的片段，並把它們帶入到當下。小我的歷史也一樣，我們無法改變個人過去的經歷，但是可以挑選當下要說些什麼（包括不實的記憶）與如何說。

我在政大擔任客座教授時，讀過被認為是「香港傳理教育先驅」余也魯（2012 年去世）親自書寫的《萬水千山都是詩：余也魯回憶錄》（2015）。仔細看過後，我發現其中有些陳述根本與事實不符，經不起查證。在網際網路普及的今天，這些事實都不難透過 Google 核對。不幸的是，回憶錄記載了一些不該犯錯的事實。

沒有人能回到過去，甚至一五一十的「還原」歷史，[10] 回憶錄因此是個人回想過去的心路歷程，記載的並非針對事實的自然態度（一分鐘就是一分鐘），反而是現象的經驗感受（一分鐘可長可短，可能是人生最大快意或折磨）。學者的記憶再好，也難免會張冠李戴，更何況記憶會隨時間衰退，事後的合理化也不無可能。

如果連可以驗證的簡單事實都站不住腳，回憶錄中其它的個人經驗（通常很主觀），或是作者與另外一個人的對話（沒有第三人在現場，也未必客觀），又有多少可以當真，特別是缺少任何文字記載的相關資料作對照？對回憶錄內容，我們必須存疑，可能還得打點折扣。蔡英文的《洋蔥炒蛋到小英便當》自傳有關論文／學位誇大部分所以遭受質疑，大致是一種學術批判的起碼態度。

僅管內容多少跟個人經歷、技藝與知識有關，本書不是回憶錄，更不具備回憶錄的條件和基礎。所謂他山之石，學者的回憶錄在經驗傳承與歷史記載方面多少都有可取之處，但是也不能太當真。盡信書，不如

---

[10] 臺灣的新聞記者，特別是電視記者，在知識技藝或社會科學訓練方面，顯然有所不足，不然就是邏輯思考有缺陷。他／她們往往在事發後跑到出事地點，以為人在現場，企圖「還原」事情發生的經過。就算記者碰巧在事件現場，他／她們也不可能面面俱到，很多消息都必須依賴其他來源，失真因此無可避免。

無書，特別是學者在事過境遷後單憑記憶寫成的自傳，或是透過徒子徒孫所書寫的「緬懷師恩」的文集。

透過各種文本，本書的取徑比較接近於質化研究的紮根理論方法。從 1986 年起，我在大學教書與研究過程中，有許多機會觀察和分析跟學術研究有關的事實，在不同情境下（美國、香港、新加坡和臺灣），再進一步觀察與分析類似事實，經過反覆比對與比較，並參考相關文獻，隨時作成筆記，收集在不同課程的 PowerPoint 教學檔案裏（類似 Mills 所說的 files），經由批判性思考和檢驗，逐漸形成一些知識宣稱。

《墮落的學者》是一本介於學術與實用之間的書，在學術方面，批判多於理論探討；在實用方面，規矩多於實際操作。不論是否擲地有聲或石沉大海，書中論點，特別是知識宣稱與知識技藝的展現，即使是一種互為主體性（intersubjectivity）的建構，都有待時間證明與他人檢驗。

我無法說本書是一種全面性的社會科學觀察與分析，頂多是吉光片羽，著重的是我比較熟悉的傳播與新聞領域的學術研究。書中所關注的是學者在知識生產與研究操作方面，是否堅持應盡的本分（有所為與有所不為），以及可能帶來的預期與非預期後果。在不同程度上，這些都跟知識技藝和學術研究的養成息息相關，也隱含倫理的拿捏。

任何技藝都是技術與手藝的結合，它的學習與操作不光是一種拳脚功夫，更有個人想像力與社會結構帶來的機會和經驗。初學者的入門要求，未必是十八般武藝皆通，但也不能只憑花拳繡腿，或是一招半式，就想行走江湖。江湖險惡，一旦涉足，一個人沒有幾手攻擊和防禦招式的認識、訓練和經驗，恐怕會讓人看破手脚，三拳兩腿比劃過後，難免落荒而逃。

學術江湖也一樣，知識技藝的獲得與運用儘管不易放諸四海皆準，卻難以無中生有，總有一套約定俗成的遊戲規則。《墮落的學者》基本上是我對臺灣學術現象的片面觀察與主觀批判，文體與內容多少仿 Mills 的《社會學的想像》，東施效顰，更可能是畫虎不成反類犬。

第二章

知識技藝：學術研究的基礎與虛實

「論知識技藝」[1]是美國社會學家 Mills 在《社會學的想像》（2000）一書中的附錄，表面上，可以單獨閱讀，事實上，卻是整本書思維脈絡的必然結果，單獨抽離來看，難免見樹不見林。《社會學的想像》被認為是 Mills 最著名的書，即使過了幾個世代，依然在社會學裏獨領風騷（Scott & Nilsen, 2013）。

美國社會學者 Todd Gitlin 在《社會學的想像》第 40 周年版（2000）的跋（Afterword）中指出，Mills 是 20 世紀下半葉最激勵人心的社會學家，是 60 年代初期激進主義的一個前導騎士。他充滿弔詭，例如，他是社會學家，卻對社會學的進展滿腹牢騷，不時以知識份子的身分質疑當代知識份子（見 Mills, 2000: 229）。

---

[1] 本章有關知識技藝的討論，依據 Mills 的 *The Sociological Imagination, fortieth anniversary edition* 原文改寫。這本書在中國和臺灣各有一個中文版，但是在中英文比對下，翻譯得並不理想，長短互見，談不上信、雅、達。Intellectual craftsmanship 在臺灣被譯為「論學術藝師精神」（見張君玫、劉鈐佑譯，1995），在中國則被譯為「論治學之道」（見李康譯，2017），兩者多少都未能把握原意的精髓。 Mills 使用 craftsmanship，而非 scholarship，就表示前者在概念與操作上，不同於後者，技藝不等於學術，也非治學的道理，而是學術精緻的基礎。他的用意在提供初學者一個收集、建構、分析和呈現有關社會學的數據、概念與理論的入門手冊，一種有別於科學方法的知識技藝（見 Rolfe, 2011）。

　　臺灣社會學者孫中興（1995）在中文版導讀中指出，《社會學的想像》「幾乎已經公認是社會學的經典之作。不管是美國或是全世界的社會學界，這本書真可以說是無人不知、無人不曉。……中文世界的有心讀者……可以不再靠著想像，來認識大名鼎鼎的《社會學的想像》」（見張君玫、劉鈐佑譯，1995）。

　　既然是經典，由於概念與語言的對應困難，讀翻譯版難免失真，甚至喪失原典的神韻或細微差別（nuance）。閱讀原典（見第四章），主要在避免二手傳播的可能偏見或偏差，例如選擇性的引用或解讀。原典，是原來的著作，並非第二手來源，例如別人文章中所提到的（文獻中的文獻），或是中文翻譯。

　　如果翻譯得相當貼切於原文，中文版的書籍當然可以算是一種原典，但是難保原汁原味。誰都可以翻譯，版本各異，這個事實告訴我們英文與中文之間的關係，沒有一個一對一的共同準則。就像新聞報導，多元媒體與眾多記者的存在表示，即使在同一時空，一件事情由於視野差異，難以客觀描述。不然，一個記者便綽綽有餘了，何需各顯神通。

　　經典自然是原典，在文獻中，絕大多數的原典都非經典，否則經典毫無價值。任何人都有一個 LV 包，LV 便沒有象徵意義。經典與原典的分野，有如伯樂與千里馬的故事。先有伯樂，才有千里馬？還是先有千里馬，再有伯樂？這不只牽涉到存在論，也涉及知識論。馬很多，千里馬少見。慧眼識英雄，如果千里馬是書，那麼伯樂大概就是書評家了。所以，書的經典地位不是內在本質，而是外在賦予的評價。

　　終其年輕的一生（1962 年去世時才 45 歲），Mills 的話語和寫作在在脫離一般傳統學者或學院派的規範，執意以自己的文風，透過明白易懂的方法，對非專業的公眾傳遞現代社會科學的理念和操作。他有時尖酸刻薄，用語犀利，甚至稱呼自己是該死的無政府主義者。Mills 念茲在茲的是技藝（craft），而非方法（method），兩者有所差別。

　　在 Mills 看來，技藝的嫻熟不僅需要技術知識、邏輯與理論，也需要好奇心、文藝復興式的一套技巧和對歷史及文化的掌握，亦即社會學

想像的技藝，而不是各種研究方法的過度精準化。Mills 的主張在 1960 年代量化研究當道時，確實令人耳目一新，尤其是針對 Paul Lazarsfeld 問卷調查方法的批判，[2] 但也不免引起主流社會學家的側目，可能得罪不少人。他特立獨行，坦承自己是一個無黨的政客，或者是 Gitlin 說的一人政黨（見 Mills, 2000: 231）。

「論知識技藝」雖然是附錄，Gitlin 認為，所有研究生都應一讀，因為它並非是按部就班的操作手冊，而是知識工作冒險的一個提示（見 Mills, 2000: 232）。這個提示經由 Mills 自己現身說法，詳細解說他如何操練技藝，從而希冀在方法與理論上對初學者有所啟發，其中的一個根本主張是，概念與理論的詮釋必須緊貼歷史情境。

在 Mills 看來，任何脫離或抽離文化與社會情境的研究，都相當虛幻，因為在社會科學裏，研究者和被研究者不可能各自存在於一個真空，而不受外在因素的影響。Mills 對社會學的最大批判是，研究以量化為取徑，整個研究過程更忽略了歷史與文化所可能產生的作用。亦即，不是一切可以計算的東西都算重要，也不是一切算得上重要的東西都可以計算（Cameron, 1963: 13）。

簡單說，知識技術與手藝包括個人研究經驗與學術專業活動的總和，經驗是原創知識作品的重要來源，信任自己的經驗，又存疑，是成熟工作者的一個標記，研究者與學者當然是工作者，他／她們工作的場域是研究機構和大學。Mills 的技藝（craftsmanship）多少承繼了 Michael Polanyi（1962: 49）於 1958 年提出的技能（skills）概念與操作，後者認為「科學家經由技能的運用形成科學知識」。

---

[2] Paul Lazarsfeld（社會學）被 Wilbur Schramm 認為是傳播研究的四位創始人之一，他出版的 *Personal Influence*（1955）與 *The People's Choice*（1968）是1980 年代前傳播研究所博士生必讀的原典和經典著作（見第四章）。其他三位是 Kurt Lewin（社會心理學）、Carl Hovland（心理學）和 Harold Lasswell（政治學）。

　　對初學者或年輕學者，Mills 總結了八點訓誡，看起來卑之無甚高論，卻是他作為學者多年身體力行而累積的經驗和智慧，而非無的放矢。他的訓誡和相關意涵大致可以濃縮如下：

　1.練好技藝，避免僵化程序，發展與運用社會學的想像（方法）

　2.不要咬文嚼字，簡明扼要的陳述（概念）

　3.盡力形成正式理論與建構模式（理論）

　4.大處著眼，小處著手（情境）

　5.旁徵博引（文獻），白紙黑字皆備於我（文本）

　6.不斷整理與修正對歷史、傳記和社會結構問題的看法（反思）

　7.理解男女都是歷史和社會行動者，面對複雜的社會選擇和形塑方法（結構）

　8.別讓官方擬定的社會問題或個人感受到的麻煩，決定研究問題（自主性）

　　這些訓誡牽涉方法與理論、結構及過程、能動性（agency）和結構（structure）、文本與情境等，面面俱到。對一本出了 40 版的經典書，《墮落的學者》不可能做更好的補充，不過，有些論點多少會在本書不同章節中討論到。如果本書能對社會科學的研究入門有點貢獻，當然是因為我站在巨人的肩膀上，能夠看到自己有限的學術空間以外的一些景象。

　　Mills 是個獨來獨往的思想家，不僅鶴立雞群，思維遠超出當代學者的想像，又獨占鰲頭，領先後來幾個世代的學者，他在《社會學的想像》中的深刻論點，歷久彌新。從知識技藝與知識宣稱來說，這本書不是一個特殊時代的例行產物，而是一個心靈特質的智慧結晶，充滿尖銳的批判與引人深思的創見。

　　在 Mills 死後的 50 年間，即使整個世界經歷天翻地覆的科技創新（登陸月球、網際網路）、政治動盪（美國水門案、中國天安門事件）、軍事衝突（越戰、中東戰爭）、能源危機、恐怖主義（美國 911 攻擊事件）、氣候暖化、天災人禍（印尼、日本海嘯）、經濟蕭條和財務危機

等變化，他的見解依然適用，尤其是對個人歷史（小我）與社會歷史（大我）交互作用的真知灼見。也難怪，歐洲的學術界會在 2012 年舉辦國際研討會，重新探討 Mills 的現代意義（Scott & Nilsen, 2013）。

從美國到臺灣，再到世界各地，一個不爭的事實是，每個人都有自己的經歷（biography），每一個社會也都有它的歷史（history）。我們很難否認，個人所遭遇的事（例如失業）與他／她生存的社會結構性變化毫無牽連，或者沒有一點因果關係。不過，Mills 也特別指出，具有社會學想像力的人能够區分個人麻煩（personal troubles）與社會問題（public issues）的差異，[3] 並探討對應的辦法。

在 Mills 看來，個人麻煩跟人格有關，也涉及他／她直接與親身注意到的社會生活裏的有限經驗。為了理解、描述與解決個人麻煩，我們必須關注他／她的生涯，以及與個人生活經驗相關的社會情境，trouble 因此是私人的：個人覺得自己所珍惜的價值受到威脅。社會問題則超越個人的本土環境與有限的生活範圍，issue 因而是公眾的：大眾覺得他／她們珍惜的價值受到威脅。

Mills 在《社會學的想像》中固然對當時社會學研究的量化走向憂心忡忡，但並不反對實證研究，或者社會科學研究在方法與統計上不斷精進。他更在意的是學術研究中的虛實問題，在他看來，任何社會科學研究，如果有實證數據，卻沒有理論指引，難免是種盲目；而光有理論，卻沒有數據支撐，則不免是種空洞（Mills, 2000: 66-67），兩者都不足以構成社會研究的紮實基礎，而社會研究的出發點是真實世界。

我們生活於自然世界和社會世界交互作用的一個現實環境裏，面對各種自然事實與社會事實。自然世界裏的事實（例如天文或物理現象）

---

[3] 臺灣的《社會學的想像》（張君玫、劉鈐佑譯，1995）把 personal troubles 翻譯為個人煩惱，把 public issues 譯為公共議題。中國的《社会学的想象力》（李康译，2017）則把前者譯為個人困擾，後者為公共議題。雖然 Mills 的概念可能隱含煩惱、困擾及公開討論，本書以「個人麻煩」對應「社會問題」，似乎更能捕捉原典的精神。

比較容易認定，透過觀察與實驗的科學方法，只要證據無懈可擊，或者沒有其它的替代觀點，結果的解釋也不會引起爭議，可能也不會有太多人在意。

　　社會世界裏的事實就難說了，因為牽涉人為和意義，加上能動性與結構之間的互動，事實是什麼可能言人人殊。我們的世界觀和宇宙觀，簡單說，對現實的看法，決定我們如何觀察、描述與理解日常生活中所接觸的人事物，包括解釋和詮釋。臺灣藝人范瑋琪 2020 年 1 月透過臉書，公開罵行政院長蘇貞昌是狗官，就是個活生生的例子。[4]

　　范瑋琪說的並非是事實（蘇貞昌不是狗），而是一種價值判斷與無理推論。把人比喻為狗，自然是極盡侮蔑和鄙視，公開辱罵更是司馬昭之心，明示蘇貞昌不值大家尊重。范瑋琪的行為如果只是個人麻煩，問題事小；如果她是冰山的一角，臺灣社會的凝聚力與設身處地的能力就值得檢討一番了。

范瑋琪的想像：個人麻煩，還是社會問題？

　　武漢／新冠肺炎疫情[5] 2020 年初開始在臺灣流傳，出現五個確診案例後，本土口罩需求量飽受生產不足的壓力，行政院長蘇貞昌於 1 月 24 日下令禁止醫療口罩和 N95 出口一個月，引起社會爭議。有些人認為，這項措施是針對疫情肆虐嚴重的中國，臺灣竟然見死不救。

---

[4] 本節部分內容最早以「范瑋琪們的用處」為題，發表於《風傳媒》（2020 年 2 月 1 日），本書經過改寫，不代表《風傳媒》的立場。

[5] 本章以武漢／新冠肺炎稱呼疫情，只在保留這兩個名詞被使用的時間次序與背景，因為概念的出現與使用都有歷史意義和作用（見第七章）。病毒剛在中國武漢出現時，有關醫療單位與媒體（包括《環球時報》）對這個不明原因的病毒，的確使用武漢肺炎字眼，例如 2019 年 12 月 31 日《環球時報》轉載武漢健委的一項通報，指出「武漢肺炎病例初步檢查系病毒性肺炎，未出現人傳人及醫務人員感染」。世界衛生組織（WTO）於 2020 年 1 月 12 日將肺炎命名為 2019 新型冠狀病毒。

　　一些藝人也在社交媒體上發表看法，特別是那些在中國擁有大量粉絲，或可能到中國分食演藝市場大餅的電影明星和歌星，如大小 S、劉樂妍和于美人等。范瑋琪也不例外，也許是一時興起，破口指責蘇貞昌的決策。她在臉書上大罵，禁止口罩出口「是一件多麼低俗沒人格的臭流氓行為」。「臭流氓」三個字，已到了人身攻擊的地步。

　　雖然沒有指名道姓，范瑋琪用低俗的口吻説，「我他媽的有聽錯嗎？這個狗官算是個人嗎？？都什麼時候了！！王八蛋不會這麼泯滅人性！都什麼時候了！！我希望我聽到的這新聞是假消息……」。[6] 由「狗官」與「王八蛋」的用語看起來，她覺得自己一副悲天憫人，站在道德高地之上。

　　從學術研究的角度看，范瑋琪的言行不會是個案，基本上涉及個人的價值取捨與對周遭生活環境的看法。要理解范瑋琪們的行為，我們不能只著重在他／她們的生活經驗上，也就是 Mills 説的個人傳記，而必須把他／她們放到一個較大的社會結構中去探討，尤其是個人與社會的互動作用和結果。

　　Mills 在《社會學的想像》中的批判雖然都以美國社會為對象，其實很多灼見也適用於臺灣和其它社會。他在第十章「論政治」中指出，沒有人可以「自外於社會」，問題在於，每個人在社會中立足何處（Mills, 2000: 184）。同樣道理，沒有誰能自外於臺灣社會，只是立足點的差別而已。就存在論而言，一個地點不可能同時站兩個人，這不僅在邏輯上不可能，更違背物理現實。

　　從自然世界到社會世界，變異，沒有對錯，只有好壞。變異的形成過程很複雜，一個根本原因應是生存規則，但是無關適者生存的道理。在臺灣日常生活裏，范瑋琪們也須要在柴米油鹽醬醋茶（對很多人可能

6　范瑋琪的臉書截圖見《蘋果日報》2020 年 1 月 28 日報導：https://tw.appledaily. com/entertainment/20200128／SMAIVEYTPLWFUJIPQY5CZQ6HVM/。被圍剿後，她向蘇貞昌道歉，後者表示不跟前者一般見識。

還得加上咖啡）中打滾。長期來說，他／她們對各自的生涯有不同的經歷（社會化）、認同（吾土吾民何在）和期待（終極歸屬），我們很難要求所有的人都對臺灣的周遭環境，有相同的經驗與共同感受。

懂得實驗研究的人都知道，組內（within-group）與組間（between-group）的變異數（variance）分析，是決定操控（manipulation）對結果是否產生影響的統計依據。從實驗的角度看，范瑋琪們的最大價值，在於提供了一種社會實驗，他／她們代表臺灣內部（組內）與海峽兩岸之間（組間）的變異，一個被操控的變項（背後是一隻看不見的中國長手），可以用來檢驗臺灣是否經得起異化的摧殘，特別是自由民主。

不管如何，范瑋琪們的社會用處可以從認知、情感與行動三個層面來探討，每一個層面都不是簡單的是非題（對與錯的二分法），而是可長可短的申論題（好與壞的程度），三個層面彼此相互糾纏，難以分割處理，也不易釐清因果關係。這需要一點社會學的想像。

在認知上，因為認證偏差，范瑋琪們往往陷入盲點而不自知，劃地自限，終究跳脫不出思維僵化的困境。他／她們堅持以中國人的身分看天下，也就排除了其它可能的視野（例如臺灣人的立場），封閉了相關的可能途徑。中國到底是個獨裁國家，中共政權騎在人民頭上，范瑋琪們從不思考如何改變共產黨，卻要自由民主的臺灣歸順，無異削足適履，合理化一個不合理的制度。

從抽象階梯（the abstraction ladder）衡量，范瑋琪們的人道關懷看起來不以「人」為終極單位（他／她們何曾關懷過其它國家的人？），而以「中國人」為出發原點，並把「臺灣人」的概念置於「中國人」的概念之下，認為跟「湖北人」沒什麼不同。換句話説，「中國人」與「臺灣人」有等級層次之分，兩者難以相提並論，有差別待遇，自是理所當然。

抽象階梯是 Hayakawa（1939: 125-128）改寫前人研究，在《行動中的語言》發展出的一套概念化與操作化的思考體系（見圖 2.1）。只要學過研究方法，任何人都不難看出，概念化是理論形成的一個途徑（從

具體到抽象），操作化是實證研究的方法（由抽象到具體）。兩者來回互動，就是事實觀察與抽象解釋的運作。

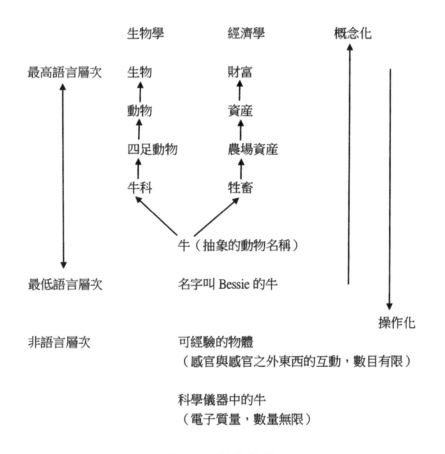

圖 2.1　抽象階梯

說明：中間圖型部分取材自 Hayakawa（1939: 126），其他為作者附加

　　簡單說，抽象階梯是一種從非語言到語言的概念化過程。非語言部分是具體的存在，可以直接觀察，包括使用科學儀器才能看到的東西；語言部分則由概念或符號來表達，相當抽象，層次有別，概念層次越高，指標越少。亦即，在最抽象語言的層面（例如民主），概念就離現

實越遠，難以明確指示。

　　在語言層次之間穿梭，抽象階梯是一種排除或增加概念指標數目的運作方法，端視出發點的位置高低。這是一種基於客觀現實而主觀建構概念的過程，客觀，是因為特定實體的存在；主觀，是由於定義或概念的運用規則不盡相同。依據知識社會學的主張，地理或心理的切入點不同，我們對現實世界的看法自然有別，指標的選擇也因而有異。

　　從圖 2.1 可以看出，在學術研究範疇中，從事實觀察出發，逐步往上推，在抽象方面，使用不同文字描述被觀察對象的概念化（例如牛可以是動物或資產），必然導致不同的理論視野與研究方法（生物學或經濟學）。概念化，因此是由繁（許多指標）至簡（化約成少數指標）的排除方程式。

　　反過來說，操作化的執行由最高的抽象語言層次出發，研究者因領域不同，使用的字彙很少會有交集，可以選取的指標也會因題目差異，而有所分別。儘管概念不同（例如生物與財富），一路往下推，由於指標數目越來越多，在最具體／最低層次上，卻可能有共同的符號或具體實物（牛）。

　　在抽象階梯上，概念化與操作化的方向正好相反。一上一下，兩個過程中有不同位階的符號／名詞與相關指標，可以用來表達或支撐研究者的論點。這是為什麼針對同一個事實，學者探討起來，有時會公婆各有理，例如蔡英文博士學位和論文的辯證。原因無它，他／她們彼此的立足點不同，一旦政治介入學術，結果就可能會越描越黑，有理說不清。學者的墮落，莫此為甚。

　　以 2020 年 8 月間高雄市長補選引發的李眉蓁論文剽竊醜聞（見第八章）為例，論文是客觀存在的事實（報告），是否抄襲或剽竊，有明確的驗證標準。在語言上，由於不同指標的使用與概念化，原本是一件單純的學術倫理案例，李眉蓁與國民黨卻認為（判斷），這是選舉期間民進黨的抹黑手段與政治追殺（推論）。

　　有些人更以李眉蓁事件以偏概全，推斷臺灣的政治人物都透過不當

手段，取得碩士學位，為學歷塗脂抹粉。如此論調顯然是無限上綱，把原本屬於個人麻煩的問題，提升到社會問題的層面，企圖以天下烏鴉一般黑來轉移大眾的注意力，從而推卸個人所應承擔的責任倫理。

在現實生活裏，新聞記者和社會科學研究者其實有很多相似的地方。他／她們都先透過對事實的觀察和調查，再提出描述及解釋，企圖理解事情或現象為什麼發生，而不只是何人、何事、何時、何地、為何與如何。兩者的差異是，新聞報導根本不帶任何註解，社會科學研究通常引經據典，不過，他／她們所生產的都是一種社會知識。

在美國的新聞與傳播文獻中（Dickson & Sellmeyer, 1992; King, 2010; Becker-Lausen & Rickel, 1997），一個經常討論到的對比是所謂的 chi-squares 與 green eyeshades 的區分，社會科學家是使用統計方法 chi-squares 的新聞記者，而新聞記者則是戴著 green eyeshades（綠色遮光眼罩）的社會科學家，兩者差別不大，工作上都必須用詞謹慎，避免主觀。

也就是說，在工作分野上，社會科學界與新聞界的從業人員只是裝備有異而已，雖然他／她們未必認真思考過這些共同假定，兩個專業的學者或記者，至少在美國及其它西方國家，都認為：

- 事實及現象客觀存在，不受主觀因素影響
- 事實及現象是可知的
- 事實及現象可以透過不偏不倚的方法，進行觀察、描述和解釋
- 新聞報導或社會科學研究，可以幫助我們進一步了解社會事實及現象
- 新聞報導或社會科學研究的結果是知識的啟蒙
- 知識的生產與累積，是促進社會進步的動力，目的在追求真理
- 真理讓人自由

不幸的是，從一些學術案件的報導來看，臺灣的新聞記者在超然、質疑與追根究柢上，不僅知識技藝訓練不足（不做筆記，又不能反省自己或別人說過些什麼話），更缺乏獨立思考與劍及履及的執著精神。對

社會現實的觀察和解釋，記者往往分不清真假，被學者和研究者牽著鼻子走，有意或無意的幫後者推銷似是而非的概念（例如民調中的「死亡交叉」解讀，見第七章），合理化一個不合理的學術研究操作與詮釋。

世事洞明，皆學問。事實上，個人要洞明世事，除了此地此時（here and now）的親身經驗與體會（我們的身體所在），在日常生活中，特別是政治世界，我們通常只能依賴學者與記者對現實進行觀察（其實大部分時候可能都是二手資料或數據，很少人在現場），並深入分析和解讀，才可能理解「家」以外之周遭天地的大小點滴。一旦學者與記者都自身難保時，所謂知識和真理就不免顯得混沌不清。

辨別知識虛實的關鍵在於，知識技藝與研究操作不能脫離學者的生活和經驗。知識生產者必須承擔研究事實與追求真相／真理的責任，新聞媒體不應該縱容，甚至助長以假亂真的學術研究與話語。知識技藝固然是一種技能與手藝，卻也包含某種知識好奇或想像力，很多事實基本上不會有爭議，知識與真理更沒有可以打折扣的地方。

在數位媒體時代，大學與學者必須擔負更大的守門工作。這不是學術自由的審查，而在確保社會有一個共同認可的事實空間，並相互遵守真理的追求。學者一旦真假不分，是非曲直也就跟著混沌不明，一般人難免渾渾噩噩，生活在得過且過的虛假世界裏。

假到真時，真亦假：柯文哲的世界[7]

「假作真時真亦假，無為有處有還無」，這是中國清朝曹雪芹在《紅樓夢》中，描述賈寶玉夢遊太虛幻境時，在大石牌坊上所看到的對聯。意思是，假的被當做真的，真的也就跟假的沒兩樣；虛無被當為實有，

---

[7] 本節部分內容最早發表於國家通訊傳播委員會前主任委員彭芸（2008-2010）出版的《數位時代新聞學》推薦序，經過改寫後，以「柯文哲啟示錄——假作真時真亦假」為題，發表於《風傳媒》（2017 年 7 月 25 日），本書經過修改，不代表彭芸與《風傳媒》的立場。

實有也就虛無了。

即使經過了 400 年，曹雪芹的想像依然有現實意義和關聯，用來探討網路世代的傳播現象和社會效應，其實也相當貼切，特別是臺北市長柯文哲 2014 年就任後有關中國與臺灣關係的政治用語，真真假假，雌雄莫辨。

不管是臺灣或美國，政客的話語都不該照單全收。「聽其言，觀其行」，是一般人對政治人物應有的基本批判態度。論地位、權力與影響力，柯文哲與美國前總統川普（2016-2020）當然難以相提並論，也相去太遠，兩人的言行卻多少有類似之處：真假有無，似乎不再以客觀為界定，而以主觀為依歸，從而指引行為或行動。

從 2016 年競選期間到當選總統後，川普對不利於自己的任何報導都以假新聞（fake news）一筆帶過，不當一回事，並隨心所欲，信口開河，指桑罵槐，一再指控美國主要新聞媒體，尤其是自由派的報紙和電視，如《紐約時報》、《華盛頓郵報》和 CNN 等，製造莫須有的假新聞，只有他說的話才算數，Twitter 上的簡訊是他對傳統主流媒體的反擊與進擊。Twitter 在 2021 年 1 月 8 日永久停止川普的帳號。

從問責程度看，川普是十足的真政客，在許多美國人眼中，卻不免是正當性不足的假總統（2016 年輸了普選票，但贏得選舉人票），分不清有所為與有所不為，毫無道德承擔。他未能在 2020 年連任總統也就不意外，尤其是普選票慘敗（落後 Joseph Biden 700 多萬票），也輸掉選舉人票（232 票比 306 票），成為過去 30 年來第一位被選民拒絕的現任總統。他大概也會成為美國歷史上評價最差的總統，至少是其中之一。

柯文哲還不至於是假市長，但無疑是如假包換的政客。他以白色力量坐上臺北市長大位不久，就宣佈調查「五大弊案」（臺北文創、三創資訊園區與大巨蛋 BOT 案，加上雙子星大樓聯開案及美河市聯開案），震撼臺灣政壇，令人耳目一新，許多人都對柯 P 寄以厚望。遺憾的是，雷聲大雨點小，除了大巨蛋在拖延中不斷續建，並預計在 2021 年底完工，其它的「弊案」全無下文，或不了了之。

　　嚴格說，柯文哲雖然不像川普隨意指控媒體造假，自己卻有意無意的製造似是而非的假議題，多少是為轉移焦點或操弄媒體的「偽事件」（pseudo-event），一種意義模糊、性質並不明確的主觀現實，從而企圖左右新聞的客觀報導。林照真（2018，頁 20-21）指出，「假新聞的產生必然有其情境因素」，特別是當地的政治社會情境。因為真假有無操控在政客手裏，新聞記者一旦不具洞察能力，難免淪為狼狽為奸的共犯或傀儡。

　　不管是假新聞或偽事件，都可以從幾個層面來分析與判別其中的虛實：第一，它們都是捏造的，無中生有，沒有事實根據。第二，它們不是真正的新聞（news），也就是山寨新聞，而非嚴謹的 journalism。第三，它們的消息來源不明，無從查驗。第四，它們不值得新聞媒體大張旗鼓，濫用社會公器。

　　英文裏的 news 與 journalism 翻成中文固然都是新聞，兩者卻有明顯差別，前者是一般報紙、電視或其它新聞媒體對人事物的報導，後者則是攸關公共事務的社會制度（social institution），帶有某種監督各種權勢的使命，在自由民主國家不可或缺。川普再跋扈，除了含血噴人，看起來也還不敢造次，企圖推翻比美國這個國家存在更早的新聞制度。畢竟，政治與新聞唇齒相依，榮辱與共，或者相互利用。

　　過去幾年，由美國到臺灣，再到其它國家，假新聞與偽事件在網路上橫行當道，沸沸揚揚。例如，法國 2017 年 5 月的總統大選深受駭客製造假新聞的干擾，臺灣網路的「滅香」傳言導致 2017 年 7 月 23 日「眾神上凱道」的事件，也如出一轍。魚目混珠，往往真假莫辨，推到極致，劣幣驅逐良幣，真新聞和真事件難免受到波及，journalism 的啓蒙與監督作用連帶要打折扣，對社會知識（social knowledge）的戕害更無從預料。

　　臺北市長柯文哲 2017 年 7 月 2 日參加上海雙城論壇，就中國與臺灣的政治關係，發表「兩岸一家親」和「建構兩岸生命共同體」的公開談話，朝野嘩然。回到臺北後，針對 8 月中臺北世界大學運動會開幕儀式，柯文哲主動跟新聞記者透露，中國方面希望蔡英文不要上台致辭，

至少不以總統身分出席，兩項要求都被他拒絕。言下之意，他維護了國家主權與尊嚴。

問題是，柯文哲並未明確指出哪位中國官員在何時何地，又透過何種途徑，提出這種不合理的霸道要求；從頭到尾，雙方到底有多少人參與交談，是否訴諸文字等，都曖昧不清。當然，柯文哲可以辯解說，涉及中國與臺灣的政治敏感問題，來回折衝，不可能留下任何正式的文件檔案。換句話說，整件事他心知肚明，其他人只能概括接受，無從驗證。柯 P 的自我「爆料」，就算形式不是假新聞，內容恐怕也是偽事件。

從新聞報導看，除了照本宣科外，沒有任何新聞記者對柯文哲的說辭提出質疑，特別是有關他在上海雙城論壇的公開談話與事後解說的邏輯關聯，在在關係國家和人民的公共事務。以市長地位，柯文哲主張的「兩岸生命共同體」，牽涉國族／國家建構（nation building），這是一項長遠的工程，並非像大巨蛋的興建，可以得過且過。

依民族主義學術泰斗 Benedict Anderson 在《想像的共同體：民族主義的起源與擴散思考》（1983）的論述，印刷資本主義（print capitalism），尤其是 journalism，在國族／國家（nation）建構過程中具有舉足輕重的角色與作用，報紙和書籍提供一般人在特定領土範圍內一個想像的機會和場域，並由此建構民胞物與的共同體。從這個角度看，臺灣新聞媒體輕輕放過柯文哲的簡略談話，若非不負責任，便是不理解政客必須擔負的問責重任。

美國學者 Francis Fukuyama 在《政治秩序與政治衰敗》（2014）中指出，社會結構、經濟成長與科技發展等因素的交互作用，勢必導致不同程度的社會變遷與國族／國家建構，最值得關注的課題是國家機器（state）、法治（rule of law）與問責（accountability）。問責，對德國社會學家韋伯（Max Weber）來說，就是責任倫理（ethics of responsibility），政客必須為言行所帶來的後果承擔政治或法律責任。

從 1947 年美國 Hutchins 委員會提出「一個自由與負責的報業」報告以來，問責，就一直是新聞界難以推諉的倫理擔當。在臺灣，1980 年

代末期戒嚴解除與報禁開放後，過去 30 多年來，媒體亂象與集體沉淪，有目共睹，這個現象是新聞記者面對公共事務時，缺乏問責概念與操作的不幸後果，更是政客肆無忌憚的根本癥結。

　　柯文哲有點像變色龍，他曾經自認是深綠（民進黨的忠實支持者），在海峽兩岸關係上的話語倒是貼近深藍（國民黨的死忠信徒），亦真亦假，或許是臺灣主體「實有」與國家定位「虛無」的寫照。柯文哲說的一番話語可能是事實，至少在理論上多少能從中國與臺灣的歷史經驗中取得依據。

典範驗證：理論與事實

　　Mills（2000: 198）認為，在任何知識社群中，只要蓬勃發展，社會科學家的工作應該帶來對問題、方法與理論的間奏討論（interludes of discussion），並再導引至他／她的工作。也就是說，一項社會科學研究的整體之間（問題、方法與理論）應該具有畫龍點睛的協奏部分，前後呼應。

　　理論，可以幫助我們尋找界定框架的範圍，相關的理論性概念（theoretical concept）則是研究中的一個必備工具，兩者互補為用。缺乏理論或理論性概念，我們很難進行有意義的研究，頂多誤打誤撞。理論就像地圖，指引方向與途徑。光有目的地，沒有地圖或其他指示，我們只能四處遊蕩，不容易走到想去的地方，更可能迷失於途中。

　　理論因此相當實用，美國社會心理學家 Kurt Lewin（1943: 118）早在 1940 年代就提出一個深刻的觀察與見解。他說，「沒有什麼跟一個好的理論一樣實用」（There is nothing as practical as a good theory.）。在臺灣，葉日武（2020）也認為，「我們每天生活在理論當中卻不自知」。比較準確的說法是，我們日常生活中的許多事實或現象都可以用理論來解釋，只是葉日武的洞察比 Lewin 晚了幾十年。

　　就知識與實務來說，社會科學家與新聞記者都有一個基本假定，他

／她們認為透過對事實與現象的調查研究，環境是可知的，其中理論或視野是主要取徑。一旦缺乏指引，研究者或記者很難在成千上萬的事實裏尋找數據，從而變成證據，解答問題。其實，如果沒有某種概念的啓發，很多問題根本無從問起。

很多人會爭辯，在全球化的世界裏，一個國家的社會事實或現象，例如人口流動、氣候暖化、對外貿易或文化產品的擴散等，都顯而易見。問題只在於，如果沒有全球化這個概念或理論架構的指引，我們不會知道要看些什麼，該從何處看起，又如何看。就算看到了，不透過一定的視野（perspective），某個社會事實或現象可能也沒多大意義。

傳播研究也一樣，理論、數據、證據與邏輯息息相關。一旦缺乏理論基礎，數據的收集往往沒有太大用處，也不足以成為證據。理由很簡單，今天收集的數據，跟明天收集的，因為事過境遷，通常不會相同；即使一樣，它們的意義也混沌不清。任何描述性的研究頂多只能闡述現實中發生了什麼事或現象，描述本身卻不能解釋這些事或現象為何會在特定的時空產生，以及可能的前因後果如何。事實與理論必須有相當程度的融合。

在國際傳播研究中，一個歷久彌新的理論是文化帝國主義（cultural imperialism），概念最早出現在美國學者 Herbet I. Schiller（1971）於 1969 出版的《大眾傳播媒介與美國帝國》（*Mass Communications and American Empire*），英國學者 Jeremy Tunstall（1977: 57）進一步在 *The Media Are American* 提出簡要定義：

> 文化帝國主義的理論宣稱是，世界上許多地方的真實、傳統與在地文化，受到大量靈巧廣告和媒介產品，主要是來自美國的，不分青紅皂白的傾銷，被打擊得不復存在。

文化帝國主義的概念在 1960、1970 和 1980 年代的文獻中最為盛行，從表 2.1 可以看出，*The Media Are American* 於 1977 年出版後，對

國際傳播的學術研究影響深遠，不斷被學者在書籍中引用。即使 30 年後，Tunstall（2008）在 *The Media Were American* 裏放棄了這個概念，題目只有一字之差，動詞由現在式改為過去式，點出美國大眾媒介在世界上已經式微，他的 1977 年著作卻依然被引用。

表 2.1　文化帝國主義與文獻引用

Table 1: Cultural Imperialism and Citations in Selective Literature

Citing Text	Cited Text *
Chakravartty and Zhao (2008)	Tunstall (1977)
Kamalipour (2007)	Dorfman and Mattelart (1975), Schiller (1969), Tunstall (1977), Wells (1972)
Thussu (2006)	Boyd-Barrett (1977), Dorfman and Mattelart (1975), Galtung (1971), Schiller (1969), Tunstall (1977), Wells (1972)
Hamm and Smandych (2005)	Galtung (1971), Schiller (1969)
McPhail (2002)	Tunstall (1977)
Thussu (2000)	Boyd-Barrett (1977), Dorfman and Mattelart (1975), Galtung (1971), Schiller (1969), Tunstall (1977), Wells (1972)
Frederick (1993)	Boyd-Barrett (1977), Lee (1979), Schiller (1971)
Fortner (1993)	Lee (1979), Schiller (1971), Tunstall (1977)
Tomlinson (1991)	Fejes (1981), Lee (1979), Dorfman and Mattelart (1975), Tunstall (1977)
Lee (1979)	Boyd-Barrett (1977), Schiller (1969), Tunstall (1977), Wells (1972)
Tunstall (1977)	Schiller (1969), Wells (1972)

* The cited texts are selective, including only those published in the 1960s, 1970s and 1980s that are most central to the thesis of cultural imperialism. The entries do not imply that no recent texts, especially those published during the past two decades, were cited by the sources; nor do they suggest that other texts published between 1960s and 1980s were not consulted by various authors and editors who more or less addressed the topic of cultural imperialism either as a theoretical framework or as a discourse. Some of the cited texts were used by authors in the edited volumes, not necessarily by the editors.

來源：見 Chang（2015）

　　透過妥善的研究設計，理論大致能將發生在不同地點的相同事實，或相同地點的不同事實，推演或歸納出一套合乎邏輯或經得起推敲的知識。　在新聞報導或學術研究中，理論與事實融合，是否就代表知識宣稱沒有什麼問題？在 Kuhn 看來，答案是未必，特別是學術研究虛實的分野。Kuhn（1970: 147）説，

　　　　歷史上，所有顯著的理論都合乎事實，只是多少而已。有關個別理論是否合乎或如何合乎事實的問題，很難有準確的答案。一旦理論整體看待，或一起比對，類似的問題就值得探討。一個很有道理的提問是，兩個實際相互競爭的理論到底哪一個更符合事實。

　　理論相互競爭，也就是説公婆各有理，唯有透過一對一或整體的比對，我們才能確定一個合乎事實的理論是否在知識宣稱上經得起驗證。在社會科學研究中，理論的比對在文獻裏並不多見，主要原因是研究設計與數據收集的困難，而且也不易嚴謹的驗證。如果一項國際傳播的研究足以借鏡，我們多少不難看出 Kuhn 有關「典範驗證」的重要性。[8]

　　依 Kuhn 的典範驗證主張，圖 2.2 檢驗文化帝國主義與其它相關國際傳播理論如何解釋美國超級強片（blockbuster）在韓國與英國同樣受到觀眾歡迎的現象。一個根本的理論假定是，一部美國電影要在本地成為超級強片，它的文化價值與內涵必須能打動大量觀眾的心理感受，並引起共鳴。反過來説，依據文化折扣理論（cultural discount），美國超級強片在國內造成轟動，必然有美國的內在促因，橘越淮為枳，因此沒有道理在其它國家也在票房上開出亮眼紀錄，特別是非美國文化的國家，如韓國。

---

[8] 「典範驗證」（paradigm testing）並非 Kuhn 的用語，而是我根據他相關理論的比對主張，提出的一個概念，這個概念並不意謂國際傳播研究中存在著不同的典範，見 Chang（2010: 32）。

　　依據文化折扣理論，美國超級強片不應在韓國也賣座，兩者的相關係數不會太高。事實是，r = 0.675，而且統計上顯著，表示美國電影在韓國同樣受到非美國文化觀眾的喜愛。既然文化折扣理論無法解釋這個現象，以文化帝國主義來解釋，至少顯示美國電影入侵韓國市場的事實，亦即 Kuhn 說的，理論合乎事實。文獻中，有關文化帝國主義的研究大都可以在事實上舉出相關證據，但是缺少理論的對比，知識宣稱未必紮實。

　　圖 2.2 也包括美國超級強片在英國的票房表現，r = 0.809，比起韓國的相關係數強了許多。不過，大概沒有研究者會以文化帝國主義來解釋如此現象，特別是英國學者在文獻中以美國帝國主義為出發點，未免太沉重。一個合理的解說是文化接近（cultural proximity）理論，畢竟英國與美國在語言、文化習俗和宗教信仰上很難切割，要說美國電影入侵英國便很牽強，另外，文化擴散（cultural diffusion）也比較合理。

　　Hong 與 Chang（2011）的研究設計當然未必完全符合 Kuhn 的典範驗證要求，也沒能直接檢驗文化帝國主義的核心論點——韓國本土電影文化是否受到打擊，而一蹶不振。不過，美國電影既然在當地票房取勝，多少意謂韓國片的競爭力不強。因為分析涉及五個相互糾纏的理論解釋（文化帝國主義、文化折扣、文化接近、文化擴散與全球化），它的用處在於闡述，事實和理論之間不能只靠單一的觀察與分析，就遽下定論。

　　除了自然科學裏的少數定律外，大多數理論並非一成不變，或放之四海皆準，特別是社會科學裏所提出的理論。事都有角度，人都有立場，這些全會隨時間和空間的變化而有所差異。即使是同一個實體或事件，也會因被觀察到的（the observed）與觀察者（the observer）之間的物理和心理關係而有變異。

　　中國的古詩詞裏，不乏隱含社會知識學概念的字句。例如，北宋蘇東坡遊廬山時（1084 年），在西林寺牆壁上的題詩：「橫看成嶺側成峯，遠近高低各不同，不識廬山真面目，只緣身在此山中」。橫看、側看、遠

看、近看，一字之差，說明的是，人只能站在一個觀點，位置及距離都
會影響我們對人、事、物的看法與解釋。自然世界的盧山如此，更何況
錯綜複雜的社會世界，尤其是民意。

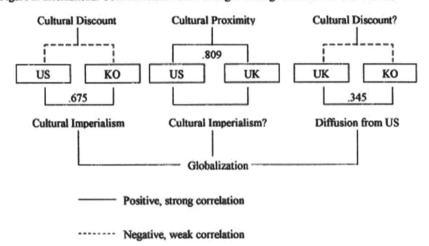

Figure 2: International Communication and Paradigm Testing: The Flow of U.S. Movies*

* This model is adapted from a study by Hong and Chang (2008), with "cultural imperialism" and "diffusion from US" added to the original illustration. Hong and Chang examined the consumption of U.S. movies in South Korea and the United Kingdom from 1994 to 2006. The three sets of correlation data are reported in their study. A solid line indicates a positive and strong correlation between the box offices of the two countries while a broken line denotes a negative and weak correlation. The relationship between UK and South Korea is a partial correlation, controlling for the joint effect of U.S. box office data. All correlations are significant at p < .01.

圖 2.2　美國超級強片在韓國與英國的票房相關分析[9]

---

[9]　圖取自 Chang（2010），文化帝國主義與美國擴散為作者所加，研究以 1994
年到 2008 年 100 部美國國內的超級強片為數據，並收集這些片子在韓國與英
國的票房數字，做相關分析（correlation analysis），詳情見 Hong & Chang
（2011）。

民調蓋牌：韓國瑜的社會實驗[10]

　　在臺灣 2020 年總統選舉競選時，離投票當天還有一個多月，國民黨候選人韓國瑜市長的民調一直低迷不振。也許狗急跳牆，2019 年 11 月 28 日，他在臉書上公開呼籲所有支持者，接到民調電話時，一律說「唯一支持蔡英文」，讓民進黨高興到 2020 年 1 月 10 號。開票當天證明，這個被稱為蓋牌的選舉策略，除了讓一些學者拍案驚奇，卻一無是處，數字就是最好的驗證。

　　民調自然是一組數字，卻有現實的指標意義，臺灣總統選舉以所謂的封關民調最能探索選民投票前的心思意念。表 2.2 是 2019 年 12 月 30 日與 31 日發佈的民調機構、候選人預測得票率範圍與差距，以及實際得票率和差距。這些預測是投票十天前可以公開發佈的封關民調，至於投票前十天內所做的民調，因為依法不能公開，我們無法得知預測。選舉過後再公佈的報告，即使比較準確，頂多是事後諸葛亮，用處也不大。

　　根據實際得票率，除了綠黨的蔡英文預測得票率範圍（51.2-57.2%）碰巧包含她的實際得票率（57.1%），其它的所有得票率都錯得離譜，沒有一個能準確預測兩位候選人的實際落點，甚至都低估了最後數字，尤其是韓國瑜部分。也就是說，投票的選民跟民調的選民分屬兩個不同母體，實際得票率是行動的結果（選民上街投票），民調預測卻是選民說他／她們可能會做的行動（選民在家表達意向）。

　　投票行動與民調意向不一致的事實顯示，臺灣的民調機構還有很長一段路可走，尤其是在準確度方面。有些學者（如新聞系教授胡幼偉[11]）和名嘴（如陳揮文或唐湘龍）認為，韓國瑜的民調被低估是蓋牌效應

---

[10] 本節部分內容最早以「民心贏，民調輸」為題，發表於《風傳媒》（2020 年 1 月 13 日），本書經過改寫，不代表《風傳媒》的立場。

[11] 胡幼偉當時為中國文化大學新聞系系主任，現任新聞暨傳播學院院長。

（唯一支持蔡英文），因為死忠的韓粉都聽到他的呼召，也照章辦事。
這個說詞很牽強，高估了新聞對一般人的影響力。

　　事實勝於強辯，從一系列的不同民調趨勢看，一直到投票前十天，
蔡英文的支持度並未在蓋牌後（2019 年 11 月 28 日），突然拔高，超乎
想像，而韓國瑜的則一落千丈，更沒有此消彼長的證據可以突顯，所有
不表態的選民都是韓國瑜的隱性支持者（這會是一個難以置信的系統化
表態）。但是，支持韓國瑜的學者和專家卻深信不移，堅稱蓋牌打亂了
民意走向。

表 2.2　臺灣 2020 年總統選舉封關民調預測

台灣 2020 總統選舉封關民調預測	候選人		
	韓國瑜	蔡英文	
民調機構 公佈日期 12/30-12/31 2019	預測得票率範圍	預測得票率範圍	差距
ETtoday 新聞雲	26.0 - 29.8%	46.3 - 50.1%	20.3%
台灣基進	13.7 - 17.9	41.0 - 45.2	27.3
TVBS	26.0 - 32.0	42.0 - 48.0	16.0
台灣民意基金會	18.9 - 24.9	49.5 - 55.5	30.6
美麗島電子報	17.3 - 23.3	45.2 - 51.2	27.9
蘋果新聞網	12.4 - 18.4	45.6 - 51.6	33.2
綠黨	17.8 - 23.8	51.2 - 57.2	33.4
聯合報	19.0 - 25.0	45.0 - 51.0	26.0
自由時報	12.5 - 18.5	52.1 - 56.1	38.0
放言	20.8 - 26.1	45.5 - 50.8	24.7
兩岸政策協會	19.1 - 25.1	51.9 - 54.9	29.8
實際得票率(1/11/2020)	38.6%	57.1%	18.5%

　　民調蓋牌，確是對民意的干擾，可以算是一種準社會實驗（quasi-social experiment）。在韓國瑜宣佈一律支持蔡英文後，只要對比前後數字，其實不難看出是否有效。圖 2.3 是《聯合報》在 2020 年 1 月 11 日開票結束後，所發佈的總統大選民調統計趨勢。以 11 月 29 日為分界點，11 月份與 12 月份的各種民調數據正好是實驗前後的對照。

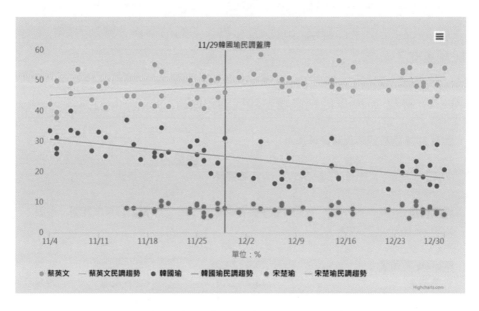

圖 2.3　《聯合報》2020 年總統大選民調統計趨勢

來源：《聯合報》，2020 年 1 月 11 日

　　只要稍為受過統計學的訓練，誰都可以看出《聯合報》民調趨勢的意義。基本上，圖中由左到右的兩條直線可以看成是簡單線性迴歸分析（simple regression analysis）。從 2019 年 11 月 4 日起，蔡英文與韓國瑜的民調差距隨時間而持續擴大，沒有上下交叉之處。11 月底蓋牌前，兩人的民調高低沒有任何逆轉的趨勢；12 月蓋牌後，直線走向維持不變，差距更加拉大。亦即，選舉大勢底定，韓國瑜沒有翻盤的機會，事實也確是如此。

　　民意如果可以蓋牌來操控（唯一支持某人），過去幾十年的民調理論與實證研究，特別是美國的實際操作，全都毫無參考價值可言。一個合理的解釋是，臺灣有相當多數的選民（大概介於 10-30% 之間）不會輕易表達投票意願，或根本不在乎，而民調機構又無法解決不表態的難題，把他／她們都算成是隱性的韓國瑜支持者，不免一廂情願。簡單說，隨機抽樣選出的代表性樣本，跟同意回答問題的最後樣本，有所差異。事實上，不投票的選民比率更高，在 40% 上下。

　　對所有封關民調來說，唯一猜對的是，不管藍綠的機構效應，它們都預測蔡英文會打敗韓國瑜，而且差距不小。不過，一個壞了的鐘，一天也會對兩次。在民調能準確預測候選人的得票率落點前，我們只能說，韓國瑜可能還是對的，民調不等於民心。不幸的是，在 2020 年總統選舉中，民調與民心雙雙棄他而去。

　　對於民調，在臺灣以專家自居，而且經常定期發佈調查結果的頭號學者，大概非「臺灣民意基金會」董事長游盈隆莫屬，不過他不是唯一的民調專家。前台中市長、前交通部長林佳龍 1999 年 2 月受聘在國立中正大學政治系擔任助理教授，任教時間不長。2016 年 6 月 15 日，他在市議會回答質詢時說，他在中正大學教過民意調查，是臺灣民調的「祖師爺」，也就是行業的開山祖或創始人了。

　　林佳龍大言不慚，一個「民調祖師爺」的稱號，就把前人所做過的民意調查一筆勾銷，一時引起學術界嘩然。[12] 相對於林佳龍的狂妄，游盈隆在接受《聯合報》訪問時指出，林佳龍「還小我們八到十歲，算是後進」。游盈隆認為，真要說誰是臺灣民調祖師爺，「毫無疑問就是中央研究院胡佛院士」。[13]

---

[12] 見〈自稱民調祖師爺　林佳龍坦承不妥〉，《蘋果日報》，2016 年 6 月 20 日，取自 https://tw.appledaily.com/new/realtime/20160620/889984/。

[13] 見〈誰是民調祖師爺？林佳龍還小我們 8 歲〉，《聯合報》，2016 年 6 月 20 日，取自 https://video.udn.com/news/511176。

在實務操作和經驗上，游盈隆自然比林佳龍更有談論民調的資格和份量。除了自己發表的文章外，他對政治與選舉的民意解讀，不時是新聞報導和電視政論節目引用的內容。有一陣子，他用「死亡交叉」這個概念解釋民意起伏的現象，特別是總統施政的滿意度或總統候選人的支持度，聽起來驚心動魄（見第七章）。

游盈隆的民調結果被媒體引用，無疑表示研究內容和所隱含的知識，至少代表對某種社會現實的看法，值得跟一般人提出報告。反過來說，如果他的民調發現沒有引起任何媒體的注意，也不曾在網路上流傳，如此研究到底意義何在？它又產生了什麼知識？同樣道理，一篇沒人引用的期刊文章或博碩士論文，算不算知識？

在完成後，博碩士論文如果未實際出版，問題也許不大。期刊論文就不同了，因為在科學領域中，知識的所有權是共有的，亦即是 Mills（2000）的公共財產概念。如果作者要對一個想法、概念或現實提出某種宣稱（如創新或先趨），他／她就必須先以出版的形式與他人分享（Cozzens, 1989）。也就是說，藏私或孤芳自賞，從來不是學者應有的學術態度與操作，論文引用則是對知識生產者的一種認可。

沒人引用的論文，算不算知識？

一本書或一篇期刊論文如果被引用，一個明顯的道理是，它具有相當的知識、參考與研究價值，亦即作者對一個研究社群的影響（Zhu et al., 2015），才有機會在學術界引領風騷。以 Kuhn 於 1962 年出版的 *The Structure of Scientific Revolutions*（《科學革命的結構》）為例，到 2020 年 10 月 9 日為止，書已被引用了 121,868 次（Google Scholar），平均每年 2,100 次，每天約六次，可見 Kuhn 的份量，堪稱學術巨人。

在學術網路中，Kuhn 的學術地位可以用人際網路中有關強連結（strong ties）與弱連結（weak ties）的論點來解釋（Granovetter, 1983）。就知識的擴散和流傳來說，至少在科學歷史領域中，Kuhn 處於一個高地位

（high status）的節點（比他地位更高的學者大概不多），足以吸引或建立大量的弱連結（被許多人引用）。對引用 Kuhn 的大多數學者而言，他無疑代表一個強連結，用來支持自己的文章多少暗示研究的份量。

雖然缺乏明確的比較數據，我們可以篤定指出，在相關文獻中，大概沒有多少書籍可以像 Kuhn 的著作如此歷久不衰，不斷的啟發後來學者，或引起爭辯。Google Scholar 在搜尋頁面的簡短介紹（2020 年 10 月 9 日）中指出，一本好書（good book）可能具有改變我們看世界的力量，一本鉅著（great book）確是會成為我們日常知覺的一部分，充斥我們的思維，被視為理所當然，《科學革命的結構》無疑屬於後者。

在任何國家，學術界的巨人都不多，出類拔萃的學者也相當有限，大部分恐怕盡是平庸之輩。如果論文的存取或引用次數是個有效指標，我們不難從文獻中看出學者對學術研究的影響如何，與對知識累積的貢獻程度。「臺灣博碩士論文知識加值系統」多少是個實用例子，尤其是有關高雄市議員李眉蓁的碩士論文剽竊案（見第八章），更是彰顯知識分享的非預期後果，未蒙其利，先受其害。

李眉蓁在「臺灣博碩士論文知識加值系統」中，並未授權國家圖書館在網際網路上，開放免費下載 2008 年論文的電子全文，被她剽竊的雷政儒倒是提供下載 2000 年論文。李眉蓁論文於 2020 年 7 月 22 日被揭發抄襲，到 7 月 25 日，雷政儒的論文已被下載 537 次，也被引用了 30 次。除非到國家圖書館調閱紙本，兩本論文無法在電腦上透過軟體，直接比對相似程度。

「臺灣博碩士論文知識加值系統」允許作者可以在一定期間內，選擇論文之電子全文不「授權於網際網路開放免費下載」，既然論文不能直接閱讀，他／她顯然把自己排除在一個「無形學院」之外。這是系統設計的敗筆，第一，先天上，博碩士論文的拷貝份數不多，作者、指導教授與大學圖書館通常各有一份，讀者群本來就很少。第二，在全國的網路資料庫裏設定一個類似過濾的機制，便進一步排除可能的讀者人口。

　　任何博碩士論文一旦依規定上傳到「加值系統」，只要作者不授權，內容根本不對外開放，等於變相的拒絕他人於千里之外。別人想閱讀他／她的博碩士論文，都必須親自到國家圖書館，借閱紙本，對居住在臺北以外地區的人，未免工程浩大。李眉蓁選擇不授權下載論文，從剽竊的事實看，她多少心裏有數。在中山大學撤銷李眉蓁的碩士學位後，「加值系統」也隨即移除她的論文，如果沒有新聞報導留下的歷史檔案，整件事似乎不曾發生過。

　　除了理工科或醫學類的博碩士論文可能涉及特殊技術的創新或專利，我們很難想像人文社會科學的論文有什麼正當理由，需要限制電子版的流通。除非作者在一定時間內出書或發表期刊論文，幾年後，等到禁止下載的期限失效，這些論文很可能不再具有參考價值，一方面數據難免老舊，另一方面新的研究在理論、知識與見解上也許會取代既有文獻。「臺灣博碩士論文知識加值系統」或許是集散中心，卻變相阻礙知識的即時分享。

　　不管如何，一個值得推敲的難題是，一篇從來不曾被人引用過的博碩士論文或者學術期刊文章，到底是否生產過任何知識，對知識累積的貢獻又何在？

　　這個問題看似簡單，其實牽涉到跟存在論與知識論相關的一些複雜課題，例如現實是什麼、如何觀察與知識來源等。只要上過知識與方法的課程，任何研究生都會接觸到類似的難題：一棵樹木在森林裏倒下，當時沒人在現場，它是否發出聲音？

　　有些學者會就樹木、森林、現場與聲音的概念，以及倒下和出聲的動作／過程，進行定義及操作的詳細探討。過去幾百年來，許多科學家和哲學家透過各自的理論和方法，爭執不下，恐怕很難有個定論。它是一個很好的研究問題，大概也是一個無解的問題。在 Kuhn（1970）看來，無解的問題也許迫切，但往往不是難題。

　　本書無意，也不可能著墨於哲學式的辯證，從實證的角度出發，文章被引用的頻率其實是個可以直接觀察的事實。如果絕大部分的文章都

很少人引用，雖然我們不能就此推斷它們沒有人看，至少我們可以說，在知識生產與流通方面，這些文章可能對社會現實發生不了太大作用，也可能浪費學術資源。

以 JMCQ（《新聞暨大眾傳播季刊》）為例，圖 2.4 比較研究期間所有文章被引用的次數。雖然資料已經過時，重點是，兩段時間的數據顯示，即使相差了 20 年，引用形態幾乎沒有任何改變，多少顯示發表於 JMCQ 的文章具有某種特定的引用結構。這種結構出自學者們在文獻中自發取捨的結果（例如偏好引用甲，而不引用乙），對學術研究有相當意涵，反應出學者偏好依附（preferential attachment）的傾向。[14]

由於各種現實因素，例如期刊是否長期訂閱、文章搜尋的便捷（紙本或數位有所差別）和來源的使用地點或限制（能否拷貝）等，論文被引用的機會未必均等，也很難說是常態分配。一旦被引用後，論文的份量在一篇引用的文章裏看起來似乎均等，一次就是一次（這是一種自然態度），就整個文獻而言，在社會態度上，其實所有的引用並非均等（Baird & Oppenheim, 1994），至少引用原因與次數加起來就有不同意義。

不管何種動機和作用，一篇論文經常被引用，意謂它在統計機率上是高品質的研究（Baird & Oppenheim, 1994），足以作為相關研究的參考。在引用網路結構中，如果高引用次數的文章可以算是學術研究的範例（exemplar），那些幾乎不被其他學者引用的文章便無足輕重了。

從圖 2.4 看，在 1978-1980 年，JMCQ（1984）所刊登的論文共引用了 2,821 篇文章，被引用次數介於 1 到 11 次之間，其中有 88.16%的文章只被引用 1 次，這是本來應有（by default）的次數。也就是說，它們根本沒多少人看，引不起共鳴。被引用超過兩次或以上的文章不到 12.0%，至少 10 次的寥若晨星。

---

[14] 本節借用偏好依附的概念，偏好依附是網路結構中的一個有趣現象。簡單說，當一個網路大到一定數量時，只有少數的節點（node）會被大量節點連接，大部分的節點都乏人問津。

經過了 20 年，在 2000-2002 年期間，JMCQ（2005）所刊登的論文引用了多達 4,067 篇文章，大約是 20 年前的 1.5 倍，多少說明 JMCQ 若非擴充版面，就是縮短文章長度，刊登了比以往更多的文章，也可能是個別文章引用了較多的文獻。不論原因是什麼，88.22%的文章也只被引用 1 次，比起往年（1984），幾乎維持不變。

TABLE 1
Comparison of Frequency and References Cited, 1978-1980 and 2000-2002*

Times Cited		Percentage *	
1978-1980	2000-2002	1978-1980	2000-2002
1	1	88.16	88.22
2	2	7.38	8.21
3	3	2.13	2.04
4	4	0.82	0.61
5	5	0.64	0.25
6	6	0.50	0.37
7	7	0.14	0.07
8	8	0.00	0.10
9	9	0.11	0.00
10	10	0.07	0.07
11	11	0.08	0.00
–	12	–	0.02
–	19	–	0.02
Total		2,821	4,067

* Percentages do not add up to 100 due to rounding error. The total indicates the number of unique items cited by the articles published in the journal.

圖 2.4　JMCQ 文章被引用的跨時間比較

JMCQ 兩次實證研究都指出，將近百分之九十的文章只被引用一次，換句話說，絕大部分的研究其實沒什麼太大學術用途，基本上與其他學者沒有概念符號的關聯性。它們的存在，很可能是作者為數豆子（見第六章）而發表，以提高履歷表上的出版數字。在相關文獻裏，它

們的出現顯然不痛不癢，對知識的累積與社會現實的了解，毫無作用和意義。

　　一個合理的猜測是，就研究題目來說，這些很少被人引用的期刊文章說不定包羅萬象，但是附和的學者寥寥無幾。從學術研究來看，他／她走的也許是人少的路，但追隨的人不多，內容更談不上是創新或突破，太陽底下畢竟沒有多少新鮮事。

第三章

問題與難題：太陽底下沒有新鮮事

研究動機，是所有研究方法課或教科書一定會教到的課題。因為動機屬於個人的心思意念，如何形成，大概很難在課堂裏直接傳授。讀研究所的念頭因人而異，每個人的生活歷程或經驗也不可能相同，論文固然是研究生的一個共同標的，如何構思與怎麼寫就難說了。

在大學任教期間，我讀過不少學期報告、博碩士論文或學術期刊的投稿文章，作者（尤其是年輕學者）在交代為什麼做研究時，一個經常提到的基本原因、動機或正當性是，這個題目從來沒有人做過，懂得一點學術用語的會說，文獻裏不曾探討過，暗示他／她已閱讀過相關書籍和期刊。

三言兩語，研究者往往點到為止，沒有任何進一步解釋或說明，似乎道理不言自明：沒人做過的題目，就是好的研究題材，值得記上一筆，並代表某種突破。

表面上看，題目沒人做過，或文獻缺缺，多少顯示研究者具有想像力或創新精神，見人所未見，而且能夠把題目轉化為一個可以研究的問題。思考和研究熱情，在 Mills（2000）看來，是知識技藝養成的必要元素，也是學者必備的基本態度，缺一不可。

深一層看，既然題目沒人做過，幾個問題可以點出研究者不妨思之再三：第一，不管是在自己國家或其它各國，在你／妳之前，研究者成

千上萬，為什麼他／她們就沒想過同樣題目？第二，除了研究者自己所熟悉的語言外，文獻以各種文字存在於世界各地，你／妳如何確定前無古人？第三，不同語言文獻所記載的知識就不算數，因為它超出研究者的能力範圍？

以很少人做過這方面的研究為理由，並不是一個很好的疑問，也不足以突出研究的重要性。「從來沒人做過」如果是個事實，有兩種可能解釋：第一，題目並不重要，不然為什麼那麼多學者和研究者，一直就沒人想像過？第二，沒人做過，也許是相關概念並不存在，導致學術關注的重點不同，或者整體環境的研究氣氛不適合另類思考，例如在中國強調「和諧」的框架下，在特定時空裏，一些敏感或有爭議的題目根本無從做起。

有些人也許會說，第一個問題的答案是，題目太新，在網際網路、新媒體與各種個人傳播及資訊工具當道的今天，很多公共議題（網路霸凌、公民新聞、跨國電子詐騙等）都是舊媒體不曾出現過的現象，前人不可能做過。第二個問題的答案大概是，要窮盡天下文獻，是件浩大的工程，根本不可能，因此不切實際。第三個問題的答案不妨是一種務實回應，文獻看不到或看不懂，就不值得費心耗神。

這些答案都會有資深學者提出辯解，所以，年輕學者以「沒人做過」或「文獻缺乏」作為學術研究的理由，大致無可厚非，不必苛求，反正不過就是一個研究而已，還可能無關痛癢。這樣的論點其實似是而非，經不起仔細推敲。

從反面思考來看，「沒人做過」，很可能表示，在我們之前的學者認為這個題目沒有學術價值，或沒有太大意義，不值得研究。至於「文獻缺乏」，則可能意謂，研究者閱歷不深，拘泥於表象／表相，缺乏舉一反三的抽象能力。一個具體例子可以說明，太陽底下其實沒有新鮮事。

在新媒體方興未艾的時代，目前的廣播或電視都屬於舊媒體，它們在 1920 年代和 1950 年代出現時，卻無疑是新媒體（Boutwell, 1952），

不少學者都針對它們可能帶來的個人與社會效應，做過理論與操作的研究。[1] 也就是說，在傳播過程與結構的抽象和實務層面，能夠被想像到的，別人都可能已經想過，能夠被做的研究，別人也可能已經做過，頂多未被發掘而已。[2]

從學術研究的角度看，「太陽底下沒有新鮮事」的關鍵在於，即使天下事多如牛毛，很多都屬於個人麻煩，影響相當有限，真正牽涉社會問題的其實不多（見第二章）。另外，新的東西在概念和形式上也許不同於舊的東西，但是社會功能或許沒有太多改變，換湯不換藥。問題是，你／妳的研究如何做的比前人更好？

就知識論來說，「沒人做過」的題目涉及兩個相互關聯的認定與判斷取捨。其一，菜籃當然是用來放置與攜帶蔬菜，不過拿到籃子裏的未必都是菜；其二，研究自然需要題目，只是不是任何題目都有研究的價值。

前者，除了一個具體的籃子外（載具），研究者需要對社會現實具有敏銳觀察與分辨能力（什麼是菜），亦即歸類與操作的本事；後者，除了想像力與創造力外，研究者則需要在知識生產和增長上具有衡量的功夫（什麼是難題），亦即批判思考。兩者都需要學者與學術界在知識技藝方面堅持一定的標準，不濫竽充數。

不幸的是，一些大學往往睜一隻眼，閉一隻眼，在學術尊嚴與操守上，向下沉淪，掛羊頭，賣狗肉。由於廣設大學與招生的壓力，從個人到制度，學術墮落的例子恐怕俯拾皆是，攤開來看，可能也慘不忍睹。或許有些人會說，大學粗製濫造，學術的命理該如此。

---

[1] 見 Moores（2000），特別是第三章，"Early radio: The domestication of a new media technology"。

[2] Boutwell 在 1952 年針對電影、廣播與電視，就提出目前還是受到關注的課題：作為公民與教育家，我們如何處理這些新媒體？（What can we, as citizens and educators, do about these new media？）幾十年後，當代學者仍然為這個問題傷透腦筋。

命理知多少：掛羊頭賣狗肉

　　位在彰化縣的中州科技大學於 2019 年 11 月被檢舉，機械工程系碩士班出現教學專業與學生碩士論文名不副實的偏差。根據《聯合報》（2019 年 11 月 17 日）報導，[3]「中州科大機械與自動化工程系所屬的工程技術碩士班，自一○二年後的碩士畢業論文，約六成與工程技術無直接關係」，題目反而是「命理、夜市、教師幽默感教學、社區志工滿意度等」。統計顯示，在 167 位碩士的畢業論文中，共有超過 100 篇與工程專業無關，亦即名實不符。

　　百分之六十的比率（100/167）不算低，超過半數以上，這種情況根本不是少數幾個研究生的麻煩（不知道如何做一篇像樣的理工學術論文），而是整個系所，甚至是大學的制度問題了。具體說，機械工程系碩士班所教的，跟研究生所做的論文，根本風馬牛不相及，很難不讓人懷疑是販賣文憑的學店。教育部在 2019 年 12 月 2 日下令，中州科大機械所 2020 年停止招生。

　　其實，過去幾十年，以命理為題目的碩士論文還真不少，博士論文倒是不曾出現過，顯示博士學位的要求的確比碩士來得高，指導教授也相當清楚學術研究與知識生產所為何事，不能魚目混珠，守住了學術尊嚴與社會的托付。

　　除了中州科大，不少公私立大學也幾乎一網打盡，共襄盛舉。一個合理的推論是，中州科大不過是冰山一角，並非單一學校的學術麻煩，而是整個大學系統的普遍現象，負責把守關卡的教授多少縱容了指導學生的想像力，得過且過。

---

[3] 馮靖惠（2019 年 11 月 17 日）。〈機械所論文寫命理夜市　教部將查〉，《聯合報》。取自 https://udn.com/news/story/6928/4171082，下載 2020 年 6 月 22 日。

在「臺灣博碩士論文知識加值系統」[4] 中，從 1998 年到 2019 年，以論文名稱包含「命理」兩字搜尋（到 2021 年 4 月 4 日止），數目共有 57 篇，每年平均約三篇。公立大學有臺大、清大、政大、中山、中正、中央、臺科大、屏東科大、彰師大、臺中教大、暨南國際大學與臺北教大，私立大學則有南華、華梵、正修科大、修平科大、大葉、崇右影藝科大、淡江、亞洲、正修科大、開南、銘傳、元智、佛光、亞太創意技術學院、中州科大、中臺科大、世新、實踐、明新科大、中臺科大、文化與東吳。

絕大部分點出「命理」研究的論文都跟管理、人文、文化、傳播與社會等學門相關，理工學門的屬於鳳毛麟角。因為「臺灣博碩士論文知識加值系統」標明是個「知識」平台，收錄在資料庫的每一篇博碩士論文，在知識生產與分享上，好歹都應有學術貢獻。

從統計看，命理與夜市或其它類似的題目，並非不能作為學術研究的對象。在文化批判、社會學、人類學與宗教的研究範疇裏，尤其是質化研究，它們是大可探討而且引人入勝的人文現象（例如，命理師如何建構前高雄市長韓國瑜的興衰）。放到理工科領域裏，[5] 除非命理和物理有一個可以理解的邏輯關係，就不免離譜和荒誕了，簡直無視學術與知識的尊嚴。

在相當程度上，或許碩士論文只是大學聊備一格的學位設計，其實可有可無。以命理為研究對象就不失是個權宜之計，反正不會有太多人當真或認真閱讀，作者自己說不定也無顏改寫成一篇期刊文章，並嘗試發表。這大概是為什麼在「臺灣期刊論文索引系統」裏，以「命理」於篇名、關鍵詞和全文中（2020 年 6 月 25 日），找不到類似這些碩士論

---

[4] 「臺灣博碩士論文知識加值系統」由國家圖書館受教育部委託設置，國家圖書館為國內唯一的學位論文法定寄存圖書館。

[5] 中州科技大學機械與自動化工程系研究生劉文晃 2013 年的碩士論文題目是「命理與地理對企業經營成效的影響」，指導教授是朱正民。在「臺灣博碩士論文知識加值系統」上，論文不提供電子全文，除了當事人、指導教授與口試委員，一般人無法在網路上閱讀。（2020 年 6 月 25 日）

文文章的原因。命理，畢竟是一種信仰，研究者除了描述，很難在理論建構上提出發人深思的解釋，因此不易在學術期刊上發表。

如果命理題目是通案，一個非常特殊的案例是藝人徐若瑄。她於2019 年畢業於世新大學上海 MBA 境外碩士在職專班，碩士論文題目是「互聯網時代藝人轉型策略之初探性研究：以徐若瑄為例」。主標題有模有樣，連結傳播科技與大眾文化之間的互動關係，副標題則點出個案研究的對象。

自傳或論文？以徐若瑄為例

光是看標題，如果不知道作者是誰，一般人難免都會認為這是一個以旁觀者（第三人稱）立場，所做的客觀學術調查。其實是，徐若瑄以自己作為個案研究，自彈自唱。雖然只是「初探性研究」，暗示在研究發現上，多少有點保留（不是定論），在「知識宣稱」方面（轉型策略），卻有點投石問路的味道，甚至是一種「過來人」的經驗談。

徐若瑄是公眾人物，早年在日本以拍攝性感寫真集成名，逐漸展露頭角，闖蕩演藝圈 30 年，目前名列所謂的大咖或女神（不然誰在乎她是何方神聖）。她於臉書上宣告自己獲得世新碩士學位，論文題目被公開後，引起一時嘩然與質疑。[6] 例如，政論節目主持人范立達指出，「世新對於碩士論文的要求竟如此之低」，「真的太失望了」。[7]

世新大學或其它大學是否對碩士論文的要求太低，是個價值判斷問題，見仁見智，可能很難釐清（至少世新不會承認）。畢竟，博碩士學位的遊戲規則（論文寫作和口試）基本上由各大學自主訂定，只要符合

---

[6] 以「徐若瑄碩士論文」為關鍵詞，透過 Google 搜索，約有 133,000 項（2020年 6 月 24 日）。

[7] 許維寧（2020 年 4 月 17 日）。〈徐若瑄碩士論文「研究自己」惹議　世新指導教授三大聲明〉，《蘋果日報》。取自 https://tw.appledaily.com/entertainment/20200417/S4X3UVGSTCPNBIO4OMRMG6MYAQ/，下載 2020 年 6 月 22 日。

《學位授予法》程序，外界對學位的取得沒有太多干預的餘地，至於論文或報告品質良窳，則是另外一回事。布丁只有吃了，才知好壞。

徐若瑄的論文共有70頁，第一頁清楚寫出「世新大學公共關係暨廣告學系碩士學位技術報告」，不過英文部分卻是寫著thesis（論文），而非report（報告），在摘要一頁的用語也是「論文名稱」與「論文摘要」，沒有「報告名稱」與「報告摘要」字樣。在中英文使用上，論文與報告的概念及操作差別，顯然有意無意的被混淆了。

由世新大學的相關聲明看，技術報告是為「專業碩士」而設計，研究論文則是「學術碩士」的要求。世新副校長游梓翔是口試委員之一，他的回應是，徐若瑄並非「自己研究自己」，而是「以自己所屬公司具有**重要參考價值的個案**為案例」[8]（粗體字為作者所加）。這個重要參考價值的個案，無疑是徐若瑄自己，不免此地無銀三百兩，甚至牽強，游梓翔的辯護顯得蒼白無力。

生米煮成熟飯，徐若瑄頂著的是碩士學位，沒有附加的框限字眼，一般人無法辨別「專業碩士」和「學術碩士」的差異，難免把馮京當馬涼。換句話說，從學士、碩士到博士，學位是個人教育程度的一個印記，大致可以輕易理解，至於學位取得的條件與是否符合標準，其他人大概很難一窺全豹，可能也不太在乎。

如果不看內容，只看目錄，全部五章的技術報告頗有學術論文的格局，包括緒論（研究動機、方法與問題）、自媒體時代的演藝生態轉型、藝人轉型策略之相關研究、轉型策略與執行和結論與建議（未來展望與後續建議）。動機在「探討『徐若瑄』轉型之效益評估與未來發展」，問題則為「探討互聯網世代明星如何因應局勢調整定位、如何透過轉型增加新的市場價值、如何維持能見度與影響力」。

全文長 63 頁，圖片有 22 張。除了圖 2-2 是有關 Lady Gaga 與「小

---

[8] 潘乃欣（2020 年 4 月 19 日）。〈徐若瑄碩士論文研究自己惹議　口試委員出聲了〉，《聯合報》。取自 https://udn.com/news/story/6885/4503015，下載 2020 年 6 月 22 日。

怪獸」主題標籤的連結度，其它的全部都是徐若瑄自己的各種活動畫面，包括廣告、粉絲專頁、電影特映、社交媒體流量、書籍出版、雜誌封面、記者會與視頻截圖等，有大有小，佔去不少篇幅，例如論文中的圖 3-1 幾乎是一整頁（見頁 25）。提到 Lady Gaga 的部分只有幾行字，一個 Google 搜尋結果的列表則佔了將近一頁（見圖 2-2，頁 21），根本談不上是主題之一。

徐若瑄指出，「本研究以個案研究、自述分析、訪談法作為本研究之**方法論**」（頁 8，粗體字為作者所加），但是沒有說明她是如何透過這三個研究方法收集相關數據，並進行分析。從頭到尾，文字平鋪直敘，毫無分析可言，所有引用的圖片和文獻，幾乎是為徐若瑄的演藝生涯和生活經驗（1979-2019），提供錦上添花的註腳，說穿了，不外是她的轉型「報告」，再摻雜圖片的收集，根本就是大篇幅的廣告。

只要查看提到「徐若瑄」三個字的上下文本，任何人都不難發現，這份「技術報告」的寫作技巧多於知識技藝，價值判斷多於事實陳述，主觀認定多於客觀證據，從量化到質化，幾乎都在假借網路數字和他人話語，突顯作者的個人身分和社會成就。以下幾個例子可以看出端倪（粗體字為作者所加）：

-- 徐若瑄（研究者）被陳述為「**亞太地區知名**女歌手、女演員、主持人（頁 37）

-- 這些多元的角色都為「徐若瑄」注入**更多面向的特質**與聯想（頁 37）

-- 分享老協珍與「代言人徐若瑄」之**雙贏**合作（頁 40）

-- 「老協珍等於徐若瑄、徐若瑄等於老協珍」強烈結合的**企圖心**（頁 41）

-- 用讓人**耳目一新**的「活潑俏皮生活感徐若瑄」來演繹（頁 41）

-- 可推論老協珍的**受眾**對於徐若瑄代言**抱持肯定**（頁 41）

-- 透過徐若瑄的**本身特質**連結品牌重視的兩大核心價值：努力、認真（頁 43）

-- 碧歐斯對於「代言人徐若瑄」合作成效絕對是抱持高度正面肯定的評價（頁 44）
-- 消費者對於「徐若瑄代言碧歐斯」都抱持相當正面的反饋（頁 44）
-- 一如品牌所看重的代言人徐若瑄特質「正能量」（頁 44）
-- 因為徐若瑄代言所以**更願意相信這個品牌**（頁 47）
-- 受眾先透過歌手徐若瑄建立起「**正面積極、活力熱情**」的印象（頁 50）
-- 又透過演員徐若瑄累積「**正面積極、勇於挑戰**」的印象（頁 50）
-- 也才有更多的資源或契機為徐若瑄**創造並累積新符號**（頁 53）
-- **終身學習**是徐若瑄在創造新符號的重要歷程（頁 53）
-- 讓「徐若瑄」能在**快樂當媽媽**的同時，持續增加**更多新身分、新角色**（頁 54）
-- 出道近 30 年，明星「徐若瑄」已是一個成熟的品牌（頁 55）

　　不管是何種形式或研究是否嚴謹，徐若瑄的論文應該是特例，而非常態。即使以作者本人經驗為敘述的對象，既然是「技術報告」，便難以跟「學術論文」相提並論，也許無可厚非。在美國與香港，很多大學的碩士班，尤其是九個月到一年的專業班（如香港城市大學媒體與傳播系的傳播與新媒體碩士學位課程），一般沒有論文要求，只要修滿規定學分數，就獲得學位。

　　學生的論文遭受質疑，指導教授自然脫不了干係。許安琪發表三點聲明，開宗明義指出，在本質上，技術**報告**與碩士**論文**有所不同，主要原因在於，「技術報告強調實務**應用之價值**，非同於一般碩士論文強調理論之創新」[9]（粗體字為作者所加），言下之意是，外界犯不著大動干戈。

---

[9] 見註 7。

就知識分辨來説，許安琪的論點不無道理，技術只是實用與操作而已，不涉及理論對現實的解釋。徐若瑄的報告「以徐若瑄為例」，多少暗示是個人經驗的熟識知識（acquaintance with），而非系統化的深切知識（knowledge about）（Merton, 1973）。[10] 由此延伸，「技術報告」的內容也許就不需要太過深奧，可能更無關知識的生產與驗證。

不管如何，在論文的正當性上，許安琪或游梓翔的解説雖然未必是強詞奪理，卻似是而非，不僅未能令人信服，看起來，多少是在替她／他自己在整個過程中所應扮演的角色和作用辯解。畢竟，她／他們未能堅持學術研究的起碼規範與知識生產的嚴謹，尤其是徐若瑄的論文終究會成為 Mills（2000: 79）所説的「公共財產」的一部分。

依相關規定，博碩士論文都收錄在「臺灣博碩士論文**知識**加值系統」中（粗體字為作者所加），知識一詞是個相當重要的用語。一旦能够下載和流傳，博碩士論文也就成為相關研究的文獻之一，至於有沒有人看，或被其他研究者與學者引用，則是文獻的學術價值了（見第二章）。如果前人的研究課題成為後人競相模仿的對象，文獻便具有設定後續發展的潛力。

議題設定的議題與設定

我唸博士班的最後一年（1985），Maxwell E. McCombs 從紐約州的 Syracuse 大學應聘到德州大學新聞系擔任系主任。當時，個人電腦才開始出現，微軟公司（Microsoft）的 Word 軟件也推出不久，根本沒有目前很普遍的 PDF 文件。除了比較近期的報章雜誌有紙本外，圖書館收存裝釘成冊的早期刊物，更多的是顯微膠片。

---

[10] Acquaintance with 與 knowledge about 並不容易翻譯，有關這兩種知識在文獻中的譯名，見劉娜（2020）譯《新聞與輿論：羅伯特.E.帕克論文選集》。

由於博士論文[11] 以美國兩大全國性報紙為研究對象，我需要不時到圖書館，透過圖書館影印中心，從顯微膠片中，大量拷貝《紐約時報》和《華盛頓郵報》的相關新聞報導與社論。這是一筆不小的支出，McCombs 給了我一個研究經費的帳號，毫無限制的讓我拷貝全部資料，我的內容分析才得以順利進行。

作為學者與研究者，McCombs 最出名的當然是與 Donald Shaw 於 1972 年提出的議題設定（agenda-setting）假設：大眾傳播媒介對一些議題所做的顯著報導，影響一般大眾對社會重要議題的認知。這篇以 1968 年美國總統選舉的論文，發表於 Public Opinion Quarterly，幾十年來，在美國與世界各地的學術界引起一陣研究風潮。

根據 McCombs 在 2005 年的回顧，從 1972 年起，議題設定的假設已經在世界幾百個實證研究中得到複製（replication），這些複製的主題範圍包含廣泛，由政治到非政治的公共議題和政治傳播，研究者能夠想像到的題目應有盡有。除了美國的大量研究外，歐洲、亞洲、拉丁美洲與澳洲等地都有類似發現，而且議題設定的作用也發生在新媒體上。

因為各國的博碩士論文絕大部分自然以當地文字寫成，加上許多地區或地方性的非英文期刊不易取得，我們很難明確統計，不管發表與否，全世界到底有多少議題設定的學術文章。如果 McCombs（2005）對議題設定未來走向的看法是個指引，我們有理由相信，過去十多年，更多國家的學者無疑會繼續從事類似研究，論文數量也應該會增加不少。

一方面，在理論上，議題設定開始結合相關理論（如 priming），逐漸擴充到不同層次（所謂的 second-level，甚至是 third-level），也朝向不同媒體之間的議題設定（inter-media agenda-setting）研究。另一方

---

[11] 論文以 The News and U.S.-China Policy, 1950-1984: Relationships with the Government and Public Opinion 為題，涵蓋美國與中國從 1950 年起的 35 年關係。經過重新分析數據與全面改寫理論部分，以 Graham T. Allison 的 Essence of Decision 中的決策模式為框架，論文於 1993 年以 The Press and China Policy: The Illusion of Sino-American Relations, 1950-1984 出版。

面，在研究方法上，大數據與社交媒體的使用，讓媒介議題與大眾議題的變項有了更準確的測量。前者頗有建立鉅型理論（grand theory）的傾向，不免走火入魔；後者則是研究設計與數據收集的不斷精進，難免把數據當成是事實本身。

從早期到目前，臺灣的大眾傳播博士絕大多數全在美國取得學位，擔任教授後，他／她們把議題設定理論帶進課堂，並作為題目指導研究生寫論文，都是遲早的事。其實，我們大致可以說，臺灣的學術界幾乎是美國學術界的翻版，學者有樣學樣，複製他／她們在博士課程裏學到的知識與經驗，還傳授給學生，頂多換湯不換藥。

以「議題設定」為關鍵詞，在《新聞學研究》[12] 與《臺灣博碩士論文知識加值系統》中搜尋（2020 年 7 月 10 日止），從 1979 年到 2019年，論文名稱包含這四個字的期刊和博碩士論文共有 39 篇（見表 3.1），幾乎平均一年一篇。最早的（1979 年）與最新的（2019 年）「議題設定」研究都發表於《新聞學研究》，顯示學術界對這個題目的持續關注。

除了《新聞學研究》刊登的論文外，政大新聞研究所也指導了一批早期的碩士論文，40 年間，其他大學（世新、臺師大、文化、銘傳、中原、國防大學、國立聯大、玄奘、清華、臺大、昆山科大、中山與中正）先後出現議題設定的博碩士論文，學門也不再限於新聞和傳播類，延伸到行銷、視覺設計、管理、公共關係和政治等領域。

不管內容好壞，由到處是「議題設定」的博碩士論文看，臺灣公私立大學的學術研究，在相當程度上，幾乎已淪為制式或例行化的一套公式，談不上創新或想像力，更不具批判能力。學生只不過是把現成理論應用到本土的例子上，而指導教授似乎也照章辦事，說不定還鼓勵他／她們如法炮製，頂多換個偏方。

---

[12] 《新聞學研究》創刊於 1967 年，是臺灣最早的傳播研究期刊，多年來一直由政大新聞系教授負責編輯工作。

表 3.1　臺灣的議題設定研究*

年份	《新聞學研究》	博士論文	碩士論文
1979	1		
1980	1		3
1981			1
1989			1
1990	1		
1995	2		1
1998			1
2000			1
2001			1
2002			1
2003	1		1
2004	1		
2005			1
2007			2
2008			2
2010			2
2011	1		
2012			2
2013			1
2014			2
2015			1
2016			3
2018		1	2
2019	1		
總計	9	1	29

* 搜索以論文名稱中出現「議題設定」一詞進行，包括一篇以媒體議題與公眾議題為字眼的《新聞學研究》論文，其它當然還有許多論文也涉及「議題設定」的研究，只是並未在名稱中明確列出「議題設定」。未列出的年份，表示該年沒有議題設定的研究。

本節無意梳理議題設定理論在臺灣或其它國家的歷史、理論、方法與研究題目的沿革，相關的書籍和文章算得上汗牛充棟，每一個最新的複製研究，就是對原創理論最好的致敬，不需錦上添花。本節的用意在依據 Mills 對鉅型理論與問卷調查方法的批判，檢討議題設定的研究在知識技藝上出現的概念化與操作化的盲點。

McCombs 在 2005 年的回顧中提到的一個重點是，不同地區的其他學者已複製了 1968 年的美國研究。複製，是學術研究中一個很重要的理論驗證工具。Earl Babbie（2016: 243）在 *The Practice of Social Research* 指出，在所有科學研究的形式中，研究發現的複製，加強我們對這些發現的效度與概推的信心。

不管是自然科學或社會科學，只要研究發現被後續研究者在不同時間和空間中成功複製，結論就有相當效度，可以概推到其它母體或情境。就議題設定理論來說，既然在世界許多國家，幾百個甚至更多不同研究都複製了 40 多年前的一項美國調查，堪稱放諸四海皆準。

由美國到世界其它國家，不論何人、何時、何地與何事，當幾百個實證研究都一致發現議題設定的情況，這不是可以等閒視之的知識問題。依 Donald Campbell（1988: 174）的定義，在某種程度上，在不同情境下，可用的、能再次證明是相同的（東西），就是知識了。一個緊要的難題值得所有參與研究議題設定的學者深思：

從知識宣稱的角度看，我們是否可以主張議題設定已是一個顛簸不破的定律，而不再是個理論假設？還是，這種現象有另類的替代解釋？

這個問題不會是簡單的是非題，而是申論題，大概沒有任何一個傳播學者與研究者敢斬釘截鐵的正面回答：因為許多國家的研究都成功複製美國的發現，所以議題設定是一個普世的現象。絕大多數的答案可能會比較保守，甚至加上但書，理由不外是文化在知識宣稱中扮演某種作用（例如 Evers & Mason, 2011）。也就是說，文本與情境差異，難以比較和概推，複製不等於普世，談議題設定的定律言之過早。

作為概念，議題（agenda）具有一個附隨的屬性，它存在於特定的

情境裏，屬於一種關聯性體系的部分。議題不會事先獨立存在於某個特定情境體系之前，通常一個會議先被某人決定召開，才會出現預先擬好的討論議題與臨時動議，並在會議中進行操作。亦即，議題本身難以單獨存在於會議之外，它的邏輯程序是構想會議，擬定議題，開會，會議討論過，留下的紀錄便是歷史文件了，大致不再有人在意。

　　同樣道理，在議題設定研究中，研究者透過電話訪員先提出類似「最重要問題」的問題，受訪者才可能在當下回答或思考。一般而言，受訪者不會有太多時間思考。換句話說，大眾議題與研究者的提問牽扯在一起，在被問到前，議題不一定存在，因此研究者與被訪問者具有某種關聯。另外，拿什麼相比，問題才算最重要？國家大事？如是，「最重要問題」的提問就假定，大部分人平常都關心日常生活以外的天下事，而且知道什麼事對國家重要。這個假定不一定經得起推敲。

　　如果議題設定還說不上是定律，一個迫切的問題就必須緊接著回答：我們如何解釋世界許多地方的學者都成功的複製了議題設定的現象？

　　從存在論與知識論的角度看，一個另類、但合理的解釋是，議題設定是一個因研究設計而產生的人為產物（artifact），兩個概念（媒介議題、大眾議題）和一個過程（設定）所指涉的東西，並不存在於真實世界裏。至少，現有的研究設計無法有效排除這個競爭性解釋（competing explanation）。

　　以傳播系的會議為例，在英文裏，所謂 agenda，指的是系辦公室擬定的一份清單，條列各種議題，以便開會時逐一討論。基本上，這份議題是人為設定，由秘書（通常按系主任指示）根據事實或例行需要，而設計的一張表單，報告事項列在前面，需要詳細討論的，則按急迫程度一一列舉。一個不爭的事實是，如果系不需／不須開會，秘書沒有任何理由私自製造表單，議題也根本不會存在。簡單說，議題是人為的東西。

　　在議題設定的研究上，同樣的設計過程也適用。由 1972 年起，所有

參與議題設定研究的學者都把 McCombs 創造出來的概念物化了，甚至有點 fetishized，認為概念所指涉的東西真實存在於現實之中，而且可以透過特定方法量化。這個假定值得商榷。Mills（2000: 48）對鉅型理論的嚴厲批判之一是，學者把為研究而創造出來的構想概念（construct）當成是事實的指標，又相信它是一個普世模式。

議題設定牽涉兩個變項如何互動的一種化約主義（reductionism），核心概念是媒介議題（media agenda）和大眾議題（public agenda），以及彼此之間的關聯。它們的共同概念是議題，但是概念化（conceptualization）和操作化（operationalization）的方法不同，前者是內容分析，後者往往是問卷調查。一個因果關係的假定與統計分析是，媒介議題出現於大眾議題之前，但是證據往往是兩個變項的相關係數，也很少控制其它因素。

跟大學的系所會議的議題一樣，媒介議題與大眾議題其實並不自然存在於現實社會中，兩者都是由研究者建構而成，再被賦予物化的形式與內容。從存在論的觀點看，一個簡單的問題可以檢驗它們是否真正存在：在研究者尚未從事內容分析與問卷調查之前，媒介議題與大眾議題到底以什麼形式存在？又存在於何處？

到目前為止，從事議題設定研究的學者似乎不曾認真思考過這個問題，他／她們的出發點不外是假定兩個議題各自獨立存在於不同的環境中，只要經由適當的研究方法，便可以明確測量出議題的面貌，如假包換。他／她們忽略的是，不論是媒介議題或大眾議題，它們的議題本質都值得認真思索。

就媒介議題來說，透過內容分析，排列不同新聞主題（例如政治、經濟和科技等）的出現頻率或次序，頂多是研究者在預設概念（顯著性）與媒介邏輯結構（不同新聞不可能佔據同一個版面或時段）下的人為產物，並非是新聞事件自發形成的一系列「議題」，它們不存在於報紙版面與電視時段之中，更不存在於自然世界裏。

對閱聽人而言，他／她們接觸的新聞由聲、像、圖、文構成，沒有

輕輕孰重的差別，他／她們的世界觀或日常生活，跟新聞事實本身、傳播研究和傳播理論，大抵毫無瓜葛。即使每天使用多種新舊媒介，他／她們可能不會在乎，更不可能理解媒介議題是什麼，後者經常無關個人存在的現實意義。傳播學者所謂的媒介議題，恐怕不是一般大眾熟悉的語言，也就是說，科學知識與一般人的日常生活知識很難畫上等號（Berger & Luckmann, 1966）。

以大眾議題來看，美國社會學家 Earl Babbie 在 *The Basics of Social Research*（2014）中，有關問卷調查是否足以測量出「民意」的論點，特別是不自然的人為之物（artificiality）的見解，頗有 Mills 對摘要式經驗主義[13]（abstracted empiricism）的一種另類批判，傳播學者不妨思之再三。

Babbie（2014: 304）指出，在問卷調查中，一個受訪者可能從來沒想過某個重要社會問題，直到被訪員問起對這個問題的意見，他／她可能當下形成意見。Babbie 的論點是，除非被問起，一般人對社會問題很少思考過，也未必有意見。任何學者如果要在邏輯上推翻他的立論，就必須明確顯示在被問到之前，我們的意見獨立存在於何處與形式如何。

放到日常生活中的傳播研究，Babbie 的看法也站得住腳。純粹就大眾議題來說，我們很難想像絕大多數人在每天醒過來後，會認真思考，並問自己「你／社區／社會／國家今天面對的最重要問題」是什麼，甚至寫在一張紙條上，或跟其他人公開討論。如果個人議題並不存在，大眾議題又從何而來？大眾又由誰來代表？

---

[13] 《社會學的想像》的兩本中譯版裏都把 abstracted empiricism 翻譯為抽象經驗主義，其實並不準確，因為 abstracted 並非 abstract，而有某種抽取的意義。Mills 的批判針對 Paul Lazarsfeld 的量化民意調查，原意是一種心不在焉、茫然或摘要的經驗主義，未必抽象，研究者忽視較大的環境或情境，沉溺於量化，著重方法的可靠。研究本身幾乎是一種社會事實的隨機收集，沒有任何理論框架用來安排這些事實，無視歷史或比較，以評鑑它們的顯著性（見 Kunitz, undated）。

依 Babbie 的觀點，在問卷調查過程中，訪員問起什麼，被訪問者就可能想到什麼，亦即，研究方法影響被研究對象的行為反應，涉及研究發現的效度問題。這多少是一種霍桑效應（Hawthorne effect），無關抽樣偏差。霍桑效應指的是，調查動作本身影響到數據的收集（Evers & Mason, 2011）。

不論是從 Babbie 的論點或霍桑效應看，有關議題設定的研究，一個難以忽視的反面解釋（counter explanation）是，不管是媒介議題或大眾議題，它們多少都是研究設計建構的人為產物，而非現實世界中的自然現象，也談不上是一般人的自然態度。亦即，兩者並不存在於人們的日常生活中，更沒有可觀察或經驗的間接指標。

議題設定在美國的研究發現直接被移植到其它國家，一個根本假定是水土相符，卻未必經得起檢驗。我們日常生活裏有太多假定，但是不一定都靠得住。我在德國慕尼黑的一段親身經歷，說明一些生活小節往往會出人意料，顛覆我們習以為常的遊戲規則，更可以做為「研究設計影響結果」主張的一個佐證。

QWERTZ：德國鍵盤的啓示

我到香港城市大學媒體與傳播系任教後，應邀參加位在德國 Eichstatt 的 Catholic University of Eichstätt-Ingolstadt 舉行的「比較新聞學：理論、方法、發現」（Comparing Journalism: Theory, Methodology, Findings）國際研討會，會期三天（2010 年 7 月 9 日到 11 日）。我與妻子提前一天到達德國，住在慕尼黑國際機場附近的一家旅館。

旅館房間沒有網際網路的設備，當天下午，我們到旅館大廳使用網路，有些旅客正在上網。我用帶去的 iPad 接上旅館的網路，打上 www.cityu.edu.hk 網址後，電腦螢幕上出現類似「我們無法找到這個網頁。試試這個：確定你要的網址是對的」字樣，意思是我可能打錯網址了。

不管我再如何仔細打字，試了幾次，總是上不了香港城市大學的網站。可是，坐在我們附近的其他旅客很顯然的都在瀏覽網頁，問題應該不出在旅館網路上的擁擠困難，很可能是城大的網路出了故障。既然上不了網，我決定放棄，打算回到房間。

經過櫃枱時，我不死心，隨口問旅館的網路系統是否壞了，不然怎麼無法上網。櫃枱小姐的直接回答是，你的網址是什麼？我說是 cityu.edu.hk。她立刻告訴我，網址必須打成 citzu.edu.hk，因為 y 與 z 兩個字母在德國的鍵盤上，位置已經對調，其它沒多做解釋。我照辦後，上網也就沒有問題，當場如釋重負。

如果在慕尼黑不能上網，我們就不能辦理登機報到和選位，整個行程就會有點麻煩。另外，我也無法聯繫系上秘書，處理一些行政事務，更不會知道香港或臺灣發生了什麼事。這段經驗令人感受深刻，我認為理所當然的（鍵盤就是鍵盤），在德國卻行不通，我的 iPad QWERTY 鍵盤到了德國打出來的字母是 QWERTZ。

這個上網經驗的教訓是，一如 Anderson 在《超越藩籬的一生》（2016）中說的，不跳出舊有藩籬，對現實生活，我們將無從比較，也就難以察覺理所當然的錯誤假定。學術研究也一樣，文獻應該幫助我們跳脫既有藩籬。從 2010 年起，我開始把這個經驗聯結到議題設定的研究設計問題，並在一些課堂上討論，但是總覺得少了些關鍵拼圖。

當我在 2016 年回到政大客座時，整個難題的拼圖開始清晰起來。國際傳播學程的碩士班碰巧有一位德國交換生，她帶來的筆電鍵盤排列果然是 QWERTZ（見圖 3.1）。我問她德國的鍵盤為什麼要把 y 與 z 兩個字母對調，她的答案很有啟發性。她說，在德文裏，z 字母使用的頻率比 y 字母高出很多，在英文裏，這兩個字母的使用頻率正好相反。另外，網路上的一般討論也指出以 y 字母起頭的德文字並不多。

圖 3.1　德國的筆電鍵盤

　　依 Pieter Vermaas（2016）的主張，從方法設計的假定和操作來說，德國鍵盤在應用上對知識宣稱有所助益，一方面它是有效果的（effective）設計工具（文字習慣），另一方面它是有效率的（efficient）使用工具（打字方便），兩者只有生活在德國的人，或者在特定情境下使用過德國鍵盤的人，才能心領神會。

　　這位德國學生的電腦鍵盤讓我開了眼界，她的解釋也有相當啟示。在 2010 年以前，我從來沒思考過（根據 Babbie 的論點，大部分人可能想都沒想過），原來一國文字的使用，除了社會溝通外，更是一種實用的價值取捨，不僅會影響到科技工具的設計（鍵盤字母的位置），操作起來也多少帶有文化認同的指標（德文至上）。

　　文字與語言自然是德國文化的一部分，熟悉這個文化和社會結構的局內人，大概會視 QWERTZ 鍵盤理所當然，只有使用 QWERTY 鍵盤的局外人，從舊情境轉移到新情境，在無知的情況下，無疑可能會碰到個人麻煩。Mills（2000）在《社會學的想像》中一再訓誡初學者要理解文化與歷史對現實的認知作用，在兩個電腦鍵盤的比對下，更有真實意義。

具體説，不分性別、年齡、教育程度或社經地位，任何人在德國使用 QWERTY 鍵盤上網，只要輸入包含 y 字母的任何英文網址（如 cityu），必然出錯（citzu），從而難以順利進入網站。亦即，在特定情境下或場域裏，即使鍵盤非常可靠（信度高），但是用處不大（效度低），使用者輸入 y，網路上輸出 z，屢試不爽。這是一種系統化的錯誤。

就存在論與知識論來説，德國鍵盤的使用與議題設定的研究有一個明顯的共同點，兩者都假定是可知的自然現象，其實是工具本身設計的預設人為產物。在德國採用美式鍵盤聯結網路，跟在臺灣利用問卷調查決定大眾議題，基本上沒什麼兩樣。前者必須遵循特定的打字方式（按名實不符的字鍵），後者則必須依照特定的訪問方式（問被研究者想些什麼），否則結果一無是處，使用者與研究者不可能達成既定目的。

只要了解德國鍵盤的特殊字鍵設計，使用者大致不會有什麼困難上網，議題設定的調查方法設計，因為涉及知識生產的效度，就不是一個可以容易解決的問題。嚴格説，作為學術研究的普遍題目，議題設定的研究到底解決了什麼社會難題，恐怕才是所有學者和研究需要認真思考的課題。對 Kuhn 來説，任何科學的構想概念只能評價它的效用，亦即我們能拿來做些什麼（Horgan, 2012）。

「賣菜郎」：學術研究的問題與難題

不管是否必要或合理，研究方法儘管有量化與質化之分，學術調查不以量化或質化方法為出發點，再決定研究些什麼，這樣無疑本末倒置。在一項研究計劃中，研究問題（research question）或難題（puzzle）的提出屬於思考範疇，方法則是執行。如果研究問題或難題是馬，方法就是車子了。馬車，行動無礙；車馬，寸步難行。

在學術探討中，研究問題與難題並非同一件事，後者自然是個研究問題，前者卻未必是個難題。不管是自然科學或社會科學，任何實證研

究多少都以解決問題為出發點。研究問題的定義很簡單，指的是一個研究計劃所要回答的問題（Mattick, Johnston & de la Croix, 2018），它可以平淡無奇，也可以相當複雜。難題則是另外一回事。

　　研究問題到底要如何提問？跟新聞價值的要素一樣，研究問題不外是何人（who）、何事（what）、何時（when）、何地（where）、如何（how）與為何（why）幾個面向。任何題目都可以用簡潔的問話形式，探索這些人事物與時空元素的其中一個，或多個合併。中國清朝《紅樓夢》小說第五回裏的一副對聯，「世事洞明皆學問，人情練達即文章」，也許可以作個註腳。

　　以 2018 年臺灣直轄市長及縣市長選舉為例，國民黨候選人韓國瑜在卸任臺北農產運銷股份有限公司總經理後，宣稱自己是「賣菜郎」，僅靠一碗滷肉飯和一瓶礦泉水，南下高雄參與市長選舉。11 月 24 日，他以 89 萬票大敗民進黨候選人陳其邁的 74 萬票，一舉翻轉民進黨在高雄市主政 20 年的局面。上任後不久，韓國瑜在 2019 年 3 月 22 日到 28 日，訪問香港行政特區長官林鄭月娥與「中央人民政府駐香港特別行政區聯絡辦公室」（中聯辦）主任王志民，撼動臺灣政壇。[14]

　　就學術研究來說，從個人到社會層面，韓國瑜在選舉前後的舉止有太多可以調查和分析的問題，如何切入，在在顯示研究者的知識技藝。以下兩個提問，都針對韓國瑜本人，內容卻大相徑庭，對知識生產和社會傳播可能帶來不同的效應與意涵：

　　研究問題：韓國瑜是不是一個庶民？

　　研究難題：韓國瑜為什麼在就任市長後急於訪問香港中聯辦？

　　不管是量化或質化研究，這兩個問題都可以用不同的方法去觀察與分析，例如個案調查、內容／文本分析或問卷調查等，在知識宣稱上也會有不同意涵的結論。其實，就政治效應來說，它們的重要性有很大差別。

---

[14] 韓國瑜於 2020 年 6 月 6 日，被高雄市選民以 94 萬票罷免，成為臺灣民主政治史上第一個被罷免的市長，同樣震撼政壇。

　　第一個問題基本上是二選一的是非題，隱藏在背後的是民粹主義[15]（populism）的操作。韓國瑜自稱是庶民，當然是主觀認定，用意在拉近與一般選民的距離，但經不起客觀事實的檢驗，特別是他擁有千萬農舍。主觀與觀感脫節，是韓國瑜競選時的敗筆。有些記者（如中天新聞[16]）和學者（如胡幼偉）竟然聽信一面之詞，就寫文章大肆吹捧他的庶民本色與親民形象。

　　相對於精英群體，研究者只要界定庶民的概念與指標（例如個人所得和財產低於一定數額），就可以經由個案研究，按圖索驥，檢驗韓國瑜是否符合定義。或者，研究者可以透過問卷調查，訪問高雄市民對韓國瑜的看法，大多數人說他的身分是什麼，就是什麼。這是一種認知而已，無關事實。當千萬農舍被揭發後，大概不會有多少人還相信他是庶民。

　　至於韓國瑜到底是不是庶民，除了誠信外，根本不重要。重要的是第二個問題，它牽涉的是海峽兩岸現階段的政治互動與未來中國與臺灣的長治久安關係，隱藏背後的是政治學裏的侍從主義[17]（clientelism），或是北京在臺灣的代理人結構。反對韓國瑜的人認為，他向北京與中共叩頭（見《鏡周刊》，2019 年 3 月 26 日），拜訪中聯辦不過是公開表態。

　　因為是閉門會議，沒有記者或學者直接在現場觀察，而且相關資料不易取得（例如當事人拒絕接受訪問，就算接受訪問，可能也不會說實話），韓國瑜為什麼要拜會香港中聯辦的答案，大概難以像第一個問題一樣，在短期間內得到初步結果。這個難題恐怕會繼續困擾臺灣政治與

---

[15] 民粹主義的一個簡單定義是，以人民或全民為訴求對象，實際上卻不概括所有人，而以庶民與精英區分（見張讚國，2016）。

[16] 中天新聞 2020 年換照申請被國家通訊傳播委員會（NCC）駁回，於 12 月 11 日到期，12 日正式下架。

[17] 侍從主義在文獻裏沒有一個統一的定義，一個共同點是贊助人與顧客的關係通常不均等，前者擁有權力、財勢與資源，後者則受益於前者的支持或影響 [見 Medina（2007）第五章 "Clientelism as Political Monopoly"]。

學術界一陣子，但終究會有水落石出的一天。跟自然科學一樣，社會科學研究的終極目的，在發掘真相或真理。

在英文字典裏，作為名詞，puzzle 的意思也指一種拼圖遊戲或謎題，考驗的是個人智慧或知識能力。玩拼圖／謎題的人必須把所有圖片一一擺放到正確位置，才看得出最後的圖形，或按謎題中有限的線索步步推進，方可得到答案。一旦拼圖或謎題被成功破解後，它就不再是難題了，這個難題並不存在於個別的圖片裏。

解決難題（puzzle-solving），在 Kuhn（1970）看來，是常態科學的正常操作。科學家在一個典範之下，遵循一套共同認可的概念與研究程序，設法解決現實中的難題。他／她從不質疑這個典範，難題的解決也不在挑戰典範，而在增強與擴大典範的範圍，直到現有典範無法解釋一些異常現象。不過，Kuhn 後來認為，典範這個名詞已經被使用得泛濫成災，無可救藥了（Horgan, 2012）。

在臺灣，從 1985 年起，在博碩士論文名稱中出現「典範」字眼的論文共有 174 篇，由 1981 年到 2019 年，《新聞學研究》中也有 30 篇提到「典範」的論文，涵蓋學門與題目相當廣泛，幾乎無處不典範（2020 年7 月 12 日搜尋）。即使是新聞報導或評論文章，「典範轉移」的概念也被任意使用，例如，富拉凱投資銀行首席經濟學家張明杰 2020 年 6 月17 日，在《經濟日報》上，暢談網際網路服務的新浪潮，「無非都是公司核心競爭力的一種典範轉移」。[18]

不管在任何發展階段，臺灣學術界，尤其是傳播研究，是否存在典範，是一個值得認真探討的難題。以臺灣博碩士論文知識加值系統中的論文為底線，從各種學門的研究看，典範或典範轉移概念的被普遍應用，多少顯示年輕學者已經接受典範存在的事實，無視典範在 Kuhn 的《科學革命的結構》中的真正意義，甚至錯誤解讀，不求甚解。[19]

---

[18] 見張明杰（2020 年 6 月 17 日）。

[19] Kuhn 在 2012 年一項訪問中，否認典範在《科學革命的結構》中有 21 個定義，見 Horgan（2012）。

從典範轉移、議題設定到沈默螺旋[20] 在臺灣的研究現象看，大學教授與他／她們所培養的年輕學者在知識技藝上的學習與運用，可能還得仔細閱讀 Kuhn 的《科學革命的結構》（*The Structure of Scientific Revolutions*, 1970），特別是他針對常態科學（normal science）文獻所整理出來的幾個要點，頗有啟發價值。

Kuhn （1970: 34）指出，科學文獻，尤其是常態科學的文獻，通常概括三種問題：重要事實的斷定（determination of significant fact）、事實與理論的對應或融合（matching of facts with theory）與理論闡述（articulation of theory）。簡單說，這三種問題直指科學研究的本質：事實是客觀存在，事實與理論並沒有一對一的必然關係，理論也非不言自明。

在我們的日常生活中，每天發生的事情與事件多如牛毛，可以觀察和研究的事實就不在少數，研究者無疑需要從中取捨，如何選擇全看事實的輕重而定。從重要事實的認定來說，不論是期刊或學術會議論文，很少有學者在這方面著墨，至少沒有明確討論下列問題：為什麼這個題目值得花時間和功夫去研究？它們的顯著性在哪裡？這些事實又顯示出什麼難題或謎題？

Michael Polanyi 在《個人知識》（*Personal Knowledge*, 1962: 30）中指出，「選擇好的疑問做調查，是科學才能的標誌」。借用 Kuhn（1970）的說法，一個好的疑問以一定的解釋和解決的步驟，處理理論性的問題。就現有的文獻看，傳播研究在這方面還說不上差強人意。

從存在論與知識論的角度看，社會科學與自然科學很難等同看待。不過，在研究題目、方法和知識的生產方面，社會科學多少借用了自然科學的基本假定[21] 和一些研究規則，例如量化研究，以及社會現象跟自

---

[20] 在文獻中，沈默螺旋的用字不一，沈默與沉默互用，本書使用前者，但保持引用文章的原文。

[21] Kuhn（1970: 5）認為，自然科學家的基本假定是，他／她們知道這個世界是什麼樣子，而且願意不計一切防守那個假定。

然現象一樣，發生的過程與後果不分國界。由這個角度出發，一篇好的
論文必須能產生新知識，幫助我們進一步了解社會現實的過程與結構。
如果沒有新知，至少在見解上，能見人所未見，或提出引人深思的另類
看法，而非人云亦云。

　　不論是新知或見解，這是學術研究的最起碼要求。兩者兼具，一篇
論文對文獻的貢獻與知識的累積當然就相當可觀。既無新知，又無見
解，如此論文只是浪費研究者和讀者的時間，更可能以訛傳訛，一旦惡
性循環，劣幣驅逐良幣，徒然給學術研究帶來惡名。這是為什麼傳播研
究在社會科學裏，與社會學、心理學或政治學比起來，往往不受人敬重
的道理。

　　一個根本原因是，傳播學者研究的題目或許相當即時，問題也有意
思，但未必符合 Kuhn 所說的難題（puzzle）。Puzzle 的中文可以翻譯成
拼圖，在 Kuhn（1970: 36-37）看來，難題是……問題的特殊類別，可以
用來測試解決問題的機靈或技巧，雖然內在價值不是一個難題的標準，
解題存在的保證則是。

　　Kuhn（1970）的主張是，沒有答案，或無解，都不構成一個難題／
拼圖；解決難題，是標準／常態科學研究的動機。難題一旦設定，可接
受的解方就有限，就像一幅拼圖，即使個別圖片的數目很大，拼湊到最
後只有一個圖案，不會出現第二個原先並不存在的圖案，拼圖的過程一
直在經由整合，逐漸排除剩餘圖片位置的不確定性。

　　沒有一個研究的發現可以一勞永逸的解決問題，大眾與社會問題錯
綜複雜。過去幾百年來，社會科學研究到底真正的解決了什麼問題？我
們只能說，在知識和見解方面，對許多社會現象為什麼會發生的了解比
以往多，或看得比較透澈，但是我們無法說，一些重要問題，如自殺現
象或性別歧視，已經徹底解決了。對年輕學者而言，解決問題是知識技
藝訓練的最終目標。

　　年輕學者開始寫學術論文時，往往疏忽了 Mills（2000）的勸戒。
第一，你／妳為自己宣稱的地位是什麼，嚴謹的原創研究者或學者，還

是人云亦云的投機者？第二，寫論文，就是提出它需要被讀的一個宣稱，可是誰該讀你／妳的論文？第三，不管是學術會議或期刊，在別人面前提出論文，表達看法，就意味你／妳已經想清楚了，有些新知或見解可說，別人應該留意。

　　想清楚，是主觀心境，屬於發現的情境；研究者或學者想清楚後，在學術會議或期刊裏提出研究結果，屬於表達的情境，只有在陳述的情境下，我們才可能得到回饋，獲得新的想法，或修改舊有的看法，從而進入到較高層次的發現情境。學術研究的進展與知識的累積，依 Mills（2000）的觀點，往往是在發現的情境與表達的情境之間來回穿梭，文獻是其中一個主要的場域，由廣泛的無形學院共同建構與維護。

第四章

無形學院：文獻經典與原典

不論是自然科學或社會科學，現代科學研究的歷史都相當長，兩者大致從 16 世紀的科學革命開始萌芽。幾百年下來，在現代學術研究路上，大概不會有哪一個自然科學家或社會科學家敢大膽宣稱，他／她一直單打獨鬥，從未跟其他科學家有任何瓜葛，或閉門思考與寫作，不曾接觸過其他科學家所發表的結果。

事實是，在我們之前，每一個學門總有人開創某個領域的研究，從而引發更多人的追隨與後續研究，並在各種文獻中留下一些蛛絲馬跡（見第三章）。即使想法只是吉光片羽，更多時候是概念或操作上的突破，最早帶頭的少數人就算不是篳路襤褸，他／她們以啟山林，難免會被認為是開山元老。不同科學的創始者所享有的學術地位，因時間而異。

英國哲學家 Alfred North Whitehead（懷海德）在 1916 年表示，一個躊躇不忘創始者的科學是迷失了。[1] 懷海德指的當然是自然科學，90 多年後，美國南加州大學商學院教授 Paul Adler 於 2009 年跟懷海德唱反調。他說，一個忘掉創始者的社會科學是迷失了。[2] 由於存在論、知識論與方法論的假定和操作有所差異，兩人的說法各有道理，牽涉的也都

---

[1] 原文是，"A science which hesitates to forget its founders is lost."見 Whitehead（1916: 413）。

[2] 原文是，"A social science which forgets its founders is lost."見 Adler（2009: 3）

跟無形學院有關,尤其是文獻經典。

　　一個無形學院(invisible college)並不是具體的學院,[3] 依據 L. A. Lievrouw(1989)的看法,它是一群具有共有特定旨趣或目標的科學家或其他學者之間形成的一套非正式的傳播關係,他/她們彼此未必有直接的人際接觸機會(如同事或師生等)。就廣義的無形學院來說,文獻中的研究者也是我們的非正式老師,透過期刊與書籍授課解惑。當然,不是所有的文章都有參考的價值。

　　從自然科學到社會科學,無形學院的重要性在於,在學術研究中,真相與真理的發掘是 ‧個集體發現的過程,沒有任何單獨的學者可以獨佔,或據為己有。

　　任何書籍,特別是跟歷史、文化或國族認同沾得上邊的敍述故事,一旦出版,就成為文獻的一部分,或者是 Mills 所說的「公共財產」(2000: 79)。文獻既然是公共財產,就屬於社會大眾所共有,每一本堪稱公共財產的書,不會擱置在書架上積灰塵,多少會有人閱讀,至於經典著作,捧讀再三的則大有人在。

　　在人文與社會科學中,每一個學門都有所謂的經典(the classics),如何選擇與界定,標準不一,大致取決於學者的教學和研究目的與學生程度,通常在博士班理論課程的必讀書單裏,可以看出個大概,只要多年經常出現在清單中的書目,毫無疑問是經典著作了,至少八九不離十。

　　例如,在社會學裏,不論在臺灣或美國,應該不會有學者反對韋伯(Max Weber)的《新教倫理與資本主義精神》(*The Protestant Ethic and the Spirit of Capitalism*)或涂爾幹(Émile Durkheim)的《自殺論》(*Suicide*)是經典了。在政治科學中,亞里士多德(Aristotle)的《政治學》(*Politics*)或托克維爾(Alexis de Tocqueville)的《論美國民主》

---

[3] 臺灣社會學者蘇國賢把 invisible college 翻譯為隱形學群,見蘇國賢(2004)。

（*Democracy in America*）應也不會有人唱反調。它們都可看成是學術神壇上被膜拜的對象，具有某種令人敬畏的地位。

美國社會學家 Robert Merton（1968）認為，經典書籍指的是那些讓嚴謹讀者專注，並銳化能力的書（頁 36），它們在自然與生命科學家的研究裏的作用很小，對人文學者的研究卻扮演相當大的角色（頁 28）。經典書之為用，就 Merton 認定的理由，在勾畫長期關注而未解的問題，或者對這些問題提供理論線索，甚至是指導當今科學家的現行操作理論、方法與技巧（Camic, 2008: 325）。

經典書籍的用處當然隨學門不同，而有差異。就社會學來說，Arthur Stinchcombe（1982: 2）把作用扼要歸成六種：試金石（touchstones）、發展任務（developmental tasks）、知識簡詞（intellectual small coinage）、基本概念（fundamental ideas）、常規科學（routine science）與儀式（rituals）。對初學者而言，這些作用也許各有啟發，卻未必可混合在一起，效用如人飲水。

Stinchcombe 對社會學經典的形成與作用有詳細的解說（另見 Thornton, 2009），他的結論（頁 11）值得學者警惕，尤其是那些看見權威就膜拜的年輕學者。他說，崇拜經典的壞處是月暈效應（halo effect），亦即，一本書或一篇文章因為一時可用便無時不可用的信仰，從而集所有美德於一身，也許「一日為師，終生為父」的教條差可比擬。

從時間的角度看，每一個學門的經典書籍，不論是公認或門户之見，往往是年代久遠的前人著作。至少，它們在出版後，即使過了幾個世代，總還有後來的學者與研究者閱讀及引用。也就是說，透過引用（Adler, 2009: 4），經典書經得起時間的考驗，歷久而彌新。Merton（1968: 35）認為，引用的形式，代表當代學者與前人在理念上密切相關的時刻。

在學術領域上，前無古人後無來者的研究，大概很少出現（見第三章），文獻中的引用網路（citation networks）無疑是前人在學術道路上所留下來的足跡，斑斑可考。《科學》（*Science*）雜誌 1965 年在一篇

文章中指出，引用網路的分析可以用來鑑定「經典論文」或者「研究前沿」（de Solla Price, 1965: 512）。

根據 Susan Cozzens（1989）的探討，就社會學的理論分析，文獻的引用處於兩個系統的交叉點，一個是修辭的（rhetorical）系統，科學家在概念或認知上嘗試說服他人接受自己的知識宣稱；另一個是獎勵的（reward）系統，學者的成就或聲譽被他人認可。因為經常被引用，有些文獻被認為是經典，兩者兼具。

不過，不是所有研究過的題目都沒有知識宣稱的問題，歷史上錯誤、言之過早或誤導的知識俯拾皆是，包括對經典的宣稱。

JMCQ 的經典，不經典？

依 Merton（1968）的論點，當後來者的研究不再引用古人時，前人的著作對當代社會就毫無知識價值與現實意義了，所謂的經典書籍也可能從學術殿堂中消失，因此以引用頻率來斷定一本書是否算得上經典，便不無疑問。我自己曾經參與過的一項文獻引用網路分析，多少可以用來做為學術研究的指標例證，尤其是經典著作的論斷。

我在德州大學新聞系唸博士班時，跟政大新聞研究所同班同學臧國仁[4] 再度同窗。1981 年時，我們都擔任 James W. Tankard 教授的研究助理，因此也同事了一年。Tankard 正在研究《新聞暨大眾傳播季刊》（*Journalism & Mass Communication Quarterly*）學刊的引用網路，我們負責收集並分析 1978 年到 1980 年三年間所有文章裏的引用文獻，研究結果於 1984 年以"Citation networks as indicators of journalism research activity"為題，發表在《新聞暨大眾傳播季刊》裏（頁 89-96，124）。

---

[4] 臧國仁於 1987 年從德州大學畢業後，應聘到政治大學新聞系擔任教授，以研究老人傳播見長，2017 年退休。

　　Tankard 是第一作者，臧國仁與我掛名為共同作者（Tankard, Chang & Tsang, 1984）。整篇論文的構思、數據解讀和寫作都由 Tankard 執筆，我們的貢獻頂多是數據分析和圖表製作，從頭到尾，並未參與思考和寫作，是否在論文中掛名完全由他決定。研究分析的一個重點是，觀察 43 篇被引用最多次數的文章彼此相互引用的網路（co-citation network）結構，其中只有 16 篇在 43 篇文章中至少被共同引用兩次以上（見圖 4.1）。

　　在討論發現意涵部分，文章指出（頁 94）：三本書最足以成為經典的是 Joseph Klapper 的 *The Effects of Mass Communication*（1960）與 Bernard Berelson, Paul F. Lazarsfeld, 和 William McPhee 的 *Voting*（1954）以及 Paul Lazarsfeld, Bernard Berelson 和 Hazel Gaudet 的 *The People's Choice*（1944）。後兩者都是哥倫比亞大學應用社會研究中心的著作，這三個經典的浮現支持 Todd Gitlin 所提出的論點：Lazarsfeld 與他的學生們代表傳播研究中的「主宰典範」。

　　在 16 篇被相互引用至少兩次的文章中，最新的著作發表於 1972 年與 1973 年，其它的絕大部分出現在 1950 年代和 1960 年代，更早的則在 1940 年代。也就是說，在研究的三年期間（1978 到 1980），最常在《新聞暨大眾傳播季刊》中被相互引用的文章，至少都已是 30 年或 40 年前的書籍或期刊論文了，年代久遠，在在顯示它們多少對當代傳播學者研究還具有影響力。

　　如果這篇文章是有關《新聞暨大眾傳播季刊》引用網路的唯一研究，所謂傳播研究中的經典或「主宰典範」大概會是一個文獻中的定論，因為在43篇被引用次數最多的文章中，證據明確，一點也不含糊。事實是，結論過於武斷，甚至站不住腳，沒有其它數據可以用來支撐我們在1980年的實證發現。[5]

5　文章結論指出，研究的侷限在於只針對《新聞暨大眾傳播季刊》的文章，我們建議以 *Communication Research* 學刊或以 AEJMC 年會中理論與方法組一年的論文報告，複製這項研究。可惜幾年內後繼無人，說明作為研究設計，「複製」在傳播研究裏並不普遍，學者可能也認為不重要。

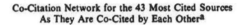

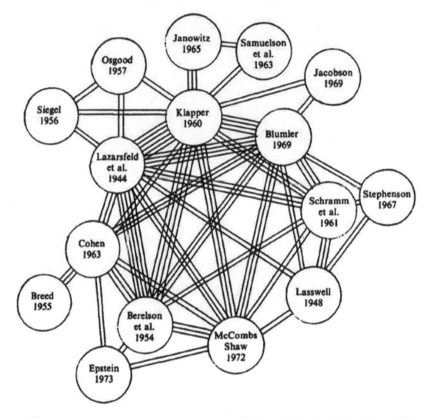

圖4.1　1980年《新聞暨大眾傳播季刊》引用網路研究

來源：Tankard, Chang & Tsang（1984）。

　　經過了 20 年，我在明州大學教書時，在一堂博士班的課中討論到
「無形學院」與傳播研究中的經典文獻，偶而會提到跟 Tankard 一起做
的這篇文章。下課後，因為研究經驗和知識都比當研究生時豐富許多，
有些想法在腦中浮現，我決定重新閱讀文章內容，並思考結論部分有關

複製研究的建議。

在 1980 年後，儘管引用或引用網路的相關研究陸續出現在文獻中，而且涵蓋的期刊廣泛，20 年來，卻沒有任何新聞與大眾傳播學者想到要重複我們的研究，錯過了從文獻中找研究問題的機會。20 年不算短，我們所提出的有關「主宰典範」的論述，正好可以利用時間演進作為變項，做前後對比的跨時間研究（以下分別簡稱 1980 年研究與 2000 年研究）。

我決定跟博士指導生邰子學[6] 複製 20 年前的引用網路研究，整個研究設計與分析完全比照 1980 年的研究，亦即兩項研究的差別是時間因素，任何發現的變異只能歸因於 2000 年到 2002 年三年間，新聞與大眾傳播學者所做的學術研究和引用文獻的取捨，無關學刊本身或研究方法，論文以"Mass communication research and the invisible college revisited: The changing landscape and emerging fronts in journalism-related studies" 為題，於 2005 年發表在《新聞暨大眾傳播季刊》（頁 672-694）。

不像 1980 年研究，2000 年研究以「無形學院」為出發點，把引用網路納入一個較大的理論框架，由於前後比較的需要，數據分析遵循相同方法，透過資料視覺化，圖 4.2 呈現 2000 年到 2002 年《新聞暨大眾傳播季刊》的相互引用網路。比對圖 4.1，我們不難發現，兩者的引用網路結構有相當大的差異，一個明顯的事實是，後者的網路要比前者的大得多，而且關係複雜。

換句話說，圖 4.1 與圖 4.2 所代表的是兩個完全有別的新聞與大眾傳播研究發現。相隔 20 年，反映在幾千篇《新聞暨大眾傳播季刊》被引用的文章中，學者們所看到是兩個截然不同的現實世界，他／她們的理論視野毫無疑問的因時間改變，而有此時（now）彼時（then）的絕大差異。一個不爭的事實是，1980 年研究的所謂三個經典著作，在 2000 年

---

[6] 邰子學 2004 年取得明州大學博士學位，應聘到 Southern Illinois University Edwardsville 大眾傳播系任教，2007 年跳槽到 University of Kentucky 的新聞與電訊傳播學院，2011 年升為副教授，並獲得終身教職。

研究中早已烟消雲散，不再居主宰地位，甚至不復可尋。

　　一個經典著作是個顯著的學術資源，研究者會不斷回頭參考，以獲取知識靈感、概念指引、反思話語（Chang & Tai, 2005: 684）或特定見解（Adler, 2009: 4）。在2000年研究中，我們分析引用網路結構時指出，1980年研究對三本書籍的「經典」認證，不僅言之過早，甚至並不正確。

　　經過幾十年的時空變遷，江山代有人才，學術界新舊交替，各展所長，應不足為奇。在相當程度上，對社會科學來說，懷海德的看法可能也不離譜。

Co-citation Network for the Thirty-Seven Most-cited Sources as They Are Co-Cited by Articles in Journalism & Mass Communication Quarterly, 2000-2002*

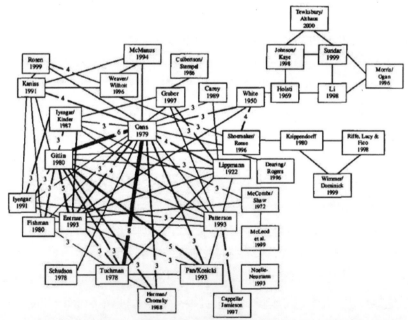

* The line between two sources indicated that they were co-cited by the articles in *Journalism & Mass Communication Quarterly* at least two times during the three years.

圖4.2　2000年《新聞暨大眾傳播季刊》引用網路研究

如果這項 2000 年的複製研究有任何學術啓發或訓誡，特別是對年輕學者，大致不外以下幾點，它們涉及的是數據的界限、研究的時空情境與知識宣稱的效度。

第一，不要相信學術權威，即使是自己的教授，因為資深教授在解讀分析時，也難免會有盲點，或受制於數據範圍的侷限。權威不以學者地位定奪，而以論述是否擲地有聲來判定。

第二，驗證是確定研究發現是否有效的必要途徑，社會科學研究很難進行像自然科學一樣的關鍵測試（critical test），複製不失為一個可行的辦法，對文獻或知識的貢獻有時可能不輸於原創性的研究。

第三，經典文獻必然包含見人所未見的內容，也許是一段文字，或是整篇的理論意涵，後來者不時可以從字裏行間中尋求新的視野或研究指引。經典書籍或文章不以一時被引用的次數多寡而定，歷久不衰，才可能是唯一的可靠指標。

Polanyi（1962）在討論哥白尼革命的一個歷史教訓是，文獻回顧，不應該只是描述過去發生的事，而是對以往的發現，提出批判性的評定，因為時空改變，或新現實與新概念的出現，原有的發現便都須受質疑。但是，新的文獻，尤其是以書籍形式出現的文本，固然對現有或標準知識可能有所增減，我們也不能忽略文獻中可能存在的陷阱，特別是事實的陳述與解釋定調。

錯誤的文獻比起沒有文獻，對一般人理解社會現實，所造成的影響可能更大。沒有文獻頂多造成無知，錯誤的文獻卻曲解事實，透過誤導的知識宣稱，從而帶來認證偏差與可能的後續行為。任何宣稱可以基於事實，也可以是一廂情願，前者經得起挑戰與檢驗，後者往往不堪一擊，漏洞百出。

文獻的陷阱：《灣生回家》[7]

除非是小說，不論題目是什麼，白紙黑字，不管是學者或一般人，多少都會覺得文字是事實的記載，似乎帶有某種神聖不可侵犯的權威。原典需要一點時間的沉澱，才能被驗證是否貨真價實，足以成為文獻的一部分，其中的知識宣稱經得起辯證。理由不外是，一個宣稱一旦被其它文本當成事實，它的認知效度（perceived validity）就被強化了（Cozzens, 1989）。

如果只因為一本書的內容符合某種意識形態的需求，學者便急於背書，寫文章向一般讀者推介，或採用為課堂指定的閱讀資料，匆促間，難免欠缺批判思考，為作者所利用，甚至助紂為虐。這是文獻的陷阱，尤其是作者有意欺瞞，對知識的傷害遠比不見經傳的鄉野傳說來得大。

遠流出版社 2014 年 10 月出版的《灣生回家》（2015 年 9 月出版「全新增訂版」），就是如此一本書。出版後，《灣生回家》一時洛陽紙貴，只要能認識作者田中實加或邀請到她發表演講，有頭有臉的學者、社會團體或學術機構難免踏破門檻，為的不過是伯樂識得千里馬的一點虛榮。《灣生回家》於 2015 年獲得文化部金鼎獎非文學圖書獎，2016 年 12 月田中實加（陳宣儒）公開承認造假。

政治大學臺灣文學研究所教授陳芳明曾是《灣生回家》的支持者，發覺受騙後，在臉書上表示，「我不能不感到失望，而且有一定的挫折感。因為這個事件並非只是身分造假，對於臺灣歷史也構成很大的褻瀆。這是利用臺灣人的歷史失憶症，才使謊言獲得了存在的空間」（《民報》，2017 年 1 月 1 日）。其實，上當的學者不只是陳芳明一人，不過因為在臺灣文學中的地位，他的公開加持，強化了《灣生回家》的文獻份量。

---

[7] 本節部分內容最早以「想像的祖國：灣生與外省」為題，發表於《蘋果日報》（2017 年 1 月 5 日），本書經過改寫，不代表《蘋果日報》的立場。

　　不管動機如何，《灣生回家》作者田中實加隱瞞真實身分（陳宣儒）的最大偏差，不在於詐欺同情或金錢，甚至欺世盜名，而在於虛構一個想像的祖國，在相當程度上，利用臺灣這塊土地，透過早已不存在的殖民「祖國」，建構一種血濃於水的民族情懷，玩弄臺灣人的認同意識。她企圖以一本書，改寫一段日本人與臺灣殖民社會的歷史。

　　英國新聞記者、作家 Laurie Penny（2020）說，每一個民族國家（nation state）百分之九十是虛構的。我們大部分人所相信居住的地方，是經由文化凝聚性與集體命運而結合成的想像國家；我們出生、吃早餐、交稅與死亡的地方，則是真正的國家。兩者之間永遠有一個鴻溝。Penny 的看法不無道理，前者是心之所繫，後者是身之所在。正因為任何民族國家大多是虛擬的，作者在描述時可以憑想像，添油加醋，甚至無中生有。

　　陳宣儒明知自己並非日本人，卻在書裏與許多公開場合，包括 300 百多場在臺灣、日本與香港的演講，[8] 有意或無意的強調及暗示日本血統，更擺出時移境遷後，因臍帶相連，而衍生出的「高操」尋根情結。她仗恃的，不過是多年來整個大環境所允許或縱容的認同想像和分裂：從清朝以降，臺灣到底處於什麼定位？2,300 萬人的心靈歸宿又何以為家？誰來斷定？

　　個人妾身不明，各種標籤，特別是濃縮性符號，難免應運而生，別有企圖的人可以任意捏造、操控和解讀，更何況是國家。不論是否對臺灣殖民歷史的美化，或是對中國大歷史的醜化，《灣生回家》都只是殖民國（日本）與殖民地（臺灣）互動的一個歷史悲劇，很難看出臺灣的主體性和自主性。

　　也就是說，在歷史長河裏，臺灣不過是《灣生回家》舞台上的一個場景，灣生再多，故事再怎麼動人，訴說的頂多是日本人後代返回原居地的漂泊過程。像鮭魚一樣，許多人一路溯水而上，終於抵達斯土，卻

---

[8] 我在香港時，專程到香港中文大學聽陳宣儒演講，從頭到尾，她一本正經的推銷《灣生回家》的歷史情結與個人的生活經驗，充滿感性。

發現他／她們所謂的吾土吾民，竟只是一種幻象，國境之南的荒煙漫草中，埋葬的豈只是一生，更是一世的認同。

就族群的構成來説，1945 年前的日本灣生與 1949 年後的臺灣「外省人」第二代，因為歷史、政治、文化、社會和語言等方面的差異，難以直接比擬。在抽象層面上，兩個群族卻有相似的地方，最根本的是，他／她們都有一個想像的祖國，隔着大海，日夜牽扯望鄉的靈魂。

國共內戰後，隨蔣介石政權撤退到臺灣的軍民約在 200 萬人左右，他／她們來自中國不同省分，被通稱為「外省人」，在政治意識、語言、社會地位、居住環境和生活習慣上，與「本省人」（臺灣人）有相當區隔，有時還格格不入。即使在臺灣生活了幾十年，他／她們依然心繫祖國的胸懷可以理解，畢竟「反攻大陸」的口號為他／她們打造了一個返鄉的虛擬假象，臺灣不過是暫時落腳的蛋丸之地，神州才是安身立命的終站。

從冷戰期間的漢賊不兩立，到中國崛起後的國共一笑泯恩仇，第一代的「外省人」逐漸凋零殆盡，或垂垂老矣，很多人得以歸鄉祭祖，更多的長眠於千山之外的蕞爾小島，留下的是成千上萬在臺灣出生的第二代，他／她們也日薄西山。

這些「臺生」其實不再算是「外省人」，大部分在語言、社會地位、居住環境和生活習慣上，都多少與「本省人」沒有太大隔閡，身分也不必假造，唯一的差別或許是國家認同。他／她們承繼了父輩對祖國的想像，臺灣在他／她們看來，恐怕是民族大於民主的一塊土地而已，人民當家做主的要求，似乎比不上對大國興起與中國夢的憧憬。

跟灣生一樣，臺生看到的臺灣，大致是依據一個較大祖國型塑後的雛形，去除了前者，後者就可能沒有太多意義和足以留戀的餘地。陳宣儒如果不以日本人自居，她又如何在《灣生回家》中販賣臺灣的剩餘價值？她設下了一個事實陷阱，目的不外吸引讀者掉入圈套，在沒有其它可以攀附的線索情況下，恐怕無以自拔。學者對歷史相關的文獻因此不能掉以輕心，多少總得帶有質疑和批判的態度。

　　假如陳宣儒的寫作不被揭發是個蓄意假造的騙局，《灣生回家》勢必以文獻形式繼續存在於臺灣的各種社會（座談會）、文化（讀書會）和學術（閱讀書目）空間裏。幾十年下來，一旦難以驗證，這本書將是某一個時代的個人見證，它所記錄的事實與所傳達的知識便是社會檔案（social transcript）的一部分，為害之大恐怕難以想像。

　　作為社會檔案中的文獻，《灣生回家》的內容兼具歷史回顧與現實故事，讀者對象為一般大眾，但也引起學者的注目。對許多讀者來說，只要看得懂中文，他／她們大致不難理解作者企圖表達的意涵，特別是臺灣與日本之間糾纏不清的歷史和文化情結。即使不談作者的虛構身分以及因此而衍生的知識辯證問題，相對於學術著作，《灣生回家》以中文書寫，比起英文書籍，讀起來不至於有文字的隔閡。

老師，我中文都不一定看得懂

　　在美國明尼蘇達大學教書時，我開的閱讀書單自然是英文書籍與期刊論文，上課以英語進行，天經地義。到了香港城市大學，因為以英語教學，我列出的參考文獻同樣是英文書籍與期刊論文，也不值得大驚小怪。回到臺灣後，問題開始浮現，整個教學情境都變了，文本是否能夠維持不變？

　　文獻是一種文本，是外顯知識（explicit knowledge）的工具，包含許多相關理論、研究、詞彙與用語，通常在特定情境中會有特定意義（Polanyi, 1962），學者對文獻的接觸與運用可能需要經過一段時日才能駕輕就熟，慢慢轉化成某種內隱知識（tacit knowledge）（Polanyi, 1962），知識技藝多少也可精湛無礙。

　　正因為文本與情境的交互作用，我們不能假定任何文獻放諸四海皆準，或者它的意義不言自明。知識也許沒有國界之分，研究或實務操作卻無疑受到時間與空間的限制，理論更緊貼實證而形成。在美國是對的，放到其它國家未必如此，英文文獻不能照單全收。

　　從政大到交大，我以中文／國語授課，但是基本閱讀資料還是英文文獻。我的原先設想是，博碩士生的英文能力足以應付非母語的文獻。事實永遠比想像出人意料，其中的最大問題是語言關係的假定。不論是什麼語系，不同語言之間沒有一對一或字對字的必然關係，即使可以相互翻譯，從前後文看，也很可能詞不達意。

　　就文獻來説，學生一旦被要求閱讀英文書籍或期刊文章，他／她們對內容的唯一理解途徑，是透過邊讀邊翻譯的過程，亦即自己把英文翻譯成中文（查字典或借助網路／Google 翻譯）。每個學生的英文能力有別，翻譯的功夫也就有差異。他／她們翻譯的程度有多好，對文獻內容的理解就有多深。問題在於，中文解釋未必能完全把握英文的原意，更何況英文本身就可能有不同的解讀，英翻中因此成為一種語言遊戲，很少有兩個翻譯家會翻得一字不差，更何況一般人。[9]

　　在一個中文環境裏，學生在課堂中接觸到的文獻如果全以英文書寫，他／她們其實是穿梭在兩個不同的語文世界，經由當下的自我翻譯維持一定的連結，但是彼此卻很可能各自獨立（Dutton, 2005）。這不僅是翻譯的技術問題，更是知識傳承的難題，一個難以否認的事實是，英文文獻裏的知識往往無關「在地／本土知識」（local knowledge）。

　　根據 Michael Dutton（2005: 112）的論述，兩種語言之間要一個字對一個字翻譯（a word-for-word translation）根本不可能。既然不可能，我們對英文文獻的理解是否能够依賴中文翻譯，就大有疑問。這中間涉及形式與內容是否對等的問題，亦即功能對等（functional equivalence）和效應對等（equivalence of effect）。翻譯過後的中文文獻是否等同於原來的英文文獻，更是個值得探討的課題，兩者都牽涉翻譯誤差（Hantrais & Mangen, 2007）。

　　翻譯誤差是跨國研究中的重要問題，處理不慎，難免導致研究發現

---

[9] 本書中的許多英文用語都依據行政院國家教育研究院雙語詞彙的翻譯為主，即使如此，同一個英文術語在不同學門中的翻譯都未必一致，可見學者對相同名詞有時看法歧異。

無法比對的困難。這是為什麼在問卷調查中，一旦英文問卷必須翻譯成另一個語言時，一個常用的方法是所謂的「回譯」（back translation），從新的語言再翻譯回原來的語言，以檢驗翻譯品質，避免兩種語言之間因為翻譯不當造成差錯。儘管普遍使用，由於各種因素（例如翻譯者的語言能力），「回譯」，其實並不足以保證翻譯的準確性（Behr, 2016）。

如果相對簡單的問卷調查問題都不容易「回譯」，我們不難想像一篇英文期刊論文，甚至是一本英文書，在翻譯成中文後，再「回譯」為英文會是什麼樣貌。事實是，沒有學者或學生會把中文版再獨立翻譯成英文，並比對原本。換句話說，學生在課堂上讀的文獻，即使是英文原文，卻都是他／她自己翻譯過後的中文。如果他／她們對中文版的理解差之毫釐，對英文版就可能失之千里了。

我在 2019 年度第二學期於交大傳播研究所開了一門「新媒體與傳播工作坊」的課，這是實用課，討論的課題包括本書中的主要論點，特別是知識技藝的訓練與養成。因為中英文教學環境的差異，儘管扮演不同的角色，學生與老師都必須面對自身文化與他者文化的衝突或矛盾所產生的影響，特別是文獻使用和知識宣稱的效用。

博碩士生既然是傳播研究所的主角（沒有他／她們，何來系所？），對上課內容與相關要求應有切身感受和看法，在探討「研究壓力與情緒管理」專題時，我決定利用類似質化研究中的焦點訪談方式，讓學生以書面提出意見，並在課堂上做簡短報告。

班上的 19 位碩士生都大學畢業還不到一年，來自不同科系，很多跟傳播學門沒有直接關係，唸研究所是一種嶄新的經驗。個人的經驗非常主觀，包含知覺與反思，別人難以感同身受。我的開放式問題很簡單，沒有提示，讓他／她們自由作答：作為研究生，你／妳遭遇的最大壓力是什麼？為什麼？如何解決？

他／她們的書面報告與課堂上的發言相當具有啟發性，尤其是一位學生的即興反應，更是值得所有大學教授深思。在談到文獻閱讀時，他說，老師，我中文都不一定看得懂。言下之意是，英文文獻就更看不懂

了。從書面報告看，這位學生的問題並非個案，而是常態，他／她們只是沒有機會表達看法而已。

一個 19 位碩士生的方便樣本當然不足以代表臺灣所有大學的研究生，他／她們的壓力感受自然也受到學校、系所和課業要求的規定，而有輕重緩急之別。不過，焦點訪談的一個用處是探索性質，可以描述或歸納社會與文化的規範所產生的一些效應。以下是部分學生對文獻的經驗和看法（粗體部分為作者所加）：[10]

-- 在大學就讀期間，系上老師給的指定閱讀大多都是中文讀本，而目前我所修習的傳播所課程則皆是以英文文本作為授課教材。在約有四年時間沒有大量接觸英文的情況下，對於課堂的指定閱讀我一開始真的不太習慣，特別是**文本中參雜著許多沒看過的專有名詞**，讀起來有些生澀，一句話需要反覆思考幾次方能理解。

-- 我覺得**我並不是很喜歡念文獻的人**，特別是**研究的題目為不感興趣的文獻**，但是偏偏我第一篇小論文就是碰到這種狀況，雖然過程中有時覺得壓力很大以及無趣，甚至有一陣子很排斥……。後來到了這學期，已經習慣了讀文獻這件事，也讀到一些我感到興趣的文獻，才發現自己好像並沒有很排斥念文獻這件事情，甚至還很想把一些讀到研究限制的文獻，繼續往這限制面向研究下去。

-- 由於大學期間沒有寫過論文，也沒有做過研究，因此對於要寫小論文這件事備感壓力，另一方面，**在爬文獻的過程中，也是花費很多時間、精神**，常常花了一整天找文獻，但是最終都沒有任何的結果，當這種情形發生時，就會覺得自己浪費時間，當然身為一個研究生，一定不只有論文會需要寫，還有課堂上的導讀論文需要閱讀，常常不懂如何將時間做更好的分配。

---

[10] 為避免透露學生的背景，除了一些可以指認身分的文字稍為刪改，本書保留原文的用字遣詞。

-- 我們都還是初學者，對於學術研究、傳播理論、統計等根本沒概念，一方面已經很是壓力，但**諸多課程都以閱讀英文論文為要求**，沒接觸的知識看中文已是挑戰，何況是一周超過三篇的英文論文，這是一種強壓式的學習，效果可想而知。但或許這就是研究生涯應有的挑戰及壓力，或許撐過了就是自己的。

-- **通常一篇英文文獻，內容較容易的話大概需要一天左右的時間閱讀，較艱深的話則需要 2-3 天不等的時間**。經過一個學期的洗禮，閱讀和理解的速度有些許地進步，但還是需要花相當多的時間，進而壓縮到其他事情的時間分配，因此在閱讀文獻的過程中無形也增加了許多壓力。

-- **當自己要讀的內容全都以另一種語言來呈現時，所感受到的壓迫感是多麼強烈！**……一開學就面對著排山倒海的英文文獻時，我後悔著自己過去不好好讀英文、培養英文實力，然而連哀嘆的時間也少得可憐，只能在每週進度的追趕下，吃力地抓緊必須讀完的份量。

-- 最大的壓力還是源自課業問題。**一開始不太習慣一週有這麼多的文本要讀，而且全都是原文**，所以花了一些時間適應，後來才漸漸找到一套適合自己的讀書方法。不過面對大量需要閱讀的文本，除了能力問題以外，時間管理也是一項功課。因為覺得困難、需要花費許多時間，所以會不自覺地拖延、逃避唸書。

從這些陳述看，不管是課堂需要或研究規定，他／她們都得閱讀大量英文文獻，對很少接觸英文期刊或書籍的學生來說，這是一件相當痛苦的事。即使他／她們多少還可以應付，從大學時一個理所當然的中文環境，突然投入一個以英文參考資料為主的世界，顯然會產生某種文化震撼或衝突，連帶的打亂了他／她們日常生活的步調。

他／她們沒提出的困惑或許是，大學四年的技藝訓練顯然對他／她們更上層樓沒有太大用處，特別是唸了研究所後，他／她們為什麼就必須置身一個以中文上課，卻讀英文文獻的學術研究環境？這是存在於大

學和研究所之間的一種鴻溝，代表「極端情境的衝突」，在周必泰（2020）看來，是科研上的「界面分離」。

根據這個課堂上的小調查，我們不妨提出一個假設。陽明交大是臺灣的頂尖大學之一，如果傳播研究所的碩士生都有閱讀英文文獻的困難，其它大學的研究生難免會面對同樣問題。大部分教授在課堂上指定的英文閱讀資料，對學生來說（其實老師可能也一樣），基本上是一種翻譯文獻（即使未正式形諸於文字），與原始文獻之間沒有直接的對應關係，多少存有操作界面轉換的障礙。

課堂報告，面對的是老師與同班同學，不管時間長短，一般研究生大多可以應付自如，就算口語不好，也不會覺得丟臉。參加學術研討會，則是另外一回事了。在學術會議上，對學生或初出茅廬的年輕學者來說，台下坐的如果全是陌生人，每個人又等待看著你／妳有多少能耐，葫蘆裏賣些什麼膏藥，加上時間有限，想要在規定的十多分鐘內，展示自己的本事，壓力不可說不大。

一旦求好心切，年輕學者會發覺即使類似學術大拜拜，不同學門的學會年會多少是一場江湖比武的場地。來自各方的英雄好漢，使盡獨門功夫，如果技不如人，輸贏難免，挫敗，遂是兵家常事。他／她們就算到此一遊，也未必不能吸取一點經驗。

第五章

學術大拜拜：看與被看的市集

在 任何國家，學者都是專業團體的成員（大學教授），通常屬於社會精英的一部分，肩負知識生產與傳遞的重任。他／她們比一般人更能接觸到創新科技、跨國資訊與尖端新知，如何運用不同的社會／學術資源，牽涉知識技藝的訓練養成和經驗，這些並非一蹴可幾，需要花點時間磨練。

不管是自然科學或社會科學，任何學門只要有一個正式學會，有些還不止一個，特別是歷史久遠的學會，每年都會定期在不同地點舉行年度大會。一方面，會員可以聚集一堂，討論學會面臨的學術問題（如學會附屬期刊的編輯選擇）或學者的社會責任（如論文造假對知識的影響）；另一方面，學者可以發表最新研究，與同儕切磋。

在世界各地，每年的大小學術會議成千上萬，許多是國際學會的年會（如國際傳播學會），更多的是各國的國內學會年會（如臺灣的中華傳播學會，Chinese Communication Society (CCS)，1996 年成立），兩者都名正言順，會議的正當性很少受質疑，在知識生產與傳遞上，由於英語和本土語言的使用，也各自扮演不同的角色。基本上，學術會議已相當制度化。

從知識生產與擴散速度看，因為每年定期舉行，學術會議最快，其次是期刊，最慢的是書籍。由學術品質與知識效度來衡量，順序大致相反，書籍（包括教科書）記載的，往往是學術界所共同接受的發現與理

論解釋，學術期刊發表的是嚴謹評審過的最新研究結果，不過有時事實並非如此，學術會議的評審標準一般比較寬鬆。學術會議的確像個市集，在固定攤位上，販賣不定與季節性的研究菜色。

不論本土或國際，只要行之多年，存在便是合理，學術會議在許多國家已經成為一個社會制度（social institution），不可能消失。即使在2020年，武漢／新冠肺炎（Covid-19）肆虐各國時，許多學術年會照常舉行，只是改成網上的虛擬會議而已，未曾中斷。這種形式的會議說明，除了論文報告外，以往的學術年會還兼具社交功能，更有一種大拜拜的進香性質。

任何學會本質上是個專業組織，功能是透過學術會議活動與期刊出版，支持和反映會員的興趣、研究方向與關心的問題（Orman & Price, 2007）。因為眾多學者齊聚一堂，背景、身分與經驗各異，在個人的生涯中，每年的學術大拜拜在不同時期具有不同作用，尤其是代表學術入門，從一個階段轉換到另一個階段的進階儀式（rite of passage），或者由抽象情境進入到具體情境。

學術會議屬於 Mills（2000: 222）在知識技藝中所說的報告情境（context of presentation）。他認為報告情境有兩種，一個是思考，另一個是寫作。從思考到寫作，呈現的形式與內容不同，但卻是一體的兩面，在學術研究裏，缺一不可，難以切割獨立。

在 Mills（2000）看來，思考，是對自己做報告。沒有任何學者可以不經思考就出口成章，或下筆為文；寫作，則是對別人做報告。沒有哪個學者寫論文是用來束之高閣，或孤芳自賞。思考相當主觀，心思意念，牽涉的是想像與想清楚的過程，一個人的自我對話。寫作比較客觀，白紙黑字，多少表示學者已經想通了，可以向其他學者提出新的想法，或修改舊有的看法。

在學術會議中對別人做報告，一般來說是宣讀論文。Mills（2000）認為，思考成為文字，寫作的目的不外在引起讀者注意，與宣稱學者的身分和地位。沒有讀者的論文，或者沒人引用的論文，它的內容是否還

具有知識價值？（見第二章）身分不同，論文的份量是否就有差異？在同一場學術會議中，比起教授，學生的報告是否便會打點折扣，或相形失色？

在學術會議中，讀者與作者的關係不僅是一種直接交流的互動，也是種間接的知識買賣，成交與否，取決於一些主客觀因素。依據 Mills（2000）分析，從讀者的角度看，學者必須考慮的問題是：他／她們為什麼要讀你／妳的論文？又讀些什麼？由作者的立場看，學者應該設想的問題是：你／妳的論文為什麼需要被閱讀？你／妳以什麼身分聲稱是作者，學生、學者或社會科學家？

這兩方面都必須認真，但是在學會的年會中不用太當真，其它性質的學術會議尤其如此。

AEJMC 年會：認眞，但別當眞

我在美國奧斯汀德州大學新聞系唸博士學位時（1981-1986），第一個接觸的學術會議是新聞暨大眾傳播教育學會（AEJMC, Association for Education in Journalism and Mass Communication）年會。AEJMC 是美國所有與新聞和大眾傳播相關系所師生通常會參加的學會，旗艦刊物是《新聞暨大眾傳播季刊》（*Journalism & Mass Communication Quarterly*, JMCQ）。

AEJMC 前身是新聞教育學會（AEJ），創立於 1912 年，是歷史最悠久的新聞與大眾傳播學會，比國家傳播學會（NCA, National Communication Association）還早兩年，國際傳播學會（ICA, International Communication Association）則成立於 1950 年。在 1987 年以前，AEJMC 每年在一所大學舉辦學術年會，因為有些大學的所在地並不足以吸引參加人數，特別是一些人口不多的大學城，1988 年後，改為輪流在不同地區的城市舉辦。

兩年後（1990），AEJMC 在明州明尼亞波里斯市舉行年會，十幾位

來自臺灣與香港的傳播學者在這裏成立了國際中華傳播學會（Chinese Communication Association, CCA），首任會長是明大新聞與大眾傳播學院教授李金銓，任期兩年。[1] 隨後，CCA 加入 AEJMC 成為一個附屬學會，並在 AEJMC 年會中取得論文報告的獨立場次。後來，CCA 也在其它相關的傳播學會安排研討會。

跟其它社會科學的學術年會一樣，AEJMC 會議基本上是一種學術交流的場域，參加的人主要分為幾類：論文報告者、求職者（包括即將畢業的博士候選人）、評論者、資深學者（通常很少做論文報告）與更多剛開始在學術界摸索的博士生。不分社會科學領域，因為廣集天下英才，每個學術年會都頗有華山論劍的格局與架勢，學者各展所長，各取所需。

AEJMC 會議期間，除了各小組的正式論文報告時段外，經費充足的小組與一些頂尖大學，往往會在晚上獨自或聯合推出公開或閉門的社交活動，吃吃喝喝（酒錢經常自付）。雖然有頭有臉的學者與一般年輕學者齊聚一堂，年會其實不像武林比武大賽，更像一個學術大拜拜，一種看與被看的市集。

學術會議的期間通常不長，頂多四天或五天，一個人不可能同時參加兩個不同小組的論文報告會，看與被看的時間因此有限。根據 Mills 對知識技藝的論點（見第二章），看，是種膜拜，見識其他學者做些什麼研究，又如何在大庭廣眾下侃侃而談；被看，是種炫耀，向其他學者展示自己有多少斤兩，他／她們為什麼須要留意你／妳的出現。

---

[1] 李金銓顯然記錯了，在《傳播縱橫：學術生涯 50 年》（2019，頁 151）中，把 AEJMC 年會說成是國際傳播學會（International Communication Association, ICA）年會。1990 年的 ICA 年會在愛爾蘭的都柏林舉行，兩個年會的地點都可利用 Google 在相關學會的網頁上查證。瑕不掩瑜，他的《傳播縱橫》是個緊貼臺灣、香港與美國傳播學術界歷史（history）的個人傳記（biography），記錄了一段引人入勝的心路歷程。CCA 成立後幾年，總部設在我的明尼蘇達大學新聞與大眾傳播學院辦公室，我目前仍保有全部的歷史檔案文件，包括早期的紙版新聞信。第二期起，CCA News 由劉端裕編輯。

　　從知識技藝的角度看，學術年會是年輕學者鍛練功夫的一個不錯的訓練場所，一方面學習如何跟其他學者切磋學術，另一方面了解領域中的研究前沿與理論發展，並吸收最新的知識。這是預期後果，一個非預期後果是，對剛踏出校門的博士生來說，他／她們能與文獻中的一些學術權威本尊對話，如果又同台提出論文，難免產生被大師加持過的虛浮想像，或鍍了一層金的飄然感，自以為比同儕高了一等。

　　從論文投稿，到上台報告，學者參與學術會議不妨認真，但別當真，尤其是年輕學者。如果他／她們既不認真，又當真，相形見短，大概會讓人看破手腳，不知學術拜拜的象徵形式大於實質內容。借用 Jessie Daniels 與 Polly Thistlethwaite（2016: 30）的看法，認真，是因為學術會議好歹是學問傳播的一個關鍵要素（定期或特意舉辦的論文報告）；別當真，是因為在典型的學術會議，知識生產的傳統形式大部分是封閉的（小群組報告、尚未正式發表）。

　　Daniels 與 Thistlethwaite 的觀點不無道理，學者不能關閉自守，或者自留一手。學術研究必須在不斷操作中演練，才能在新知或見解上，有所創新和突破。演練的過程，自然包括面對別人對論文的批判與建議。既然論文在學術會議上公開提出，至少就經過兩位同儕的評審，成為會議文獻的一部分，作者與讀者都應該謹慎以待，每一篇論文也該接受其他學者的嚴格檢驗，後者有時可能還不留情面。

　　技術上，學者投稿學術會議必須認真的理由是，這是一個門檻相當低的功力檢驗。如果你／妳連最低的學術會議門檻都跨不過，一旦碰上頂尖期刊的城牆高築，沒有一點攀牆走壁的功夫，就會不得其門而入，只能面壁思過了。

　　不像期刊的論文接受率（一般介於 6%-20%之間），學術會議的接受率通常要高出許多，一方面讓更多的學者和學生有機會參加，另一方面當然跟學會的財務有關，避免入不敷出的難堪結果。以 AEJMC 年會來說，大會要求各組的論文接受率維持在 50%上下，亦即每兩篇論文中

接受一篇。[2] 在如此寬鬆的評審標準下，你／妳的論文還被拒絕，除了技不如人，或研究不夠認真，很難怪罪運氣不好。

　　儘管都經過評審，除了接受率高低不同外，學術會議論文與期刊論文最大的另一個差異是，兩者的讀者對象有封閉（人數有限）和開放（人數不定）的區別，以及後續知識擴散的廣度與深度。比起期刊論文，大部分的學術會議論文很少被引用，根本原因是後者往往並非最後的版本，更可能是投石問路的探索之作。

　　在學術會議中，各小組的論文報告都基於勞力分工，但時間的安排勢必重疊。出席會議的學者不可能在同一時段參加兩個不同的分組報告，選擇了其中一組，就表示另外一組被排斥。除非在會議期間或事後取得相關論文，否則在年會過後，很多人不會再有機會閱讀想看的論文，甚至不可能記得什麼人在什麼地方什麼時候做了什麼報告。其實，學術會議論文事後被引用的次數也相當低，例如，在 JMCQ 期刊中不過 3%（見 Chang & Tai, 2005: 679）。

　　從形式到內容，儘管時效比較慢，期刊論文比起學術會議的論文報告，在讀者存取與接觸範圍方面，基本上不受特定時間與地點的限制。各個學門裏的重要期刊，無論紙版或電子版，世界各地的主要大學圖書館大概都會訂閱，包括數據庫（如 JSTOR）。期刊定時出版，讀者隨時隨地可以查閱，知識的分享便盡在其中。

　　對學術會議論文不能當真的基本理由，自然是品質問題。因為接受率高，我們很難說學術會議的論文都是一時之選，有不少很可能是會議報告結構造成的必然後果，用來補足每一個場次的既定數目。以 AEJMC 來說，假定國際傳播組共有十個場次，每一場安排五篇論文報告，全部

---

[2] 我當過 AEJMC 國際傳播組組長，負責論文投稿、評審者選擇與報告場次的安排，也參加過幾年的 AEJMC 顧問委員會，看過年會的各組接受率，一個平均基線是 50%。接受率太高（如 70%），表示投稿的人少，品質一定參差不齊；接受率太低（如 35%），意謂投稿的人多，難免有遺珠之憾，因為每組的場次通常有限。

就需 50 篇論文。如果投稿論文遠超過 100 篇，要選擇 50 篇並不難。如果論文投稿數量不理想，可以選擇的空間就不大，結果雖未必濫竽充數，但聊勝於無。

在美國，一個常引起爭議的操作是，有些博士班的理論或研究方法課會要求學生在學期過後，把學期報告投稿到學術會議或期刊發表，形成某種不良的 paper dump / dumping 現象。這種亂槍打鳥的方法對學術會議並無好處（例如浪費評審的時間），一旦評審疏忽或不嚴謹，反而打亂了應有的遊戲規則，帶來劣幣驅逐良幣的惡劣後果。

以 AEJMC 為例，一場論文報告通常是 90 分鐘，每一篇報告的時間往往不超過 15 分鐘，加上問答，平均大概在 12 分鐘左右，端視論文數目而定（最多五或六篇論文）。由於每年投稿數量多少受前年或當年的 paper dump 影響，以及相關研究人口的多寡，各組的接受率並非一成不變，有些組可能搶破頭（接受率低），有些組也許問津的人不多（接受率高），因此論文入選或被拒絕，未必能相提並論，更不表示論文品質的好壞。

不管如何，每年在 AEJMC 年會報告的論文，即使過了一年到一年半，絕大部分的論文（80-90%）都可能難以在學會的旗艦刊物《新聞暨大眾傳播季刊》（JMCQ）上發表，更別提要在其它相關的頂尖期刊，如 *Communication Research*、*Journal of Communication* 或 *Public Opinion Quarterly* 等刊登了。這種現象在其它學門的年會應也相去不遠，說明學術會議的許多論文可有可無，對知識的貢獻不大。

學術會議：知識技藝的演練場

雖然學術會議的大多數論文不用太當真看待，會議本身卻扮演相當重要的角色和作用。根據 Mills（2000）的看法，知識技藝的形成不只取決於學者個人的能動性，也跟社會環境互動有關，除了學者日常生活中的經驗和觀察，以及目前所從事的研究和計劃外，參加專業活動，特別

是學術會議，更是不可或缺的一環。

　　不談論文品質，從研究和社會層面看，學術會議在抽象、具體與功能方面都有可取的地方，對年輕學者尤其具有個人和群體的象徵及實務意義，至少對知識技藝的操練帶有一種從「做中學」（learning by doing）的示範價值，亦即以人為鏡，可以明得失。

　　抽象上，學術會議是學術社群（如 AEJMC 或 ICA）維持正常運作的一個重要管道，出席會議的學者（包括報告人與評論人）都透過一種網路的建構，並參與新知和想法的生產。因為有個人作為節點，以及個人與其他人之間的暫時或永久連結關係（如師生、同學、同事、朋友或作者與讀者），學術會議在概念和操作上是一個學術網路，具有凝聚力、向心性、接近度與連接性的特色（Ramirez Montoya, 2012），包括學者之間的非正式對話與經驗交換。

　　不論是自然科學或社會科學，任何學會推出的年度學術會議固然是大拜拜，但是不可能是一個大雜燴，包羅萬象，甚至無所不拜。物以類聚，人以群分，年會聚集的學者與研究者在共同興趣上多少會有直接或間接交疊的地方，或者圍繞在一個較大概念和操作（例如大眾傳播）。隔行如隔山，在一個學術年會中，我們很難找到理論與方法都格格不入的作者和讀者同場討論。雞同鴨講，除了各說各話，對誰都沒有好處，更浪費時間與資源。

　　具體上，學術會議提供了一個公開和平等的場合，讓學者與研究者不計年紀及資歷，在會場內外跟其他相關學者及研究者切磋，尤其是修飾自己提出的研究問題、難題、假設或分析。這種互動的機會是一種學習的社會化過程，從短期到長期，可能產生的結果利弊互見，全看學者在學術會議期間與事後，如何處理自己提出的論文，並保護知識產權。

　　往正面的角度看，年輕的學者可以參考資深學者的理論闡述、論文的知識宣稱和對文獻的貢獻，並比對自己的架構取徑、方法與數據解讀的功夫深淺。從內容結構看，跟期刊論文大致相同，一個好的學術會議報告不外包括以下幾項：

1. 題目：做什麼（what）？
2. 理論：為什麼（why）？
3. 方法：如何做（how）？
4. 結果：發現什麼（what actually）？
5. 意涵：是又怎樣（so what）？

這五個部分都必須在規定的時間內交代清楚，虎頭蛇尾，或者雷聲大雨點小，是學術會議論文報告的大忌。年輕學者經常犯的一個技術錯誤是，用太多時間說明什麼人做了什麼研究又發現了什麼，尤其是PowerPoint寫得密密麻麻，文獻引用一個接著一個，似乎不如此，就無法顯示自己學問的廣博，先聲奪人，企圖讓有限的聽眾肅然起敬。

文獻中的研究其實都是故紙堆裏的前塵往事，一般學者如果有興趣，可以自己動手找資料。十鳥在林，不如一鳥在手。年輕學者忽略的是，到會場聽他／她報告的聽眾並非為了文獻而來，而是想看看作者的葫蘆裏到底賣些什麼膏藥。如果作者班門弄斧，結果可以預見，由於時間不足，他／她勢必被迫匆匆的尷尬下台，草草收場，弄得不知所云。

只要留意，年輕學者不難觀察到資深學者如何在時間上做有效分配。後者不會浪費有限時間在題目背景、文獻梳理與方法上多做解說，反而會著重理論與自己研究之間的邏輯關係，並在意涵方面提出知識宣稱，特別是新知與見解。一方面，文獻梳理本身並非理論，頂多是參考（Sutton & Staw, 1995）；[3] 另一方面，學術研究對知識的貢獻不在數據，而在抽象層面對事實的理論解釋。

往負面的角度看，江湖多詐，學術界也存在不按牌理出牌的叢林規則，弱肉強食。在學術會議或期刊投稿過程中，年輕學者有時為人作

---

[3] Robert I. Sutton and Barry M. Staw（1995）根據他們在*Administrative Science Quarterly*與*Research in Organizational Behavior*的多年編輯經驗指出，以下五個論文中的元素都不算是理論：文獻參考（references）、數據（data）、變項或概念建構（variables or constructs）、圖示（diagrams）與假設或預測（hypotheses or predictions）。

嫁，而不自知。他／她的概念、研究設計與見解可能讓其他學者（論文評審者或參與會議者）見獵心喜，據為己有，尤其是只在學術會議中討論過的想法，防不勝防。在美國 George Mason University 教授 Jeff Offutt 看來，偷竊想法比抄襲文字更惡劣（見 Retraction Watch, 2018）。

　　文字抄襲，不管是受害者或第三者，都可以拿出書面文件比對（例如李眉蓁的碩士論文醜聞，見第八章），釐清是非，版權歸屬很容易確定。想法被偷竊了，即使是受害人恐怕也很難在事後舉證。我在美國明州大學新聞與大眾傳播學院任教時，一個博士生的研究想法和發現被美國密蘇里大學（University of Missouri）的一個博士生盜用，由於她無法以客觀證據指控偷竊，後來只能眼睜睜的看著別人搶先在期刊上發表論文。

　　這位明大的博士生寫了一篇有關第二次世界大戰日裔美國人在集中營內發行報紙的學期論文，教授是美國著名的新聞歷史學者 Hazel Dicken-Garcia，建議她投稿到 1996 年美國中西部新聞歷史學術會議（Midwest Journalism History Conference），結果她贏得最佳學生論文獎。一位來自日本的密蘇里大學博士生在聽了報告後，要求跟她討論。當天傍晚，她花了不少時間解釋研究發現和資料來源，包括從美國華盛頓政府歷史檔案中辛苦挖掘出來的二戰文件，最後他跟她要了一份論文。

　　學術會議過後，她專注於其它研究，沒有進一步處理論文投稿期刊的後續，事情的演變卻出乎她意料。在 2002 年時，我被任命為《新聞暨大眾傳播季刊》副編輯沒多久，她打電話到我辦公室說，她以前的研究發現被人偷竊了，問我該如何處理。原來，《新聞暨大眾傳播季刊》於 2001 年底，刊登了當年那位日本學者有關日裔美國人集中營報紙的文章，其中一個地方跟她 1996 年發現並引用的二戰文件一模一樣。從頭到尾，他都沒有引用她的學術會議論文。

　　我問她有沒有任何兩人的文字通訊，證實他偷竊了她的研究資料和想法。既然是歷史檔案，很難說別人不可能找到相同文件，而且其他學者也很可能獨立發展出相同的觀點。儘管她確信被盜用了，在缺乏客觀證據下，這件事自然無法在學術倫理上討個公道。她的學術會議論文最

終還是正式發表，只不過晚了兩年，Dicken-Garcia 建議她加註論文源自 1996 年的報告，以避免她被認為抄襲了日本學者的 2001 年文章。

他回到日本後，先後在東洋大學與明治大學任教；她目前是美國一所主要大學的正教授與所長。即使經過了 20 多年，我再跟她談起學術偷竊的事，她還是耿耿於懷。她說，希望學生能從她犯的錯誤中學習。「這個經驗教我要小心，不要把一些論文擱置太久；他／她們（學生們）應該盡快發表論文。我耽誤了投稿太久。」（The experience taught me to be careful and also not sit on papers too long; they should try to get them published as soon as possible. I waited too long to submit the paper.）（個人通訊，2020 年 8 月 23 日）。

她的勸誡涉及原創、時效與潛力，對博士生尤其有參考價值。原創，是個人想像力的運用。時效，是研究情境的掌握。潛力，是學術競爭力的指標。三者都是學者個人知識技藝操練的一部分，別人難以代勞。

第一，在期刊發表前，學術會議只是一個小場所的口頭報告，創意再新，寫好的論文並非正式出版，一旦別人捷足先登，在期刊上推出相關研究，隨後的論文難免有東施效顰的嫌疑。第二，如果研究有時間性（例如熱門議題），論文被擱置幾年後，因為事過境遷，數據變得過時，要想在期刊上發表會相對困難，特別是突發事件可能讓研究跟現實脫節。「臺灣博碩士論文知識加值系統」允許論文不下載電子版，等於間接的延緩知識的流通與分享。第三，對剛畢業的新科博士來說，如果連一篇學術會議論文都沒有，無疑競爭力不強，就算有許多三、四年前提出的報告，卻沒有一篇成為期刊論文，研究潛力難免會受到質疑。

天下烏鴉一般黑，明大博士生的經驗不會是個案。雖然我們沒有客觀數據顯示問題在其它國家的普遍性與嚴重性，Retraction Watch 於 2018 年所做的一個訪問報導多少指出，在學術界，想法或概念被盜用的現象大致存在於不同學門之中。一些美國學者的墮落跟那個日本學者如出一轍，行徑之囂張更是匪夷所思，有過之而無不及。

Jeff Offutt 是美國 George Mason 大學的軟體工程教授，他說，他的想法被偷竊了三次。[4] Offutt 也是 *Journal of Software: Testing, Verification and Reliability* 的編輯，他認為研究抄襲與概念偷竊是個嚴重的現象，博士生需要接受倫理訓練，他相信大部分科學家應會同意他的看法。

他在接受訪問時指出，前後三次被盜用的想法和概念跟學術會議的論文有關，都發生在他的論文被拒絕之後，包括他還是博士生時投稿的論文。也就是說，論文評審者利用匿名的機會，以為神不知鬼不覺，偷偷竊取了他人的研究內容，事後並在期刊發表，強佔別人的知識產權。被抓到後，其中一個人承認抄襲，卻反過來怪 Offutt 的學術會議論文寫得太差，簡直是做賊喊捉賊。

在 Offutt 看來，一個非常基本的倫理原則是，所有私人與機密的想法或概念都必須受到保護。不管是評審學術會議的投稿、期刊投稿、研究計劃或是學生的學期報告，在這些文章以檔案形式（如期刊或書籍）發表前，學者都有倫理專業職責，不得以任何形式使用它們的內容。不幸的是，違反知識產權的學術敗壞事件經常有意或無意的發生，防護之道是，學者必須積極發表期刊論文，或者公佈有時間印記的技術報告。

從功能的角度看，參加學術會議對即將畢業或剛畢業的博士生，尤其具有跳脫近親繁殖可能帶來的盲點，特別是新視野的缺乏（Childress, 2019）。由於師生或同事關係，近親繁殖難免形成一種強連結（Granovetter, 1983），導致學術門派或山頭的出現，影響理論運用與研究方法的高同質性。因為參加的學者來自各地或不同大學，學術會議是建立弱連結的理想場域。

如果我們把學術會議看成是個競技場，而不只是個學術市場，許多頂尖大學的學者與學生群聚在幾天之內，各憑本事，一較長短，看與被看之間，除了增加個人的知名度，學者也可以透過流派門風的差異，嗅出或感受到整個學門的最新知識與研究趨向，避免閉門造車。

---

[4] 有關 Offutt 的部分根據 Retraction Watch 2018 年 1 月 5 日的訪問報導改寫。

　　對學者來說，比起期刊論文發表，儘管評審和後果不見得具有相同份量，參加學術會議，在數豆子與國際化要求方面卻有相當實際作用，至少有一篇算一篇。不管是國內或國外，學術會議的論文因此被認為是修飾和美化學者履歷的捷徑，有時難免循私作假（如透過與小組負責人的裙帶關係安插論文），大規模的舞弊或集體詐欺，也可能出現在國際學會於主辦國舉行的學術會議中。

　　例如，從 2008 年到 2017 年，電機電子工程師學會（Institute of Electrical and Electronics Engineers, IEEE）深入調查後，撤回 7,263 篇研討會的論文及摘要，其中 6,866 篇（94.5%）的作者來自中國，大部分集中在 2010 年和 2011 年由中國主辦的 12 場研討會，共有 3,993 篇被撤，平均每場 300 多篇，數量驚人（《自由時報》，2018 年 11 月 8 日）。這已經不是少數學者個人惹出來的麻煩，而是集體舞弊的社會現象，堪稱學術山寨。

　　如果學者在正式的國際學術會議都敢公然欺騙，進一步投機取巧或墮落，只是遲早而已。面對思考及寫作壓力，又或者是知識技藝太差，有些學者為了履歷表在量與質上看起來差強人意，難免墮入旁門左道的陷阱，更可能是相互利用，讓掠奪性學術會議盛行於國際間（Allen, 2018），形成一個願打一個願挨的畸形現象，營利壓倒學術，虛假取代實質。

你／妳情我願：掠奪性國際會議

　　所謂掠奪性學術會議，根據加拿大 University of Calgary 的定義，指的是以營利為目的，向學者索求論文的會議。會議的組成差勁，一向沒有同儕評審，或者根本沒這回事。[5] James McCrostie（2018: 6）認為，掠

---

[5] 取自 University of Calgary 網頁，
https://library.ucalgary.ca/guides/scholarlycommunication/predatory。下載 2020 年 8 月 27 日。

奪性研討會是個「學術食人主義」（academic cannibalism），具有三個指標：以謀利而非學術為目的、缺乏有效的評審機制與欺瞞（如主辦者不實宣稱或隱匿相關資訊）。

臺灣中央研究院認為，「掠奪性會議的對象通常是年輕學者，以阿諛奉承的電子郵件邀請學者擔任會議引言人或主講人，然而這些公司只想賺錢，絲毫不在意學術交流，他／她們可能把全然不同領域的人聚在一個會議」（《中研誠信電子報》，2018 年 10 月 11 日）。面對校方的國際化要求以及論文發表的雙重壓力，臺灣的學者也不免在學術活動上尋求捷徑，利用跨國的掠奪性會議裝腔做勢，甚至假公濟私，反正真假或正當與否，有時雌雄莫辨，校方大概也難以一一查證。

不管在何地舉行，掠奪性學術會議的一個明顯標誌是，它的性質不像由正式學會主辦的單一年會，或大學研究中心針對特定題目而舉行的研討會，看起來是一個胡亂湊在一起的大拼盤，每個會議名稱往往冠上「國際」（International）、「世界」（World）或「環球」（Universal）字樣，再加上「大會」（Congress），「論壇」（Symposium）或「會議」（Conference），企圖建立一種正當性或權威性，吸引年輕學者上鉤，尤其是來自會議地點周邊的國家。

從圖 5.1 可以看出，臺灣的「高等教育論壇」（Higher Education Forum, HEF）於 2015 年在日本京都舉辦的掠奪性研討會，不論是自然科學或社會科學，幾乎一網打盡，而且來者不拒。[6]

---

[6] 我在香港城市大學時，第一次接觸掠奪性研討會。2015 年，我跟一位同事到京都，參加高等教育論壇主辦的社會科學與管理研討會，投稿只需英文摘要。我負責主持我報告的那場（5 月 8 日），七篇論文來自菲律賓（3）、奈及利亞、香港（2）與泰國，全部以英文報告，每篇時間大約 13 分鐘，聽眾人數最多時大概在 20 多人左右（主持人需要算人數）。報告完，會議就結束了，沒有講評，也沒有問答。純粹看現場，跟正規的學術會議相差不大，如果再有報告當時的照片為證，一般人很難了解整個研討會其實只是走個過場，沒有任何學術交流。報告當天，一群臺灣學者在會場入口處的會議看板前照相，簡直是一個旅遊團。

「高等教育論壇」設在臺北，以 2020 年 8 月 29 日為準，它的英文網頁指出，HEF 成立於 2010 年，在世界 30 個城市舉辦超過 80 場的國際學術研討會，每個月平均舉辦一、二個研討會，幾乎一年 20 個。它有五萬多個會員，來自 108 個國家，現有 115 個委員會成員。比較值得注意的是，從頭到尾，HEF 網頁不提營利色彩，也看不到任何負責人的

圖 5.1　高等教育論壇在日本舉辦的掠奪性研討會（假芝雲提供）

資料，或是 HEF 確切地址，只有 Line 與電子郵件的聯絡方式。

由於缺乏明確證據，我們很難說類似 HEF 的掠奪性研討會到底在何時何地出現，不過應該有一段歷史了，可能也跟網際網路的興起和學術國際化有關。根據相關文獻，掠奪性學術會議可以上推到 2005 年時，三位 MIT 的學生寫了一篇無厘頭的電腦科學的文章，居然未經評審，就被一個國際學術會議接受了。這個事實引起美國圖書館科學家 Jeffrey Beall 的注意，他於 2008 年首先使用「掠奪性」字眼描述如此會議和期刊（Koçak, 2020）。

在臺灣，每年甚至每個月，都有各種不同學門的學術會議在大學校內外舉行，會議規模有大有小，開放程度不一。有些是跨國性會議，但還不至於出現類似國外的掠奪性會議，公然招搖過市，但也半斤八兩。不可否認的是，臺灣跟中國、香港、印度和馬來西亞被列為是亞洲掠奪性公司的大本營之一，其它如加拿大、日本、美國與英國等開發國家也急起直追了（McCrostie, 2018: 7）。

數量上，掠奪性研討會大多針對開發中國家的學者，被認為跟教授

升等的點數機制有關（Memon & Azim, 2018）。從公立到私立大學，臺灣的教授對點數制度應心有戚戚。有些也許深惡痛絕，更多的可能利用既有規範執行不易的漏洞，遊走於灰色地帶之間，特別是正當與非正當國際學術會議的界線，有時很難明確劃分。例如，一個應付校方點數要求或旅費補助的規定是，掠奪性研討會提供論文接受或參加會議的相關英文證明文件，很像一回事（見圖 5.2）。

立法委員黃國昌（時代力量）2019 年 3 月 27 日在立法院質詢時指出，根據《天下雜誌》報導，[7] 臺灣共有 114 所[8] 公私立的大學教授利用掠奪性期刊和會議發表論文，由於牽涉國家研究經費的申請，不無浪費納稅人金錢的嫌疑，科技部應該設法管理。部長陳良基當天表示，科技部將進行調查，並在三個月內提出報告。

科技部被迫於 2019 年 4 月 24 日發佈對「掠奪性期刊及研討會」議題之聲明，各大學隨即在網頁上轉發。全部 546 字，結論指出，「本部長期挹注資源補助學術研究，冀能提升學術品質，帶動產業技術升級，促進社會經濟健全發展。為維護健康的學術研究及發表環境，本部**鼓勵**學者發表研究成果於**學術社群認可**之優良期刊及研討會」（粗體字為作者所加）。

在聲明中，「鼓勵」的用語很空洞，也沒有任何實質約束力，全憑學者自我期許。科技部的話語官腔官調，顯然應付了事，到底是否在三個月內向立法院提出正式報告，則不見下文。政治很難用來主導學術研究，黃國昌在質詢後，恐怕對後續發展也不會有太大興趣，2020 年 1 月 11 日，他落選立委後，整件事應會不了了之。

有關「學術社群認可之優良期刊及研討會」，科技部並未明確交代誰來決定，指標又何在。以英文期刊來說，科技部指的應該是 SCI 與

---

[7] 《天下雜誌》在第 669 期（2019 年 3 月 27 日），以雙封面之一的「學術黑市現形記」為題，在七篇文章中，從各種角度探討掠奪性研討會與期刊的弊病，見盧沛樺、田孟心、楊卓翰、陳一姍與楊孟軒（2019）。

[8] 佔當年 152 大專院校的 75%，比例相當高。

SSCI 的學術期刊，就中文而言，無疑是 TSSCI 了。至於刊登在這些「I級期刊」（楊巧玲，2013）的論文是否便品質優良，可能見仁見智，而在"I"以外的期刊論文是否不值得一讀，恐怕不會有定論，畢竟歹竹也會出好筍（見第六章）。

ICSSAM
International Conference on
Social Science and Management

**International Conference on Social Science and Management
(ICSSAM 2015)**

May 07-09, 2015

Acceptance & Invitation Letter

Paper ID: ICSSAM-1411

Paper Title: One Social Movement, Many Public Discourses:

Mode of Presentation: Oral

Dear

Thanks for your paper submission. On conclusion of the blindly review process, we are pleased to inform you that your paper is accepted at The 3rd International Conference on Social Science and Management (ICSSAM 2015) in Kyoto, Japan during May 07-09, 2015

ICSSAM 2015's policy and procedures require at least one author to register for and attend the meeting to present the paper after it is accepted. The registration deadline is **March 03**, 2015. If we do not receive your registration with payment by this date, your paper will be withdrawn from the conference program and proceedings. If you have any further questions, please do not hesitate to contact the secretariat of BBENS by sending your email icssam@icssam.org and indicate your ICSSAM ID which is listed above.

On behalf of the 2015 ICSSAM Program Committee, We invite you to immediately mark this event on your calendar and make your plans to attend this conference during May 07-09 in Kyoto, Japan.

The Program Committee of ICSSAM 2015
Official Website: http://icssam.org/

Chief Executive Committee

Organizer: Higher Education Forum
Conference Venue: Kyoto Research Park
Address: 134, Chudoji Minami-machi, Shimogyo-ku, Kyoto 600-8813, Japan

圖 5.2　高等教育論壇提供的會議論文接受信

　　透過 Google 搜尋，到 2019 年 6 月 25 日，這則新聞在網路上的相關討論共有 30 萬 7,000 項，數目不可謂不大，顯示社會對學術問題的重視。其實，不管科技部調查結果是什麼，大學教授參與掠奪性期刊和會議已是不爭的事實。冰凍三尺，非一日之寒，整個問題根本是過去幾十年來臺灣學者逐漸墮落的必然後果。

　　從自然科學到社會科學，國際間大大小小的掠奪性學術會議如雨後春筍，它們所引起的學術倫理問題也層出不窮。在臺灣，學者持續參與掠奪性學術會議，或投稿掠奪性期刊，並非個人只為升等或名氣而不計手段的麻煩。基本上，這種現象已是社會問題，一些營利機構假借學術之名，行賺錢之實，而許多學者投機取巧，更助長虛假學術會議與期刊的惡行惡狀，打亂了知識生產的正當規則，破壞了學術研究應有的尊嚴。

　　過去幾年，儘管國外對掠奪性研討會已有許多討論（Eaton, 2018; Koçak, 2020; McCrostie, 2018; Memon & Azim, 2018），類似《天下雜誌》的報導在臺灣的新聞媒體上並不多見。掠奪性學術會議的課題看起來簡單，其實很複雜，從個人麻煩到社會問題，牽涉幾個面向——學者、學術、大學與社會——以及它們之間的關係，每一個面向又涵蓋其它次要的層面，由國內到國外，需要花點時間和人力才可理出頭緒，解決之道也不易斬草除根。

　　《天下雜誌》在數據收集與分析方面的確下了相當功夫，以六個月時間，整理了 22 家疑似掠奪性出版集團在國際間舉辦的會議。以 2016 年為例，全球共有 1 萬 34 人次參加 OMICS 舉辦的研討會，「其中臺灣學者有 193 人次，在主要國家排名第九。如果再將學術界規模納入考量，臺灣當年博士生畢業人數 4,000 人，只有韓國三分之一。但參加 OMICS 會議的人次幾乎一樣多。排名在臺灣之前的國家，人口都遠遠超過臺灣」（盧沛樺等，2019，頁 86-87）。[9]

---

[9] 前八名的國家排名順序是美國、印度、中國、英國、日本、德國、加拿大與韓國。

　　由《天下雜誌》（盧沛樺等，2019，頁91）的統計看，臺灣參與掠奪性研討會的學者並不只限於少數大學，以前十名而言，公私立都有，例如成大、長庚科大、中山、臺大、高雄醫大、臺北醫大、交大和陽明等。成大以 19 人次獨佔鰲頭，臺大排第六（9）。值得注意的是交大（7）與陽明（6），兩校在 2021 年 2 月 1 日合併為「國立陽明交通大學」後，13 人次就排名第二，擠下輔英科技（11）、長庚科技（11）與中山（11）。

　　簡單説，在某種程度上，臺灣的學者與掠奪性國際學術會議形成了一種共生關係，多少是周瑜打黃蓋，涉入之深，也讓國外學者難以置信。

　　在日本任教的 McCrostie（2016，2017，2018）教授，根據親身經驗和訪問，是最早揭發臺灣存在掠奪性商業組織的外國學者。他在 2014 年投稿了幾篇毫無科學意義的論文到一些掠奪性研討會，被六個會議接受，包括設在臺灣的掠奪性機構（The Mainichi, 2019）。兩年後（2016年），他投書到《台北時報》指出，臺灣的「國際商學策進會」（International Business Academics Consortium, iBAC）與「高等教育論壇」（HEF）是掠奪性組織，巧取豪奪，惡名昭彰。

　　過去幾年，McCrostie 對臺灣學術界提出的警告，如果不是太遲了，就是起不了一點作用，又或者是大學根本不曾察覺，甚至淪為共犯而不自知，掠奪性研討會才會在國內與國外繼續生根成長，甚至公然的把長手伸進大學校園。

　　以「高等教育論壇」來説，2016 年 2 月 25 日，國立臺灣師範大學臺灣語文學系，代轉 9 月 13 日到 15 日 HEF 在新加坡舉行的「教育與社會科學國際論壇」徵稿啓事。[10] 另外，同年 12 月 8 日，「高等教育論壇」更透過廣昌開發建設股份有限公司，發函給國立中央大學機械工程

---

[10] 見臺灣語文學系網頁，最新消息【代轉】/Higher Education Forum/ISESS 2016 Call for Papers，公告日期：2016-02-25。取自 http://www.tcll.ntnu.edu.tw/news/news.php?Sn=496。下載 2020 年 8 月 29 日。

學系，為 2017 年 3 月 15 日-17 日的「臺北國際聯合學術研討會」，推出優惠博碩士生方案，還附上申請表格（圖 5.3）。[11]

Higher Education Forum　函

地　址：106-66 臺北市大安區復興南路一段 129 號 12 樓之 1
承辦人：劉懿瑤
電　話：(02) 2740-1498
傳　真：(02) 2752-2642

受文者：國立中央大學機械工程學系
發文日期：中華民國 105 年 12 月 08 日
發文字號：高字第 1051208001 號
速別：最速件
密等及解密條件或保密期限：無

主旨：

為鼓勵台灣年輕學者積極參與國際交流活動，Higher Education Forum (HEF)提供國內大學及碩博士在學生(含外籍生) 2017 年 3 月 15 日-17 日「台北國際聯合學術研討會」優惠報名方案，有意報名者，敬請於 105 年 12 月 30 日前回覆，額滿為止。

圖 5.3　高等教育論壇發函給國立中央大學機械工程學系

公函是正式的文書，不管是無知或官僚行政作業的疏忽，大學相關科系代為轉發「高等教育論壇」的徵稿啓事，或印發報名優惠方案表格，就等於直接或間接認可 HEF 的正當性，至少讓人有大學背書的印象。在這種情況下，一旦學校師生參與 HEF 在國內外舉辦的國際學術研討會，校方大概很難在事後拒絕承認這項活動。如果教師因此提出升等點數的計算要求，便可能騎虎難下了。

---

[11] 取自 https://www.me.ncu.edu.tw/files/news/國內大學及碩博士在學生（含外籍生）優惠方案-國立中央大學機械工程學系.pdf，下載 2020 年 8 月 29 日。我們無法從公函推論機械工程學系是否採取任何行動。

　　因為大學對學術國際化過份看重，造成某種供需的市場機制，以及由此產生的個人和商業利益，掠奪性研討會議大概不易徹底消除。類似HEF 的組織可能隨傳播與資訊科技的演進，並因應外界批判，在會議符號（名稱）與結構（操作）上，變得較為細膩，例如與本地大學合作，以建立開會地點的學術味道和正當性。

　　一旦行之多年，時間（歷史因素）、空間（多元地點）與機會（開放存取）難免賦予掠奪性研討會一種另類會議的地位，一個被認可是論文宣讀的國際場所，除去前後的評審，多少跟正當的學術會議亦步亦趨。否則，為什麼從美國到臺灣，即使千夫所指（Koçak, 2020），世界各地的學者不斷參與掠奪性研討會的運作？

　　劣幣驅逐良幣，這是一種資本主義邏輯的非預期後果，難免影響學術研究的虛實。亦即，營利的商業機構以虛假的會議和期刊之名，兜售於學術市場，尤其是國際學術會議或國際期刊，藉以讓學者在研究活動上，取得販賣某種豆子的發票，從而標明一種對文獻的貢獻（見第六章）。雖然我們無法得知期刊的確切名稱，「國際期刊」的重要性似乎可以從臺北車站中常見的一幅商業廣告看出一點眉目（圖 5.4）。[12]

圖 5.4　邱正宏醫師論文榮登國際期刊
作者拍攝，臺北車站，2020 年 9 月 4 日

---

[12] 邱正宏醫師在臺北車站的隆乳廣告相當醒目，其中特別強調他的論文連續七年刊登於英、美、星權威醫學國際期刊。本書引用這幅廣告只在突出臺灣學術界對國際期刊的重視，並不意謂期刊的好壞。

　　物以類聚，掠奪性研討會遵循市場邏輯，自成一個格局，年輕學者或開發中國家的師生可能不易分辨虛實，就像國際間不斷出現的偽學術期刊，在 SCI 與 SSCI 的"I"級期刊之外，以似是而非的 Open Access 或網路期刊姿態，橫行於學術界，形成一個觀感重於實質的後現代現象，兩者相互依存，方興未艾，特別是影響因子的霸道與濫用。

第六章

"I"的荒唐：影響因子的霸道與濫用

在美國的研究型大學（research institutions），所有學者，特別是助理教授，都心裏有數，升等與否取決於一個萬變不離其宗的規則：publish or perish（不出版，就滾蛋）。助理教授通常有六年時間，發表一定數目的期刊論文（在傳播系所，一般平均一年兩篇），不然，第七年後，只好打包走人，毫無通容的餘地。酒店既然拒絕招待，酒客不能還賴在吧台。

對大學教授來說，發表研究的途徑不外是書籍或期刊論文。王宏仁（2010，頁 64）認為，「書籍的影響力遠遠大於期刊的單篇文章，影響的時間也會持久許多」。不過，出書往往曠日廢時。從書稿寫作，到送審，再到出版，恐怕至少得兩、三年的時間，只要其中一個環節稍有耽誤（例如評審拖得太久或編輯要求刪改），難免引起連鎖反應，書要何時才見天日，就不一定了。[1] 即使出版，一旦書評太差，可能事倍功半，在助理教授的升等上，帶有潛在風險。

發表期刊論文，從頭到尾，大概需要一年到一年半的時間，而且期刊種類繁多，此處不留爺，自有留爺處，再差勁的學術論文，到最後總有個落腳處（有些期刊總是稿源不足，但還是必須按時出版），至於好壞則是另外一回事。因此，投稿期刊，是大多數教授（死木頭不算）在

---

[1] 自費出版的書籍在出版過程中有不同的運作邏輯。

學術研究上的必然管道，如果能刊登在頂級期刊，便不同凡響了。

以社會科學而言，領域五花八門，相關的期刊數目更不在少數，而且勞力分工越來越細，每年都會有新的期刊出現（排除哪些掠奪性的假期刊），企圖在學術市場裏分一杯羹。供需互動，學者發表期刊論文的通道也多了選擇，在重量不重質的遊戲規則下，一個蘿蔔一個坑，有一篇期刊文章總比沒有來得好，履歷表也好看得多。

根據 Web of Science Platform 的記載（2020 年 8 月 5 日），用來統計期刊引文報告（Journal Citation Reports）的核心期刊超過 21,349 個，數目不可謂不多，如果再加上其它未收錄的大小期刊，就更可觀了。收錄與否的差異是，一個學術期刊只要被登載在 Web of Science 的數據庫裏，它的象徵意義便搖身一變，多少有點鯉躍龍門。

Web of Science 把英文期刊群聚一堂，原本用意在讓學者與研究者搜尋文獻時，能有一個方便使用的資料庫，主要分為 Science Citation Index（SCI，科學引文索引）與 Social Sciences Citation Index（SSCI, 社會科學引文索引）。SSCI 期刊的收錄因素主要是，1.匿名同儕評審（blind peer review）；2.定期出版；與 3.編輯／主編、編輯委員和編輯顧問群，最好是有頭有臉的學者（Russ-Eft, 2008）。

這些因素都與期刊和論文品質沒有任何直接或間接瓜葛，即使有，也相當有限。幾經演變，因為影響因子（impact factor）[2] 和其它數據的加持，SCI 與 SSCI 期刊無形中成為一級期刊的一種印記。不得其門而入的期刊，由標籤理論（labeling theory）[3] 和操作的效應看，難免被歸類為二級期刊，甚至是等而下之的非主流刊物，許多大學圖書館為了省錢，可能就不會訂閱了。

---

[2] 在臺灣，Impact factor 沒有一個統一的翻譯，文獻中的譯名包括影響因子、影響係數、影響因數或衝擊因素，本書採用影響因子。

[3] 標籤理論是一個社會學理論，簡單說，個人的社會行為如果偏離主流，往往會被貼上某種標籤，例如異常，個人的舉止多少會受到標籤的影響，而其他人也可能透過這個標籤看待他／她。

往好的方面看，SCI 與 SSCI 資料庫把各個領域的期刊收集在一起，自然會包括數一數二的頂尖刊物，因為影響因子的對比作用，難免造成彼此之間的競爭，水漲船高，連帶的促使其它期刊向上看齊，整個學術研究的水準可能相對提高。從壞的方面看，SCI 與 SSCI 期刊多少會壟斷學術論文的數目，並左右稿源流向，期刊的影響因子也可能被轉嫁為學者的影響力或份量。

不管是 SCI 或 SSCI，這兩個不過是縮寫的英文大字母，看似平常，在臺灣與香港學者的履歷表或大學行政主管眼裏，卻是非同小可，特別是你／妳的同事條列出來的期刊論文，都有一個以**粗體字**展示的標籤。如果你／妳沒有任何 SCI 或 SSCI 的印記，在每年加薪評鑑時，就不免相形失色，更別提要獲得論文發表的研究獎金了。[4]

"I"的印記：你／妳有幾個？

我從美國明州大學到香港城市大學教書，一個立即而明顯的變化是，在履歷表上的出版／期刊欄，我必須在相關文章的項目後加注一個符號，指出論文是否刊登在 SSCI 期刊；沒有 SSCI 的標籤註記，就表示文章發表的刊物不屬於臺灣所謂的「I 級期刊」（楊巧玲，2013）。也就是說，社會科學引文索引被認為代表某種論文品質的指標。

SSCI 創始於 1973 年（Weinstock, 1975），我在明大 20 年間（1990-2009），從來不須在履歷表裏列舉有關 SSCI 或 SCI 的期刊標記，其實學院和大學也不在乎，因為期刊的好壞無關是否被收錄在引文索引裏。更何況，由於歷史因素（期刊發行已久）與耳濡目染的社會化過程（文獻閱讀或引用），一個學門的學者通常對領域內的頂尖期刊會形成一種不成文的共識。另外，一篇期刊論文的品質往往由其他學者認定，而非一個索引可以判定。

---

[4] 我在香港城市大學媒體與傳播系任教時（2009-2016），一篇 SSCI 期刊論文的研究獎金是 10,000 港幣，大約 40,000 臺幣。

在履歷表裏，列或不列入 SCI 與 SSCI 的縮寫代碼，對每一篇論文的品質根本無所增減，這些都是外在的附加價值，而非文章本身的內在特質。文章內容是否紮實，只有讀了才知道，如人飲水。入境隨俗，到了香港，我發現整個學術的遊戲規則與履歷表的格式，不僅制度化，更是校方的一種制式要求，某種大學對學者基本經歷文件的制約。

回到臺灣後，我看過一些傳播學者的履歷表，大致與香港的大學要求沒什麼兩樣。在著作欄裏，只要是英文期刊，SSCI 的標誌就如影隨行。比較獨特的是，有些教授甚至把期刊的影響因子列到條目後面，還進一步交代期刊在學門裏同類所有期刊的排名位置（例如，2018 年 Impact Factor: 3.789，88 本 *Communication Journals* 排名第 13 名，14.8%），量化到如此精確的地步，簡直讓人嘆為觀止。

雖然沒有直接表明，一個學者如此註記，不外在間接暗示，期刊的影響因子等於論文的品質或影響力，再等於他／她的學術份量。其實，這是對影響因子的嚴重誤解與濫用。不幸的是，這種自抬身價的現象似乎很普遍，不只發生在個別學者身上，有些期刊也難免被誤導，還公開吹噓期刊的排名是優質論文的指標。例如，臺灣醫學會在介紹學會期刊《臺灣醫誌》時就指出（圖 6.1），

　　恭賀本誌 JFMA 2018 的 Impact Factor 躍升至 2.844，Total Cties（原文如此）為 3,274 次，領域排名為一般醫學（Medicine, General & Internal）第 22 百分位。**目前的排名表示本雜誌刊登的主論文是優質論文**（粗體字為作者所加），屬於領域排名 20-30th percentile 的論文，有助教學及升等。敬請各位會員繼續支持踴躍投稿及引用本誌被刊登之論文，以提升本雜誌品質與影響。[5]

---

[5] 見臺灣醫學會介紹《臺灣醫誌》網頁，Total Cties 應為 Total Cites 之誤，取自 http://www.fma.org.tw/jfma.html，下載 2020 年 8 月 4 日。至於主論文指的是哪些論文就難說了。

(5) Impact Factor與排名

恭賀本誌JFMA 2018的Impact Factor躍升至 2.844，Total Cties為3,274次，

領域排名為一般醫學(Medicine,General & Internal)第22百分位
目前的排名表示本雜誌刊登的主論文是優質論文，
屬於領域排名20-30th percentile的論文，有助教學及升等。
敬請各位會員繼續支持踴躍投稿及引用本誌被刊登之論文，
以提升本雜誌品質與影響。

(6) Previous Issues

(7) JFMA百週年資料庫

(8) 線上訂閱

> 臺灣醫學會
> 地址：台北市中正區常德街1號景福館3F
> 電話：02-23310558 傳真：02-23896716

圖 6.1 臺灣醫學會恭賀《臺灣醫誌》影響因子躍升

來源：臺灣醫學會網頁 http://www.fma.org.tw/jfma.html，下載 2020 年 8 月 5 日

我們無法確知《臺灣醫誌》所謂的主論文指的是哪些文章，什麼論文算是次論文。臺灣醫學會不是做此宣稱的唯一學會，其姊妹或相互競爭的學會——中華醫學會-臺北——在用字遣詞上，也不遑多讓。圖 6.2 顯示，後者在介紹學會發展史中指出，

> 自 2008 年 1 月份被 SCIE 收錄後，中華醫學會雜誌的引用次數及 Impact Factor 已正式開始被計算，很慶幸是 2011 年之 Impact Factor 為 0.678（在 Medicine，General & Internal 類別中）。最新的 2018 JCR Reports 的 Impact Factor 也進步到 1.894，在一般醫學類的 160 本雜誌中，JCMA 之 IF 排名 67（Ranking 67/160，41.9%）。我們期許的目標是能進到前 30%的名次。（說明：Impact factor 計算方式為：前兩年中出版之論文，於今年被引用之總數，除以前兩年中出版之論文總數）。未來，我們需要作者們優良的稿件貢獻之外，還要讓本期刊的 IF 分數有效的穩定成長，這樣於明年的 JCR Reports 才會有更好的分數。

中華醫學會雜誌發展史

中華醫學會於1915年創立於上海，1949年政府遷台後，由第一任劉瑞恆理事長邀集在台醫界人士共籌復會。因此於1951年在台復會後，當時因經費籌募有限，故在1954年3月才開始發行復刊後的第一卷第一期之中華醫學雜誌季刊，並由顏智鍾擔任首位主編。

自2008年1月份開始即被國際知名之科學文獻引用指標 (Science Citation Index Expanded, 簡稱SCIE)收錄在一般醫學類，是國內少數專業期刊進入SCIE中的，最值得高興的是2011年開始的JCR Reports中JCMA的Impact Factor 為0.678，而且每年都在進步中，最新的2018 JCR Reports的Impact Factor 為1.894，在一般醫學類的160本雜誌中，JCMA之IF排名67 (Ranking 67/160, 41.9%)。

目前SCI與SCIE的選刊標準是一致的，只是在1997年以前，由於資料儲存媒體容量的限制，ISI 所製作之索引資料僅能儲存於光碟中，所以早年稱為SCI光碟版。一直到1997 年網路版問世後，沒有資料儲存的限制，就將光碟版的索引資料庫整合並稱為SCIE，整個系統並稱為 "Web of Science (WoS)"。ISI 四十多年來都秉持嚴格的選刊標準，精選世界上各學科領域的優秀期刊進入SCIE、SSCI及A&HCI 三大引文索引資料庫。目前Journal Citation Reports (JCR) 的期刊 Impact Factor 也是透過 SCIE、SSCI 所計算出來。

自2008年1月份被SCIE收錄後，中華醫學會雜誌的引用次數及Impact Factor已正式開始被計算，很慶幸是2011年之Impact Factor為0.678(在Medicine, General & Internal類別中)。最新的2018 JCR Reports的Impact Factor 也進步到1.894，在一般醫學類的160本雜誌中，JCMA之IF排名67 (Ranking 67/160, 41.9%)。我們期許的目標是能進到前30 %的名次。(說明：Impact factor計算方式為：前兩年中出版之論文，於今年被引用之總數，除以前兩年中出版之論文總數)。未來，我們需要作者們優良的稿件貢獻之外，還要讓本期刊的IF分數有效的穩定成長，這樣於明年的JCR Reports才會有更好的分數。

圖 6.2　中華醫學會報告學會雜誌的影響因子的進步

來源：中華醫學會網頁 http://www.taipei-cma.org/print.html，下載 2020年 8 月 5 日

　　只要細讀中華醫學會的發展史報告（見圖 6.2），我們不難發現為什麼臺灣學者會如此重視 SCI 和 SSCI 的標籤，並在履歷表中替每一篇論文加上註記，唯恐天下不知。中華醫學會說，「ISI 四十多年來都秉持嚴格的選刊標準，精選世界上各學科領域的**優秀**期刊進入 SCIE、SSCI 及 A&HCI 三大索引資料庫」（粗體字為作者所加）。

　　任何學術期刊對論文品質有所堅持，都是天經地義，一旦把 SCI 與 SSCI 期刊等同於優秀期刊，指鹿為馬，就有點離譜了。我們無法否認三

大索引資料庫的確收錄了許多學門的頂尖期刊，但是，不是所有被收錄的期刊都稱得上優秀，其中不乏聊備一格的地區或地方性期刊，例如在香港編輯的英文期刊 *Chinese Journal of Communication*（CJoC）。

在傳播研究領域裏，CJoC 是一份針對中國／華人傳播（Chinese communication）的 SSCI 期刊，由 Taylor & Francis 出版，主要研究對象涵蓋中國、香港、臺灣、澳門、新加坡與全球各地的華人社群。基本上，這是地區性的學術期刊，比起其它國際性的期刊，題目範圍與讀者訴求，都相對狹窄。它被收錄在 SSCI 資料庫裏，一個最大原因應是當年香港學術界的遊説努力。畢竟，它是學術研究中僅有的中國／華人傳播英文期刊。

CJoC 的 SSCI 身分並非特例，大概跟在南非編輯的 SSCI 英文傳播期刊 *African Journalism Studies*（AJS，1980 年創刊，2015 年前原名 *Ecquid Novi: African Journalism Studies*）與其它地區性刊物差不多。AJS 也由 Taylor & Francis 出版，在美國，知道它存在的傳播學者不會多，投稿的應該更少，因為跟 CJoC 一樣，AJS 的文章在升等審查中的用處不大。其實，在香港的大學裏，CJoC 的期刊論文也不算數。

歹竹出好筍，好竹出龜崙。同樣道理，非 SSCI 期刊也會有好論文，而 SSCI 期刊難免濫竽充數。

我們無法説，作為 SSCI 期刊，CJoC 的論文都非一時之選。儘管缺乏直接證據，一個合理的推測是，因為比它歷史悠久，也會刊登有關中國／華人傳播研究的國際期刊不算少，學者總會先試試手氣或運氣。亦即，對學者而言，投寄 CJoC 不妨是最後的手段，它所收到的許多稿件大概都已經在較好的期刊投過一、兩輪了。

對一個好的 SSCI 期刊來說，因為群英聚集（稿源多）、嚴謹的匿名評審制度以及有限的版面，學者抱存僥倖心理，以為瞎貓説不定碰上死老鼠，誤打誤撞而得逞的機會根本不可能。論文發表不是機率問題，成敗各半，而是品質問題，高下立判。一個壞了的蛋，一打破，就見真章，不需吃一口。

　　論文寫作，不能像在臉書或其它社交媒體上，可以無病呻吟，總得有點新知或見解，最好兩者兼具。學術期刊的論文投稿，並不像亂槍打鳥，運氣好，說不定打下幾隻，聊勝於無。論文審核是一種硬碰硬的對決，絲毫沒有討價還價的模糊地帶。

　　一篇論文被一個頂尖期刊拒絕，原因很多，不一定是學者的功力不夠，也許是論文題目或方法不符合期刊要求；同一篇論文被不同期刊退稿，評審所見略同，就是品質太差的指標了。學者一旦不知難而退，堅持讓論文在所有期刊走完一圈，不光是缺乏自知之明，來來回回，更是學術人力、資源和時間的浪費（論文總得有人讀，再寫評審意見）。

　　SSCI 與 SCI 的標籤似乎具有一種排他性的權威，除了劃分「我者」與「他者」的界線和戒線，在相當程度上壟斷了知識生產的管道，也多少界定了什麼才是公認的知識（accredited knowledge）。在學術界，公認的知識紮根於同儕對學者個人文章的認可與推廣，不僅有理論的意涵，也有實務作用。其中一個意涵是，散佈的媒介跟訊息本身可能同等重要（Christenson & Sigelman, 1985）。

　　換句話說，儘管不合理，透過期刊收錄和影響因子，SSCI 與 SCI 從商業機構演變成學術品質的仲裁單位，不請自來，又大肆招搖，讓許多學者無以招架，愛恨交加。在臺灣，吳清山（2011，頁 6）認為，「學術界出現一種強者愈強、弱者愈弱的現象，學術資源分配過度集中在 SCI、SSCI 期刊論文身上，有違均等與公平」。

　　儘管吳清山的看法有些道理，學術論文發表的期刊卻非常態分配，而是一種零和遊戲，更何況，在學術市場運作的機制下，誰來維持期刊資源的均等和公平？錯把馮京當馬涼的荒唐，可以發生在個別學者身上，也可能出現在制度上。前者往往隨機，為害不大；後者就難免是系統性的錯誤，影響深遠。

影響因子：錯把馮京當馬涼

臺灣與香港學術界對 SCI 與 SSCI 期刊以及影響因子的認知偏差，主要發生在兩方面。第一，期刊決定論。相對於其他期刊，刊登在 SCI 與 SSCI 期刊的文章，被一般學者認為是好論文。第二，文章決定論。影響因子被認為是論文好壞的指數，數字越高，表示被引用的次數愈多，再引申下去，作者的學術份量也就越重。這兩點都經不起檢驗，缺乏令人信服的實證數據。

過去幾十年，美國與其他國家學者的研究都對這兩點提出質疑，甚至強調不應以"I"與 IF，論斷一個學者或一篇論文的良窳。不管是"I"或 IF，從 1980 年代起，學者和研究者在期刊與書籍中，就不斷的探討它們被誤用與濫用的傾向，以及對科學研究的惡劣作用（West, Stenius & Kettunen, 2017），有些更主張禁止期刊操縱 IF（Wallner, 2009）。對臺灣與香港學術，如此批判似乎是馬耳東風。

從作者到編輯，只要懂得竅門，影響因子基本上不難操縱，推到極致，整個編輯的標準操作程序就被扭曲了，後果也會有所差異。

作者，可以在研究中引用自己發表過的所有期刊文章；編輯，可以要求作者在修改時引用自己期刊裏的文章，或者刊登評論與年度回顧文章，再大量引用自己或某一個學者（Hernán, 2009）。編輯的知識與經驗也可以用來取捨兩篇勢均力敵的論文，許多學者都做類似的研究，輸人不輸陣，便意謂可以引用特定文章的研究者也多（Wallner, 2009; Wilcox, 2008）。

影響因子是創始人 Eugene Garfield 於 1955 年在《科學》（*Science*）雜誌提出的構想，他的原意是計算一篇論文對當代文獻與學術思維的影響，亦即以**文章**為計算單為，目前的公式卻是以**期刊**為統計單位（Chambers, 2017）。以 2020 年 CJoC 的影響因子為例，計算方式並不複雜：CJoC 於 2018 年與 2019 年被其它 SSCI 期刊引用的文章總數，除

以 CJoC 在相同期間內（2018 年與 2019 年）發表的文章總數。

從計算公式看，一個期刊 2020 年的影響因子（2018 年與 2019 年的平均被引用率）根本不等於一篇文章的影響力，其實也跟 2020 年發表的文章沒有任何瓜葛。因為 SSCI 期刊數目可能增減（例如新收錄的 SSCI 期刊），一個期刊發表的文章也可能增加（例如特刊），影響因子會隨時間改變。前兩年發表的文章對今年的影響因子多少有所貢獻（除非沒人引用），兩年前的影響因子卻是跟今年發表的文章毫無牽連。

SCI 與 SSCI 期刊的出現，以及影響因子的運用，由一家私人的商業機構設計，原先目的不過是商業用途（相關資料庫與數據的訂閱）。Allen Wilcox（2008）很早就指出，影響因子只是一個測量數據，計算過程既不透明，也無法複製，更不負責任。這種化約機制（reductionism）不應該繼續存在於學術界。不幸的是，有些人從這個有瑕疵的體系裏名利雙收，例如傑出學者的頭銜，與隨之而來的研究經費或金錢獎賞，論件計酬。

如果學者和研究者唯"I"是從，一個非預期後果是，SSCI 與 SCI 的標籤把現實世界中的英文期刊分為兩類：內團與外團（in-group 與 out-group）。不管是否合理，收錄在內的期刊（in-group）是被認可的學術期刊，影響因子的計算只以 SCI 或 SSCI 期刊間相互引用的數據為底線，凡排除在外的非我族類（out-group），皆非善類，避之唯恐不及。

排除"I"級期刊的迷思，就臺灣學者來說，在知識技藝上，投稿英文學術期刊至少要面臨幾個挑戰，其實更是很好的磨練：

-- 學習研究語言：應用英文文獻中的理論和技術語言，以相同概念溝通

-- 取得發言機會：進入一個非母語的學術場域，並分享研究成果

-- 建立對話角色：扮演一個學術社群的成員，多少充當本土與國際之間的橋梁

一個值得認真思考的理由是，學者如果只以單一語言（例如中文）書寫論文，也許在本土化方面有所作用與貢獻，放在較大的無形學院

看，難免導致知識上的孤立，或者淪為主流學術論文（英文）的引用和推介管道（中文論文引用英文期刊文獻），[6] 也未必能與國際研究接軌，並進行某種研究對話。隔行如隔山，更何況是語言的隔閡。

　　長期下來，臺灣的學者為取得 SCI 或 SSCI 期刊的一個虛假認證（論文內容好壞倒是其次），有些人難免不擇手段，尤其是面對升等壓力的年輕學者。陳震遠與陳震武雙胞胎兄弟 2014 年的論文造假風波事件（見第八章），就是相當令學術界難堪的醜聞。在眾聲指責中，一個被忽視的問題是，他們為什麼會大膽到以英文的 SCI 國際期刊作為詐欺的對象，而且在第一次得逞後，一再飛蛾撲火？

　　玩火，難免自焚。陳震遠與陳震武顯然不知學術研究或知識生產所為何事，他們玩的可以說是一場類似 Russian roulette（俄羅斯輪盤）的賭命遊戲，全然不知何時會一槍斃命，卻又樂此不疲。跟蓄意造假的學者談學術倫理，就跟街頭應召女郎談貞操一樣，豈止對牛彈琴。道德對兩者來說，並不存在，他／她們更不會承認自己的墮落。[7]

　　事過境遷，我們很難明確知道陳震遠與陳震武的真正念頭，只能透過行為去猜測動機。在社會學的想像下，我們大致可以推斷，除了兩人的個人麻煩外（無恥、無知或無理），臺灣學術環境所形成的一種偏差壓力（重量不重質），尤其是賦予 SCI 與 SSCI 期刊的特殊地位，多少可能也要負點責任。

　　國立中正大學教授管中祥在接受《今周刊》訪問時就指出，陳震遠與陳震武醜聞是制度／社會層面因素帶來的弊病。他表示，「國科會、教育部早年對 SCI、SSCI 指標過度重視，造成『論文搶投國外期刊』的亂象，逐漸衍生『假評審』、『亂掛名』的造假手段，是如今釀成國際

---

[6] 在相當程度上，本書引用了大量的英文文獻，不免犯了同樣毛病。從正面看，這是知識的交流，國內學者可以了解國外學者的想法；由負面看，這是單向的傳遞，國外學者大概無法理解國內的論點。

[7] 有些學者會堅持應召女郎只是性工作者，職業不分貴賤，她們不偷不搶，不必承擔道德高低的批判。

醜聞的主因」；蔣偉寧作為教育部長，『沒有在任內積極解決這個問題，今日被這歪風掃到下台，也是自食惡果』」（何欣潔，2014 年 7 月 17 日）。

論文評審造假的目的當然在增加 SCI 或 SSCI 期刊論文的數目（"I"的印記），另外一個由此延伸而出的附帶價值是論文的引用次數（作者的研究份量），包括自我引用。一般學者，尤其是年輕學者，往往相信一篇文章被引用的頻率，就是研究對其他學者的影響力，不然別人為什麼要引用你／妳的文章？

表面上看，論文引用次數（以學者為統計單位）的確比影響因子（以期刊為計算單位），更能顯示學者與研究者對文獻的貢獻，大致不失為一個直接和有效的指標。深一層探討，問題並非如此簡單，原因不外是，論文被引用不全然是一個別人自發的行動，學者和研究者也可插上一腳，打亂學術市場的邏輯，特別是論文的相關性與重要性。

第一，量化問題。學者可以操控自己被引用的次數，他／她可以大量引用自己的文章，這個手段對多產作者尤其有用，特別是在短期間內。或者，他／她可以要求指導的研究生引用自己的著作（其實也不用要求，只要研究主題類似，學生怎麼可能不引用老師的論文）。雖然數據已經過時，社會學者蘇國賢於 2004 年的研究發現，應有相當啓示。

針對臺灣社會學知識的社會生產，蘇國賢（2004，頁 154）指出，「在互引網絡中，平均網絡中每一個可能關係僅得到 0.187 次的文獻引用。對於同一人的引用次數，最高的為 44 次，為某學生畢業後發表論文中，大量引用其指導教授的論文」。如果一個學生的引用可以大幅度提高老師的被引用率，十個或甚至更多的指導學生引用，會是什麼樣的局面？

例如，從 2001 年到 2018 年，國立中山大學教授林德昌在 18 年間，指導了 177 篇博碩士論文（見第八章），只要有一半論文大量引用他的相關著作，並在期刊上發表，他的被引用率大概無人能及。可是，這種學術近親自我繁殖的假象，不過是鏡花水月，拿掉裙帶關係，學者還剩

下些什麼？恐怕連顏面或假面都被撕去了。

另外，儘管 Clarivate Analytics（Web of Science 擁有集團）反對期刊操縱引用數字，由於 IF 允許期刊自我引用 15%的論文（見 COPE, 2019，July 17），編輯可以在 15%的上限下，要求作者在修改論文時引用自己的文章，特別是跟編輯研究興趣相關的題目。這在美國是個公開的秘密，年輕學者多少都會有類似經驗，在修改意見中，被編輯或評審建議參考有關的文章。[8]

以傳播研究期刊的 *Journal of Broadcasting & Electronic Media*（JoBEM）為例子，它是刊登最多 Uses and Gratifications（U&G，使用與滿足理論）相關研究的期刊，Alan M. Rubin 被認為這方面的開創性研究的先趨（Haridakis & Whitmore, 2006）。[9] 從 1972 年到 1995 年，他的論文是 JoBEM 中被引用最多的研究（Rice, Chapin, Pressman, Park, & Funkhouser, 1996），算是一方學霸。

這當然跟 Rubin 的論文產量多有關，他與妻子 Rebecca Rubin 和一些學生在不同期刊發表了不少 U&G 的文章，包括 JoBEM。從 1985 年到 1988 年，Rubin 擔任 JoBEM 的編輯，他建議的研究題目之一是電子媒介在個人與社會中的角色，正好是他的專長領域。[10]

根據 Rice, Chapin, Pressman, Park & Funkhouser（1996: 521）的研究，在 Rubin 於 1985 年成為 JoBEM 的編輯前，從 1972 年到 1984 年，他並非是 JOB 被引用最多的前五名作者；由 1985 年到 1994 年間（涵蓋他當編輯的三年），他是 JoBEM 作者中被引用最多的第二名，總共被期刊引用了 47 次。他在 1985 年刊登了自己的一篇文章，引用了自己六

---

[8] 見 Council of Science Editors 網頁，https://www.councilscienceeditors.org/resource-library/editorial-policies/white-paper-on-publication-ethics/2-1-editor-roles-and-responsibilities/#215，下載 2020 年 8 月 8 日。

[9] Haridakis 與 Whitmore 兩人都是美國 Kent State University 的博士，Rubin 曾經擔任該校傳播研究所主任，兩人跟後者應有師生關係。

[10] 見 Rice, Chapin, Pressman, Park, & Funkhouser（1996: 512）。

次，在 1986 年發表了前學生 Elizabeth M. Perse 的一篇文章，她引用了他七次。兩篇文章加起來，他總共被引用了 13 次，佔 47 次的 27.7%，難免有瓜田李下的嫌疑。就算扣除自我引用，他的一個學生也貢獻了 15% 的次數。

第二，質化問題。論文引用的原因林林總總（Baird & Oppenheim, 1994），引用本身並不表示一篇論文很重要，或甚至是一篇不錯的論文（Wilcox, 2008）。文獻引用的作用，在於正確性驗證、貢獻認可與文件記錄。一般學者大概會相信論文引用就是引用，沒有好壞之分，只要被引用，就表示其他學者的認可。

事實不然，論文的引用有兩種類別：指示性引用（referential citation）與批判性引用（critical citation）。前者指出一篇文章對相關學術領域的貢獻，一種價值認可的表徵；後者則點出一篇文章的缺陷，一種研究不嚴謹的疏失（West, Stenius & Kettunen, 2017），兩者都是學者之間整體社會控制的一部分（Cozzens, 1989）。除非查看引用的本質，一篇被多次引用的論文未必值得大張旗鼓，就像數豆子本身，一粒就是一粒，但不代表每一粒豆子都完整無恙，沒有殘破缺口。

量化：數豆子的平庸

在美國研究型大學的教授聘任與升等過程中，期刊論文發表或書籍出版，當然是一個必要條件，但非充分條件。質量並重，是最起碼的要求。一個助理教授的著作如果在可上可下的邊緣，其它非學術的因素，如派系（量化看質化不順眼）、私人恩怨（利益衝突）或歧視（性別、種族），就可能舉足輕重，公報私仇。學者墮落，有時殺人不眨眼。

一般來說，在升等論文中，數豆子（bean counting）的量化指標自然重要，兩手空空，根本過不了系內人事與升等委員會的初審關卡，更別提院校。雙手各握著一把豆子，也並不表示豆子全是成熟的好豆（頂尖期刊），沒有黑豆（掠奪性期刊論文）、破豆（不嚴謹的研究）或發

育不良的小豆（名不見經傳的地方型期刊）。

依據 Chris Chambers（2017）的看法，數豆子是一種罪惡，因為並非所有算數的東西都可以計算，反過來說，並非所有可以計算的東西都算數（Cameron, 1963: 13）。前者是量化問題，後者則是質化問題。美國的研究型大學因而都不會以數目多寡作為升等的主要依據。但是，在每年審核如何加薪時，期刊論文或書籍就有一定價碼了。

美國大學的加薪是一種論考績行賞的零和遊戲，甲之得，必是乙之失，沒有像臺灣一樣的雨露均霑的制度。考績審核包括三部分，教學、研究與服務缺一不可。教學有客觀標準（學生的教學評鑑或投訴），沒有爭論餘地。服務也有客觀指標（例如，是否參與校內外的委員會等活動）。研究就難說了，隔行如隔山，量化學者如何評定質化學者的研究好壞便可以爭論不休，反之亦然。妥協之下，數豆子是大家可以接受的最大公約數，至少它有個客觀的數據。

數豆子是一對一的比較（一種自然態度），甲有一篇論文，乙也有 1 篇論文，大家打成平手。甲只有一篇，乙卻有十篇，甲再怎麼強辯論文品質高低（一種社會態度），一個不爭的事實是，乙的論文數目就是比甲多。換句話說，過去一年，乙的論文生產力是甲的十倍，在研究方面，前者當然比後者強很多，其附加價值是，系所在學術界的曝光率連帶的提升。到頭來，研究表現往往成為年度考核的關鍵因素。

即使與考核無關，美國一些學者，特別是資深教授，其實也很在乎自己的豆子有多少。這是研究生產力的一個具體數據，比起其他學者的產量，攸關學術地位與面子問題。我剛在美國 Cleveland State University 教書時，兩位大眾傳播學者為了生產力如何界定的問題，居然有板有眼的在數豆子的方法上大作文章，還在《新聞與大眾傳播季刊》裏聯名發表研究發現，令人大開眼界。

John C. Schweitzer 於 1988 年在 *Journalism Quarterly*（JMCQ 的前

身）發表了一篇有關大眾傳播學者的研究生產力，從九份主要期刊中，[11]
分析 1980 年到 1985 年，所有文章的作者、職等與學校。單一作者獲得
1 分，兩位作者各得 0.5 分，三位作者則均分為 0.33，以此類推。在生
產力最高的 50 位研究者中（頁 483），Michigan State University 電訊傳
播系系主任 Bradley S. Greenberg 並未列名在內，對一位資深教授來說，
簡直是奇恥大辱，是可忍，孰不可忍。

　　美國學者也有官大學問大的毛病，以系主任之尊，又經常發表論
文，Greenberg 當然嚥不下這口氣，與 Schweitzer 切磋一番後，兩人聯名
在 1989 年共同發表了一篇題為 "'Mass communication scholars' revisited
and revised"的短文，決定不管共同作者有幾位，每一位作者各得 1 分，
亦即每人的貢獻一樣，而非如 1988 年的均分方法（Greenberg &
Schweitzer, 1989）。

　　重新計算分數後，毫無意外，Greenberg 由名落 50 名之外，一口氣
上升到前十名內。Greenberg 至少還有自知之明，他在文章中明白指
出，這篇翻案之作，無疑是為了自我／自尊心（egos），而且自私自利
（self-serving）。在臺灣，「互引文章推升排名」的亂象，也時有所聞
（何欣潔，2014 年 7 月 17 日）。

　　經過了幾十年後，如果 Schweitzer 與 Greenberg 之間的數豆子之
亂，除了短暫虛名外，這個學術生產力研究的歷史小插曲如果有任何現
實意義，說明的不過是，研究設計與統計方法不同，結果可能大異其
趣，有關的結論也會因此變異。

　　一個有關文獻與知識宣稱的教訓是，不同時比對前後兩篇文章，只
看其中一篇，忽略了 Mills 所說的旁徵博引（見第二章），一旦許多學
者各自接觸 Schweitzer 或 Greenberg 的文章，他／她們對大眾傳播研究

---

[11] 這九份期刊是 *Communication Research, Journal of Advertising, Journal of
Advertising Research, Journal of Broadcasting, Journal of Communication,
Journalism Quarterly, Newspaper Research Journal, Public Opinion Quarterly
與 Public Relations Review*。

學者的生產力與相關大學排名，認知上就會有所差異，至於何者才算是知識，可能也會爭執一陣子。

要馬兒好，但是馬兒不能不吃草。在臺灣過度尊崇 SCI 與 SSCI 期刊的偏差情境下，學者對論文的一般立場是，先求有，再求好，結果是，有了就好。一個數豆子的後遺症是，面對生存現實，學者為了在學術界守住一席之地，往往傾向兩害相權（論文發表或頂尖期刊）取其輕的策略，柿子挑軟的吃，研究品質難免走向中庸，甚至往下沉淪。

除了邀請稿件外，學術期刊與學者之間的關係符合經濟學供需理論的基本規則，這是期刊市場的邏輯運作，對學者的影響因為供給和需求的互動而異。

當供過於求時（稿件多於期刊的需要），稿件的價值低，在選擇邏輯上，期刊編輯必然站上風，寧缺勿濫，刊出的論文份量就高。畢竟，一期的期刊品質再好，也強不過其中一篇魚目混珠的論文。當供不應求時（稿件少於期刊的需要），稿件的價值高，在發表邏輯上，投稿學者無疑佔優勢，文章的份量卻不免要打點折扣。到底，期刊接受一篇過得去的論文，總比無米可炊來得好。

以 SCI 與 SSCI 期刊來說，我們不妨假定它們都有可取之處，而影響因子（平均被引用率）也可用來斷定期刊品質的高下。以傳播領域 2018 年的 SSCI 為例，期刊大約在 100 個左右（排除一些語言學期刊），根據影響因子的高低排列，再按四分位數（quartiles）可以區分為 Q1、Q2、Q3 和 Q4，每一等分有 25 個期刊。當然，影響因子不會一成不變，但也不至於巨大變動，例如，從排名 Q1 第一，劇降到 25 名之外，或更低。

Q1 的 25 個期刊涵蓋了不同領域所公認的頂尖刊物，包括 *Journal of Computer-Mediated Communication*，*New Media & Society*，*Political Communication*，*Journal of Communication*，*Human Communication Research*，*Journal of Advertising*，*Public Opinion Quarterly*，*Communication Theory* 與 *Communication Research* 等。客觀的「科學」數據為主觀看法

提供了一個鐵證，這些期刊的一級學術地位就不容爭辯。

　　從 Q1 到 Q4，不論觀感、事實或是否合理，期刊之間遂形成某種等級順序（pecking order），越往下，份量越輕。其中，新加坡的 *Asian Journal of Communication* 與香港的 *Chinese Journal of Communication* 幾乎不相上下，都排在 Q3 的尾端。純粹從 SSCI 的標籤來看，Q2 到 Q4 的 75 個期刊跟 Q1 的 25 個沒什麼兩樣，在數豆子時，SSCI 就是 SSCI，沒有豆子種類或大小之分。

　　事實上，前面的 25 個期刊與後面的 75 個，在稿源和審查兩方面大異其趣。由於聲望或權威，相對於其它刊物，一級期刊對好的稿件便具有第一輪取捨的優勢（有哪個學者會不想在頂尖期刊發表文章？），編審也相對嚴謹。因為粥少僧多，一級期刊難免有遺珠之撼，退而求其次，有些學者被迫在二級或以下刊物，尋求出路。再差的期刊也需要定期出版，並刊登固定篇數，即使被前一輪淘汰過，比較好的稿件終究會有地方發表。

　　從美國到臺灣，學術界也是弱肉強食的無情世界。如果一級期刊廝殺慘烈，學者的求生本能是，避免正面交鋒，並以量取勝，在 SCI 或 SSCI 發表一篇，便算一篇。在陳震遠的 60 篇論文[12] 被 SCI 國際期刊 *Journal of Vibration and Control* 撤銷前（見第八章），由學校當局，到學術界，再到他的同儕中，誰敢與爭鋒？對年輕學者來說，60 篇是一個相當可觀的數目，擲地有聲，多少讓人肅然起敬。

　　重賞之下，必有勇夫，其實也不缺投機取巧的人，學術界照樣不能免俗。不管如何，跟同事比起來，陳震遠的研究表現應該不錯，否則，他犯不著長期詐騙一個國際期刊。根據 Retraction Watch 的記載（2014年 7 月 8 日），從 2010 年到 2014 年，陳震遠掛名的 *Journal of Vibration and Control* 的論文共 39 篇，平均一年將近八篇，每一個半月就發表一

---

[12] 陳震遠與弟弟陳震武共掛名 59 篇，另外一篇的作者為 Chen TH, Chang CJ, Yu SE, Chung PY 與 Liu C-K，顯然不包括兩兄弟的英文名字（Chen CY/C-Y 和 Chen C-W）。

篇，速度與產量都相當驚人。

依國立屏東大學辦理科技部研究獎勵作業要點（2019 年 1 月），[13]
陳震遠一年的 SCI 積點數介於影響因子最低的 16 點（Q4 期刊），到最
高的 48 點（頂尖的 10%），全看當年是單獨作者或共同作者，以及期
刊影響因子的排名位置而定。點數越高，就表示產量或質量可觀。

不論是否正當，一旦二級或以下期刊被認為稿源有限，稿件的要求
因而不會太嚴謹，編審也比較寬鬆，拒絕率又相對低，學者很可能乾脆
繞過一級期刊，直接把好的論文投稿到其它等級的期刊，從而提高刊登
的機率與機會，只要有 SCI 或 SSCI 的標籤加持，就是正字標記（張茂
桂，2003，頁 7）。如果校方買帳，便是錦上添花了。雖然沒有直接證
據，國立彰化師範大學 107 年度（2018 年）獎勵 SCI 及 SSCI 期刊論文
質量統計表（圖 6.3），似乎是個佐證。

國立彰化師範大學 107 年度獎勵 SCI 及 SSCI 期刊論文質量統計表

收錄類別	2017 年 JCR 之 Journal Rank									單位：件	
	Q1					小計	Q2	Q3	Q4	小計	合計
	前 5%	6%-10%	11%-15%	16%-20%	21%-25%		26%-50%	51%-75%	76%-100%		
SCI	8	2	8	9	5	32	43	22	28	93	125
SSCI	3	3	1	4	2	13	12	4	4	20	33
合計	11	5	9	13	7	45	55	26	32	113	158

※另獎勵 THCI 期刊(2)、TSSCI 期刊(16)、專利(12)、專書(2)、章節(1)、及參加全國比賽得獎(2)

圖 6.3 國立彰化師範大學 107 年度獎勵 SCI 及 SSCI 期刊論文質量統計表
來源：取自 http://rnd.ncue.edu.tw/ezfiles/2/1002/img/657/161533745.pdf，
下載 2020 年 8 月 10 日。

彰師大 2018 年的教師人數為 570 人，假定 158 篇的 SCI 與 SSCI 期
刊論文都是不同作者，在兩種引用索引期刊裏，發表文章的人數佔全體
的 27.7%，稍高於四分之一。即使校方提供獎勵，其他的 72.3% 仍無動

---

[13] 我們無法得知屏東大學在 2014 年前是否有類似的獎勵辦法。

於衷，也許英文寫作能力不足，可能是研究題目不適合在國際期刊發表，或者堅持以中文分享知識（THCI 與 TSSCI），又或許是教學重於研究，甚至是不屑於玩一場數 SCI 與 SSCI 豆子的遊戲等，反正有更重要的事情做。

不管原因是什麼，在 SCI 和 SSCI 標籤下，彰師大的教授可以分為內團（in-group）與外團（out-group），其它公私立大學應也差不多。前者對大學的世界排名有所貢獻，又獲得校方獎賞，名利雙收，屬於既得利益的一群；後者就難說了，他／她們的學者身分與學術地位恐怕會混沌不明，說不定還被歸類為二等社區公民。

從圖 6.3 的內容看，我們可以得出幾個明顯的結論。第一，不論是 SCI 或 SSCI 期刊，彰師大的教授有能力在一級期刊（Q1），特別是頂尖的 5%到 10%，發表論文（28.5%）。第二，絕大多數（71.5%）的論文（SCI, 74.4%; SSCI, 60.6%）都刊登在二級（Q2）或以下期刊，尤其是 Q2（48.7%）。第三，雖然難以證明，一個合理的另類解釋是，由 Q2 到 Q4，這些文章若非是前一輪篩選過了，就是直接投稿。

換句話說，彰師大校方獎勵教授在 SCI 與 SSCI 期刊中發表論文，一個非預期後果或可能的副作用是，論文質量朝平庸或向下趨勢發展。圖 6.3 的數據顯示，大部分教授的知識技藝、研究能力與英文寫作，很可能難以達到一級期刊的規定，不然便是避免雞蛋碰高牆，採取對自己最有利的途徑，為發表而發表。結果，整體論文大量集中刊登在二級或以下期刊，某種水往下流的自然現象，而非學者力爭上游。

當然，英文國際學術期刊並非是臺灣學者論文投稿的唯一出路，許多中文期刊其實是他／她們的第一選擇。以母語傳遞知識，是學術本土化的必然走向。除了語言差異外，以中文發表的期刊論文品質，未必會不如以英文發表的文章。問題在於，文字不是學術好壞的標準，知識分享，也不應該受限於地區。以英文發表，臺灣與其它國家的大部分學者都有能力閱讀；以中文發表，參考的人恐怕會相對減少。

臺灣人的生活經驗——無魚蝦也好——應用到學術研究與期刊論文

發表，似乎也相當傳神。不管是否言過其實，或是既成事實，無論學者
喜歡與否，SSCI 期刊資料庫與相關數據，從 1973 年起，便是社會科學
公認的知識來源，影響所及，仿造的 TSSCI 應該相去不遠，前者如果是
大魚，後者便是小蝦米了。

TSSCI：無魚，蝦也好

　　過去幾十年來，美國和歐洲學術界對 SCI 與 SSCI 期刊資料庫與相
關數據，特別是影響因子，提出不少嚴厲批判與建設性意見，包括修改
統計公式與計算期間，甚至另起爐灶等，不一而足（見 Hernán, 2009;
Radder, Yankanchi & Gramapurohit, 2008; Watts, 2009），叫罵之聲此起
彼落，影響因子有如過街老鼠。

　　自然科學界的反彈力道尤其大，《科學》（Science）雜誌總編輯 Bruce
Alberts（2013: 787）就認為，影響因子的誤用極具破壞性，難免導致學
術界玩弄引用的測量機制，比起文章經常被引用的領域（如生物醫學），
影響因子不利於那些發表重要文章卻較少被引用的領域期刊（如社會科
學與生態學）。

　　Alberts 的顧慮不無道理，在構想與操作方面，影響因子的設計基本
上對社會科學期刊就存有先天偏見，非戰之罪。不論學術界、期刊和學
者個人再如何用心與努力，期刊被引用率的增漲幅度有限，除非編輯操
縱評審過程，設法膨脹數字。例如，Krell（2010）探討期刊編輯是否該
左右影響因子，還列舉了一些偏見引用，包括相互擦背（你引用我，我
引用你），或惡意引用（讓宿敵難堪）。

　　即使期刊編輯和作者都不會旁門左道，社會科學所探討的一些理論
性或比較抽象的題目，例如社會學的現實建構理論或政治科學的民粹主
義，通常跟一般人的日常生活沒有太多直接關係，實用價值偏低，可能
沒有什麼意義，影響也不大。曲高和寡，相對於能造成共鳴的自然科學
研究（如 2020 年的新冠肺炎疫情），社會科學期刊的引用率自然要低很

多。

以 2018 年的傳播期刊來看，*Journal of Computer-Mediated Communication* 排名第一，它的影響因子也不過是 4.896，跟 *Science* 雜誌 2018 年的 41.037，相差將近十倍，簡直小巫見大巫。當然，這是蘋果與橘子的比較，不同領域和不同期刊的對比，意義根本不大，其中有太多人為及非人為的因素，足以干擾影響因子的統計，例如增加分子的數目或減少分母的數目（Hernán, 2009）。

不幸的是，擁有 Web of Science 資料庫的是一家商業機構，以營利為目的，它的存在與運作，只對股東荷包與財務報表負責，不對學術界承擔任何責任與倫理，更別提要在影響因子的知識宣稱上確保信度和效度。即使到 2020 年，還沒有哪個期刊能確實複製自己刊物被 Web of Science 計算出來的影響因子。不能複製，就談不上是科學，也難怪科學界會感嘆被一個非科學、主觀與不透明的私人公司牽著鼻子走（Radder, Yankanchi & Gramapurohit, 2008）。

一個制度一旦形成，並滲透社會基層，成為日常生活的一部分，要想改變並不容易，除非連根拔起。例如，嚼食檳榔有害健康，臺灣街頭上的檳榔攤到處可見，五步一家，十步一間，泛濫成災，卻從來沒有哪個縣市的市長或市議員敢斗膽冒天下之大不韙，建議動手整頓。如此社會工程，茲事體大，影響所及不只是個人健康，更有社會就業問題，至少檳榔西施會群起反抗。

SSCI 期刊和影響因子也一樣，由 1973 年起，行之多年，早已深入學術界各階層。幾十年下來，從大學行政主管，到圖書館，再到學者個人，幾乎沒人不曉得兩者在教授聘用與升等上，以及對公認知識的擴散，所可能扮演的角色和作用，多少是過大於功。罵歸罵，大部分學者到頭來，卻都束手無策，任憑 SSCI 與 IF 繼續肆虐學術市場。

在臺灣，社會科學家對 SSCI 資料庫的運用、分析與批判幾乎也是各取所需。以篇名包含 SSCI 字眼，搜尋《臺灣期刊論文索引系統》，從 2000 年到 2015 年，共有 28 篇文章涉及 SSCI。一些學者把 SSCI 期刊

論文當作數據來源，探討自己領域內的研究趨勢，不管是否站得住腳，等於直接認可 SSCI 在相關學門的學術地位與知識權威。

　　反對賦予 SSCI 如此地位的大有人在，用字遣詞，也毫不留情，尤其是針對學術評鑑獨尊 SCI 與 SSCI 的僵化思維。例如，《臺灣教育評論月刊》於 2011 年 12 月 1 日，以「學術評比」為主題，發表了 13 篇文章，從不同角度批判 SCI 與 SSCI 對臺灣學術界的禍害（見游家政，2011）。吳清山（2011，頁 6）就指出，這種情形「造成人文及社會科學領域專書的萎縮，已形成學術研究發展的危機」。危機，未必是轉機，也許萬劫不復。

　　危機自然發生在本土，其中以對知識生產的戕害為最大衝擊。既然於理（知識生產）於情（本土語言），獨尊 SSCI 期刊都難以令人信服，從行政管理的角度看，一個權宜變通的辦法是，臺灣訂定一套自己的遊戲規則，TSSCI（與 THCI）也就於 2000 年應運而生，[14] 一種跟現實妥協的阿 Q 作風，一方面，為尾大不掉的 SSCI 找個下台階，另一方面，設法滿足反對 SSCI 期刊學者的出版需求。

　　木已成舟，TSSCI 是既成事實，更運作了有一段時間，再追究起因或歸罪責任，意義不大，恐怕也無濟於事。繼 SSCI 的批判後，《臺灣教育評論月刊》於 2013 年 11 月 1 日，以「TSSCI 問題檢討」為主題，透過 11 篇文章，同樣檢視 TSSCI 在研究上對大學與學者的影響。當大學和學者都缺少獨立自主的執著，天下烏鴉一般黑，學術墮落的趨勢也許不至於太明顯，但無可避免。

　　如果 SSCI 是大惡，TSSCI 便是小惡了。郭明政（2005，頁 153）倒是認為，兩者之惡其實不相上下，都是一種文化大革命的「學術大屠殺」。在 2010 年，他擔任政大法學院副院長時更指出，「國際間重要的學術資料庫『SSCI』是一個三流資料庫，消滅臺灣學術界的多樣性」。[15]

---

[14] 有關 TSSCI 的演變史，參見楊巧玲（2013）與符碧真（2013）。

[15] 取自《自由時報》，〈政大教授批 SSCI 消滅學術多樣性〉，https://news.ltn.com.tw/news/life/breakingnews/431945。

這番話不免自相矛盾，如果 SSCI 是一個國際間重要的學術資料庫，又如何是三流？它又如何消滅臺灣學術界的多元？

郭明政於 2018 年出任國立政治大學校長，無風不起浪，他十多年前的斷言應是有感而發。教育部於 2003 年公佈 SCI、SSCI 與 EI 期刊論文的統計評比，儘管政大的 SSCI 在全國排名第五，但依據三類總計，卻落在第 48，引起一些政大教授質疑評比的適當性和公平性。不管如何，郭明政有點危言聳聽，從 2005 年起，沒有什麼客觀證據可以明確顯示，SSCI 和 TSSCI 給臺灣學術界帶來有如中國文革式的一場浩劫，無法逆轉。

在學術研究與知識宣稱方面，乞丐（外來期刊）趕廟公（本土期刊），當然令人難堪，更是局外人排擠局內人的霸道，對稍有尊嚴的學者來說，簡直是不可忍受的屈辱。從兩個現象似乎可以看出，SSCI 與 TSSCI 之間一直存在某種失衡的緊張關係，相關後遺症很可能因為制度化的結果，而治絲益棼。

第一，雖然缺少全面證據，我們有理由相信，在學術市場的競爭壓力下，為了虛幻的排名與實質的研究經費，臺灣的公私立大學大概很少有學校不會訂定 SSCI 與 TSSCI 期刊論文的獎勵辦法。對外，白紙黑字的條文，有憑有據，可以展現學校追求所謂「卓越或頂尖」大學的氣魄；對內，一紙行政命令，可以規範教授聘任或升等的進退依據。兩者折衝下來，各種弊病便盡在其中（見周祝瑛，2013）。

第二，論文寫作與語言選擇，雖然是學者能力表達和自發的行動，但也免不了受到無形聲望及有形價值的誘惑，導致判斷上的認證偏差，例如，投稿到國外 SSCI 期刊的數量遠大於國內的 TSSCI。以彰化師大 2018 年的 SSCI 與 TSSCI 期刊論文數目（圖 6.3）為例，兩者數量不成比率，前者（33 篇）正好是後者（16 篇）的兩倍。土和尚（TSSCI）無疑比不過洋和尚（SSCI），如果其它 100 多個大學都有類似情況，差距會更可觀。

除了語言不同外，TSSCI 的弊病大致是 SSCI 的翻版，所有 SSCI 期

刊引起的結構性偏差，多少都可能在 TSSCI 期刊裏被複製。在外在方面，TSSCI 把所有學術期刊一刀切過，區分為兩類等級：核心和非核心期刊。核心，當然是一個學門的重要期刊，集最新研究與知識於一堂；非核心，就是外圍了，難免會被貼上「二流或不入流」的標籤，可有可無，食之無味，棄之可惜。

從 SSCI 到 TSSCI 期刊，就相關效應來說，一個讓臺灣教育與研究行政主管（教育部和科技部）與大學校方抱著不放的根本原因是，所有數據都是看得到的事實，也拿得出科學數據支持，誰都無法狡賴或狡辯。任何東西，只要能够量化，就可以排名。排名，便是由上往下，一路分高低。我高你低，即是孰優孰劣了。

在臺灣學術界，還有什麼比大學排名的起伏，特別是世界大學排名，會讓眾多教授感到與有榮焉，或無地自容？對大學校長而言，排名更是緊要，幾乎關係他／她個人的治校能力與外在形象，只要在世界大學排名裏連升幾名，甚至躋身百大之內，便是值得大肆張揚的功績。這種追求量化數據的表相完全無視深層的質化內涵，也本末倒置，或時空錯亂。

所有的政治都是在地（All politics is local.）才算數，不論是公民、市民或選民的身分，一般人民關心的事，永遠跟自身利益與生活周遭的問題牽扯不清，行有餘力，或許還會留意本地以外的國事與天下大事。排名也脫離不了本地的意涵價值，跟政治一樣，所有的大學排名都是在地的。除了自我安慰或吹噓外，世界排名其實毫無實質意義。

所有的排名都是在地的

香港城市大學位在九龍塘，屬於城鎮型大學（urban university），校園不算大，緊臨地鐵站，靠著一條地下通道連接到一座大型商場「又一城」（Festival Walk），出了地鐵站，走幾分鐘，就到校園了。校長郭位是臺灣中央研究院院士，在 2008 年從美國應聘到香港。

　　郭位出任校長後，致力推動提升城大在世界大學排名裏的位置，而且立竿見影，排名迅速竄升。在 2012 年 QS World University Rankings（QS 世界大學排名）公佈全球頂尖 500 大學後不久，城市大學的網際網路首頁出現一則簡短聲明，「全球大學評比城大躍居第 95 名」，字體相當大，底下的英文小標題是 QS 世界大學排名的成功。任何人只要到訪大學網站，大抵會肅然起敬，至少會印象深刻（見圖 6.4）。[16]

　　香港城市大學對世界大學排名的重視程度，簡直令人難以置信。我到香港後，城大報告了 2009 年的世界大學排名，由 2008 年的 147 名，上升到 124 名，超越了 23 所大學，速度驚人。就世界大學排名的快速變動看，城大從 2011 年第 110 名晉升到 2012 年第 95 名，一年內連升了 15 名，又登上世界百大，表現確是讓人刮目相看，值得昭告天下，校方也當然趁機張揚。

圖 6.4　全球大學評比城大躍居第 95 名

---

[16] 除了 QS 世界大學排名外，英國《泰晤士報》與中國上海交通大學也各自公佈世界大學的學術排名。

　　不過，稍為留意的人都會發現，城大對世界大學排名採取選擇性的運用，往往只公佈對自己有利的數據。例如，校方報告了 2009 年與 2011 年的排名數據，卻略過 2010 年，原因自然是大學由前一年的 124 名，跌落到 129 名。在 2012 年後，城大 2013 年的排名又掉到百大之外（第 104 名），校方當然不會說了，畢竟有時沈默是金。

　　QS 世界大學排名 2012 年也公佈創校不到 50 年的世界大學排名，香港城市大學列名第九。校方當然不會錯過吹噓的機會，在校園與又一城商場之間的通道，貼出很大一幅海報，向來往的學生、教職員和訪客，宣稱「我們在過去 50 年創校的世界頂尖大學中排名第九」（圖 6.5），其它沒有任何說明。

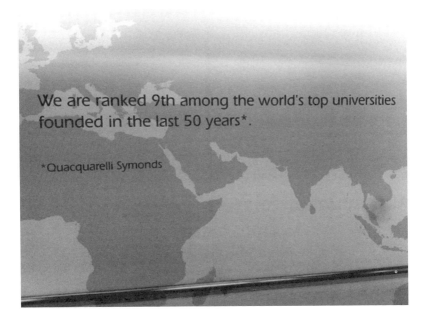

圖 6.5　城大在過去 50 年創校的世界大學中排名第九

來源：作者拍攝，2013 年 9 月 27 日

　　這個海報留下幾個疑問：過去 50 年創校的大學有什麼重要性？年輕就厲害嗎？誰都知道薑是老的辣。排名第九又怎樣？它對香港、家長與學生有什麼意義？

　　不管如何，城大校長郭位持續推動各種教學與研究措施，力求提高大學的世界排名，包括引起爭議的手段（例如，2017 年虛報學生實際人數，從而分子減少，分母不變，師生比例降低，教學互動高），結果 2018 年城大的世界排名升上世界 50 大（第 49 名），到了 2019 年跌到 55 名，但是仍然與香港大學、香港科技大學與香港中文大學，列名世界百大（張美華，2018）。能與其它三所大學在世界百大裏平起平坐，看起來相當風光。郭位的做法並非絕無僅有，在美國，不少大學其實也透過全職教員的定義與計算方式，從而改變師生比，影響大學的評鑑（Childress, 2019）。

　　郭位對大學排名的一個盲點是，無視現實，也可能是拒絕面對。作為校長，他完全忽略大學與社會之間的基本遊戲規則，無論是觀感或實際效應，所有的大學排名，就價值與意義來說，只有在本地才有份量，特別是它們在香港的聲響和地位，在申請大學入學時，如何幫助家長與學生排除選校和選系的不確定性。

　　一個不爭的事實是，不管在臺灣或香港，大概沒有任何一個高中畢業生在選擇大學時，會以世界排名作為依據底線或出發點，而不考慮它們在本地形成的歷史地位（師資和經驗）與現實作用（就業與深造）。一試定終身，萬一錯過了機會，對學生或家長，都是難以忍受的遺憾。

　　香港有八所大學接受大學教育資助委員會（University Grants Committee）資助，等於是臺灣的公立大學，簡稱「八大」：香港大學、香港中文大學、香港科技大學、香港城市大學、香港理工大學、香港浸會大學、嶺南大學與香港教育大學。儘管與港大、中大及科大在幾次世界大學排名裏，都同列百大，一個公認的事實是，在香港的「八大」裏，城大最好的在地名次是第四，也就是中庸。

　　全球百大，無法改變城大在地的中等形象，其實也無助於校長郭位

的個人排名。例如，臺灣中央研究院 2016 年院長選舉，郭位是三位候選人之一，在評議會 4 月 16 日的投票中排第三。新聞見報後，郭位於 17 日發表聲明，退出院長遴選，並以「日暮鄉關何處是，煙波江上使人愁」，表示對「臺灣的政爭如野草蔓延無所不在，令人憂愁」（中央社，2016 年 4 月 18 日）。在排名殿後再退出選舉，郭位有理由強説愁，但多少留下一點酸葡萄的印象。

因為臺灣政壇上的藍綠惡鬥，郭位的確處於尷尬局面。一方面，他曾應當時總統馬英九邀請，到總統府暢談核電政策，被認為是「馬友友」（兩人是建國中學 1968 年同屆畢業生）。另一方面，由於在香港「佔中運動」期間不表態支持城大學生的參與，還被貼上「親中」標籤。儘管有點阿 Q，在裏外不是人的難堪情況下，除了退出中研院院長選舉，以保持一點顏面，郭位大概沒有其它選擇。

在香港，城大的世界百大排名，對郭位在大學校長中的排名也幫助不大。以 2016 年香港大學民意研究的調查來説，郭位在九所大學（加上公開大學）校長裏，排名第六，列在中文大學沈祖堯、科技大學陳繁昌、香港大學馬斐森、教育大學張仁良與理工大學唐偉章之後，亦即中等以下（見《大紀元時報》，2017 年 2 月 7 日）。

從機構到個人，無論是想像或實際上，香港城大的世界排名與校長郭位的在地排名很難説有邏輯關係。一個顯而易見的教訓是，世界大學的排名無關校長個人的聲望。情境既然不同，意義也就有所差異。任何大學在全球與本土的價值，不管是人為或自然形成，並非可以直接劃上等號，或由外在的大層面轉移到內在的小層面。簡單説，大學排名世界百大，不必然就表示校長的地位會跟著水漲船高。

儘管如此，臺灣的一些大學相當在意世界排名，特別是對學校結構性改變後的影響。捨近求遠，它們似乎以為只要擠進世界百大，大學的社會地位，不管是實質或觀感，就會連帶的提升本土排名。其實，這是無可救藥的盲點，完全無視一個難以否認的事實：如果有意義，任何大學排名都是在地的。遺憾的是，世界排名往往是大學校長念茲在茲的大

事，因為即使是雞頭，也比牛後來得好。

　　例如，臺灣科技大學、雲林科技大學與屏東科技大學原本在 2019 年推動「史上最大合併」計劃，由於臺科大 2021 年 2 月新舊校長交接，合併案暫緩。其實，有些臺科大教授反對合併，認為「合校後世界大學排名將因平均值拉低而下滑，因此不能接受」（《自由時報》，2020 年 6 月 14 日）。以世界大學排名下降，作為反對併校的理由其實很牽強，也很短視，對本土的學生和家長其實沒有任何意義。

　　三校是否合併，並不重要，重要的是，以世界大學排名的變化，而非臺灣社會因學生人數減少（少子化）帶來的資源分配難題，作為併校的考量因素，顯然本末倒置，甚至走火入魔。世界大學排名不應主導臺灣本土的現實需要，反其道而行，突顯的只是，在相當程度上，學者的批判思維多少已經受到人為量化數據的干擾，不切實際。就算合併後的大學在世界排名上不下滑，它的在地排名可能也沒有多大提升的空間。

　　以 2021 年 QS 世界大學排名來看，國立臺灣大學排第 66 名，是臺灣唯一進入世界百大的大學，至於國立清華大學（168）、國立成功大學（234）、國立交通大學（240）與國立臺灣科技大學（267）全遠落在百大之外。國立政治大學更是列在 581-590 名的區間，連世界 500 大都算不上。不管如何，沒人敢說這些大學不是臺灣的頂尖大學，尤其是政大，在人文與社會科系中，它是很多高中畢業生的首選。

　　大學追求世界排名，是無可救藥的偏差。因為數字具有一種孰優孰劣的價值，可以用來代表學術地位高低與治校成果，對學校的管理階層，特別是校長，就有某種致命的吸引力。捨近求遠，他／她們往往相信，只要晉升世界百大，大學的社會地位，不管是實質或觀感，就會相對高漲，連帶提升本土的排名。他／她們忽略的是，名次不是大學本身的屬性，而是外在附加的價值。既然是附加，它便可以人為操控，一如期刊的影響因子。

　　以 QS 世界大學排名為例，它的大學評鑑方法包括幾個項目：學者調查、僱主聲望調查、師生比例、論文引用率、國際學生比率和國際學者比率。學者與僱主的問卷調查沒有客觀依據，但大學可透過大規模的公共關係活動（在學術會議舉辦接待會或在議程上刊登廣告），以塑造形象。

　　其它的客觀指標也不難操縱，例如，為了提升大學的整體研究表現，香港城市大學校長郭位在 2008 年上任後，就辭退許多以教學為主，但不從事研究的講師。這些講師算是教員的一部分，在論文發表上卻毫無貢獻，因此即使分子（論文發表數目）維持不變，只要分母（教授人數）明顯減少，論文的引用率自然相對提高。

　　至於論文引用率看似客觀，其實內建結構並不全然公平，以收錄於主要資料庫（Scopus 或 Thomson Reuters）的英文期刊為數據來源，先天上就不利於非英語系或低開發國家的學者。畢竟，他／她們的英文寫作能力再好，也比不過英文是母語的學者，論文投稿到英文期刊的競爭力，以及發表後的被引用機會，便難免打折扣（Sancho, 1992）。

　　不幸的是，在臺灣以中文教學的大環境裏，學術研究的發表卻以英文為導向。一個後遺症是，過去多年來，大學盲目獎勵教授向國際期刊投稿，形成獨尊 SCI 與 SSCI 的偏差現象，造成學術界「衝論文點數」的亂象，下焉者為求生存不擇手段，難免導致 2014 年陳震遠、陳震武兄弟論文造假的醜聞（何欣潔，2014 年 7 月 17 日）。

　　即使教育部三令五申，禁止重量不重質的研究缺失，一般學者看重的顯然是大學排名與期刊的影響因子，論文裏的知識宣稱對文獻或學術界的影響如何，可能還在其次，而且也很可能侷限在某些特定的學術社群中。例如，前臺大醫院腎臟科主治醫師高芷華擅長看病與教學，卻因為未能達到內部升等的研究規定（國家型計劃主持人項目），被迫黯然離職（程晏鈴，2017）。象牙塔裏的世界多少脫離現實，大學教授又受學術自由的保障，自成一個格局。

　　至於在日常生活中誇大其詞的知識宣稱，特別是學者針對社會現

象，透過新聞媒介公開提出的，雖然是另外一回事，卻也不能等閒看
待。不論任何層面，提出虛假或不實的宣稱，就涉及學術倫理的問題。
在相當程度上，知識宣稱表明學者對知識與真理負責，語不驚人死不
休，就飛象過河了。

第七章

知識宣稱：語不驚人死不休

知　識宣稱（knowledge claim）的簡單定義是一種研究發現或結論（Metcalfe, 2006），在社會科學研究中，主要是學者在觀察、分析與解釋或詮釋事實後，確定現實世界裏的社會現象是真的，並具有明確特質，而提出的宣稱。知識宣稱是社會科學研究者取徑的主要元素之一，其它要素是研究策略與方法，代表學者對外在世界的公開看法。

不管是量化或質化，除非不公開發表，或是學者功力不夠，難以從實證層面（事實）提升到抽象層面（理論解釋），任何學術研究都會導致知識宣稱，亦即研究產生新的公開／公眾知識（public knowledge）。簡單說，知識宣稱基於學術倫理，學者堅信他／她的研究發現是真實的，數據、分析與解讀都可以公開被檢驗、討論與辯證，從而透過期刊或學術會議的管道，把結果攤開在陽光下。

依 Cozzens（1989: 440）的看法，在科學研究中，論文出版是種武器，科學家們用來說服彼此的宣稱效度，以建立學術社群裏的主宰地位。出版本身就是科學家在推介自己的知識宣稱，盡一切可能為宣稱辯護，並在策略上定位與其它知識宣稱的關係。這種知識宣稱一旦從學術界擴散到社會的其它層面，外溢效應的作用難以估計。

在日常生活中，事實、科學理論與科學研究對許多人來說，都跟他

／她們的世界觀相互矛盾，甚至是無關痛癢。[1]他／她們跟現實世界的接觸與理解未必完全由理性主導，很大一部分出自感性，尤其是一種寧可信其有不可信其無的微妙心態。

例如，國立陽明交通大學正門口有一座小土地公廟，每年研究所報考或甄試時，甚至是期中或期末考前，香火鼎盛，不少學生都會帶著幾罐仙草蜜飲料（傳說以六罐最受土地公喜愛），到廟裏參拜。合併前的交大以理工科見長，學生都受過相當的科學訓練，多少會理解考試好壞取決於個人的準備程度，無關土地公是否保佑。而且，他／她們不會嘗試以理論解釋兩者的相關性，更別提要實際做過驗證。

其實，依據 Peter Berger 與 Thomas Luckmann（1966: 27）的論點，在任何社會中，只有少數人會致力於理論化（theorizing）的工作，或關注「世界的理論化解釋」（theoretical interpretation of the world），但是每個人都生活在世界裏，也置身於其中的知識領域。換句話說，一般人很少從事社會科學的調查研究，個人經驗也相當主觀與片面，尤其是日常生活中被認為理所當然的常識，他／她們對社會現實的知識，通常有賴學者的研究報告，特別是新聞報導。不幸的是，學者在新聞中隨口提出的知識宣稱往往經不起檢驗（見第二章），尤其是選舉期間的話語。

高雄市長韓國瑜於 2020 年 6 月 6 日，被將近 94 萬（939,090）選民罷免，除了跨過法定門檻（574,996 票），更打破 2018 年 12 月他當選市長的 89 萬票。韓國瑜成為第一位被罷免的市長，創下臺灣民主政治史上的先例。他的興衰提供了一個檢驗知識技藝、學術與社會三方面互動的現實例子，不僅有意思，更有意義。

韓國瑜興起於 2018 年，代表中國國民黨空降高雄，一舉擊敗對手民主進步黨候選人陳其邁，翻轉過去 20 年高雄政壇被民進黨宰制的局

---

[1] 葉日武的看法正好相反，他認為我們每天都生活在理論中而不自知，見葉日武（2020）。

面，甚至擊碎最後 12 年陳菊市長留下的所謂南霸天神話。一個值得探討的難題是，在不到兩年期間內，為什麼高雄選民可以把韓國瑜推上神壇，又毫不留情面的拉他下馬？

若以成敗論英雄，韓國瑜在政壇上大起大落，到頭來，他當然是最大輸家。2020 年 1 月 11 日總統選舉時，他的全國得票數（552 萬，38.6%）慘敗給現任總統蔡英文（817 萬，57.1%）。高雄市長做不到一年半，他又以歷史高票被選民掃地出門。韓國瑜自然難辭其咎，幫他敲邊鼓的學者可能也得面壁思過。

從中央到地方，韓國瑜雙雙被臺灣人民封殺，連帶受損的是一些支持他的泛藍學者的學術信用與名聲，最難堪的應該是胡幼偉。在總統選舉投票前一天（2020 年 1 月 10 日），他信誓旦旦的透過臉書指出，根據他的分析，韓國瑜一定會大贏蔡英文，當選總統。事實證明，韓國瑜大輸，胡幼偉也錯得相當離譜。

從言論自由的角度看，胡幼偉當然可以胡說八道。難以想像的是，他往往以學術理論和數據支撐自己的分析及結論，其中最大的毛病是，他提出的知識宣稱，經常語不驚人死不休，犯了學術研究的大忌：誇大其詞。他的證據其實很薄弱，他的推斷卻是驚天動地，幾近信口雌黃。

胡適說過的一句話——「有幾分證據，說幾分話。有七分證據，不能說八分話。」——顯然對胡幼偉毫無任何啟示，他也似乎不曾從自己從政的經驗中吸取教訓，Mills（2000）強調的以歷史與反思指引學者的言行，更可能起不了什麼作用，尤其是他以現代孔明自居。

現代孔明：胡幼偉借箭[2]

學而優則仕，一直是臺灣學者更上層樓的途徑。良禽擇木而棲，無

---

[2] 本節部分內容改寫自張讚國《民主、民意與民粹：中港台觀察與批判》，最早版本發表於《NOWnews》「今日論壇」（2012 年 10 月 8 日），不代表《NOWnews》立場。

可厚非。學者從政，算是鯉躍龍門。問題只在於，多年躲在象牙塔裏面的學者，即使滿腹經綸，只要他／她們脫離現實太久，難免英雄無用武之地，特別是那些不知知識份子所為何事的學者（大學教授不等於是知識份子）。在衣冠城（2020）看來，「學術與政治是兩套不同的邏輯，彼此扞格不入，不僅學者涉足政治必須警醒，社會對於學者從政也必須一樣保持戒心」。

胡幼偉便是如此一個不知儆醒的學者典型，以他的學經歷，當一個大學教授，綽綽有餘。不幸的是，橘越淮而枳，他不是從政的料，既缺乏政治智慧，又不具知識份子有所為與有所不為的操守。在從政期間內，學者墮落的所有毛病，似乎都出現在他身上，一應俱全，簡直晚節不保。

胡幼偉 1987 年取得國立政治大學新聞研究所碩士學位，1992 年獲得美國南伊利諾州大學新聞系博士，曾任民生報記者與師範大學大眾傳播研究所教授。2012 年 5 月，他應邀出任行政院發言人，10 月間，因師生戀醜聞，辭去職務，是行政院任期最短的發言人（140 天）。學優則仕，對他來說，無疑此路不通。

作為行政院發言人，胡幼偉因為 2012 年 9 月 29 日在臉書上發表有關 iPhone 5 的言論，惹起不少塵埃。他卻沾沾自喜，除了自比孔明借箭外，又暗示自己對臺灣尚存「白色恐怖」有先見之明，無疑把個人麻煩，轉化為社會問題。人在江湖，身不由己。胡幼偉在公門，私見之傲慢，竟也大言不慚，拿明朝的劍斬清朝的官。

胡幼偉顯然讀過不少文獻，至於他是否比得上諸葛亮，並不重要。誰都可自抬身價，拿古人墊底，讀書人多少有此傾向。他出任發言人時，以「為師的」口吻，在臉書上教訓師範大學的徒子徒孫，自我感覺良好。把外界對他的評論與「白色恐怖」相提並論，就有點讓人如讀諸葛亮的〈出師表〉，臨表涕泣。

跟任何人一樣，胡幼偉是自由人，只要不煽動明顯而立即的危險，當然可以胡說亂道，甚至自曝其短。提出「白色恐怖」的比擬，胡幼偉

似乎還擺脫不了中國國民黨「黨國體制」的陰影，對臺灣那段慘痛的歷史和經驗，不僅沒有常識，更欠缺知識。簡單說，他把臺灣早期一整代人為自由民主的奮鬥犧牲，簡約成替自己輕浮言論的辯白。

如果胡幼偉只是一個升斗小民，或是躲在象牙塔裏的一介書生，很多人大概不會在意他說些什麼，又如何說。臺灣的臉書使用人數已超過一千萬人，多一個或少一個胡幼偉，眾聲依然喧嘩。即使他是孔明轉世，三個臭皮匠照樣勝過一個諸葛亮。

當年，臺灣有能耐買得起 iPhone 5 的，不會是少數幾個人，胡幼偉是不是愛瘋了，別人大可不必弄皺一池春水。如果以手機品牌來斷定一個人是否愛國，這樣的愛國不免太廉價了些。從政府高官到普羅大眾，由汽車到日常生活用品，哪個人家裏沒有一點外國貨可以拿出來炫耀一番？

胡幼偉的偏差在於，他弄不清發言人的角色有前台和後台之分（Goffman, 1959），兩者都各有行為分寸與規範。正因為是發言人，代表官方言論，他的一言一行都會受到注目，特別是前台的舉止。他把 iPhone 5 貼文與行政院「經濟動能推升方案」掛鈎，或許用心良苦，卻是強詞奪理。發言，不在製造話題，或節外生枝，尤其是以莫須有的話語，模糊了焦點。

胡幼偉多少也會反思，他說，「自己身為行政院發言人，必須運用所有的傳播技術」，來引起大家對政策的注意力。臉書，自然是途徑之一，任何人在批評他之前，胡幼偉希望他／她們先看「經濟動能推升方案」，如此他的目的就達到了，毀譽不計。古代孔明的稻草人可以裝模作樣，現代行政院的發言人，怎麼說，都不該胡言亂語。

問題是，一般人在看了胡幼偉的臉書貼文後，真會就想要「看一下」方案？政策宣傳如果那麼輕而易舉，許多傳播／公共關係理論或許都得改寫了。至少，reception 理論和一些實證研究都認為，胡幼偉臉書所希望傳遞的（看一下方案），跟看他貼文的人所可能解讀的（他胡說些什麼），根本是兩回事，至少沒有一對一的直接關聯。

　　就算是後台或私下的一些個人呢喃，包括胡幼偉在臉書上（其實這已是公開的平台）抒發的感受，也可能由於他具有發言人的頭銜，而從後台被搬到前台，甚至被新聞媒體擴散或誇大，更何況他自喻是孔明借箭，一個歷史故事的連結使得他的作為更加生動。亂箭穿心，確實咎由自取。

　　「草船借箭」的荒唐比喻，如火燒赤壁，終究煙飛灰滅。遺憾的是，胡幼偉不僅胡說，更是胡來，指名道姓，公開宣告師生戀的對象，不顧師道倫理與他人隱私和尊嚴。在接受媒體訪問時，他的辯解豈止軟弱無力，簡直自欺欺人，罔顧千夫所指。士大夫無恥，莫此為甚。為避免師生戀可能帶來的公私困擾，胡幼偉辭去行政院發言人的職位，總算還有自知之明。

　　由胡說到胡來，胡幼偉的毛病在於，不管是政府發言人或大學教授，他根本弄不清舞台前後的分別，以及兩者之間因場域轉換，所引發的角色改變與可能產生的不同後果。前台和後台混淆，打亂了應有的遊戲規則與場域間的實際或象徵界線，是後現代社會裏感性壓倒理性的癥狀之一。

　　去掉了發言人的頭銜，胡幼偉即使再空口說白話，都與政府的形象無關，任何人大可不必落井下石。無論自願或被迫，去職都是對他的能力與智慧的一種難堪的判定。從官場到教室，他重回臺灣師範大學的教職，卻不容他以似是而非的觀念胡來。

　　胡幼偉在接受媒體訪問時說，他和師生戀的對象已經不再有論文指導教授和研究生的關係，因此沒有倫常的問題，更何況戀情屬於私領域，其他人用不著說長道短。表面上，這段辯白理直氣壯，胡幼偉跟他的學生都是成人，別人的確管不到他與她的兒女私情。下了課，單身的大學教授跟其他人無異，七情六慾是再私人不過的家務事。

　　深一層看，胡幼偉的解說經不起仔細推敲。他自詡是研究政治傳播的學者，卻顯然不理解政治傳播的理論和實務，特別是他在美國學的那一套，基本上忽略了文化批判理論裏所強調的權力關係，和力量對人際

溝通的影響。他當發言人的失敗，部分原因是把雞毛當令箭，硬是把自己從配角變成主角。配角當然可以粉墨登場，但不該越位，讓主角灰頭土臉。

教授和學生不光是師生的地位，更是一種權力不對稱的人際關係。不論是實際或想像的，前者在某種程度上對後者操有「生殺」大權，例如分數的評定、升學或就業介紹信的書寫與否、獎學金的推薦或助教和研究助理工作的安排等，都多少牽涉學生的利益。不管理由再如何正當，大學師生戀在法律和倫理上都屬於禁忌，有時跟性騷擾只是一線之隔（彭秀玲、黃囇莉，2017）。

也就是說，師生戀的一個前提是，學生在相當程度上仰賴教授的鼻息，至少「為師的」可以借討論功課為由，隨時召喚學生，尤其是自己指導的研究生，到辦公室來切磋學業。甚至像胡幼偉一樣，在下課或下班後，打電話給特定的女學生訴說心情，抒發鬱悶。很少學生會拒絕教授的青睞或糾纏，更何況是誇稱「讓人愛到不行的胡教授」。

一般辦公室裏的戀情，只要不是婚外情，嚴格說，不值得大驚小怪。潛規則，尤其是涉及人事升遷與工作評鑑，必然是倫理問題，因為並非辦公室裏的所有人，都被一同看待。在大學校園裏，師生之間一旦發生男歡女愛的糾紛，由於權力不均等，受害的往往是學生，除了倫理，還可能多了一層法律問題。在這方面，胡幼偉缺少的不但是日常生活中的信仰倫理，更是嚴肅的責任倫理。

不談權力的不對稱，胡幼偉似乎不在意，更也許是無知，一點都不了解，前台和後台不分，是造成他進退不得的困境。授業解惑，是教授在前台上無可推諉的職責，盡可「風趣幽默、言語犀利」；男歡女愛，是後台的私情。兩者有別，一如臥房裏的事，不能在廚房或辦公室裏恣意而為。

近水樓臺先得月，教授一旦透過前台的身分，取得進入後台之便，一親芳澤，那就不是解除論文指導關係，或以當事人都是成年人的口實，可以輕輕一筆帶過了。胡說，只是話語；胡來，是行為，便茲事體

大。胡來而不認錯，是學者既傲慢又墮落的可悲行徑。也許是輕慢慣
了，胡幼偉寫起文章，更是天馬行空，特別是評論臺灣 2020 年的總統大
選。

鋼鐵韓粉：900 萬的迷思[3]

在 2020 年總統選舉期間，胡幼偉自己公開宣稱，他是臺灣對韓國瑜
研究最透澈的學者，無人能出其右。根據一項民意調查結果，他於 2019
年 7 月中指出，韓國瑜的鋼鐵粉絲——忠心不二的支持者——人數在
900 萬上下。胡幼偉說他是研究政治傳播的專家學者，對民調有相當知
識與經驗。言下之意是，他的知識宣稱不容質疑，也不怕挑戰。

如果胡幼偉的估計有效，韓國瑜沒有道理在投票當天，以懸殊比數
輸給蔡英文總統。他的宣稱基於兩個假定，而且都必須站得住腳，第
一，民意不會輕易變動，特別是不受外在事件的影響；第二，臺灣的民
調結果在信度和效度上，都經得起實際檢驗。事實是，這兩個前提都有
問題。

跟胡幼偉一樣，國民黨總統候選人韓國瑜市長顯然也相信，他的粉
絲遠超出一般人的想像，多到民意調查難以掌握。韓國瑜在 2019 年 11
月 18 日指出，民主進步黨傻傻的只相信民調，卻不知得民心者得天下。
弦外之音是，民調不等於民心，蔡英文或許在民調上獨領風騷，他倒是
盡得民心。

韓國瑜或許沒有胡幼偉的知識技藝，也不會搬弄學術用語，他對民
調的看法其實有點道理，至於他是否得民心，則是另外一回事。事實
是，民心最後也棄韓國瑜而去。民調非民心，不僅是字面的概念不同，
操作起來也不易畫上等號。

---

[3] 本節部分內容最早以「贏民調，失天下？」為題，發表於《風傳媒》（2019
　年 11 月 25 日），本書經過改寫，不代表《風傳媒》的立場。

投票，是全民調查的行動表達，更是驗證臺灣民意或民心歸向的唯一明確指標。2020 年 1 月 11 日總統大選後，韓國瑜先失民調（總統選舉失敗），再失民心（市長被罷免成功）。不過，民調都只是一種抽樣調查，在投票十天前的任何預測都不可盡信。盡信民調不如無民調，因為太多時空變數難以掌握。

臺灣的民調如果可信，借用香港人常說的話，「警察如果可以相信，母豬都會上樹」。香港人當然不會稱警察是豬，頂多是黑警而已（只有前臺灣警察大學教授葉毓蘭會相信香港警察是維護法治與自由民主的英雄）。臺灣的民調專家和學者自然也不是豬，他／她們只是有一個致命的共同盲點，篤信民調等於民心，忽略了兩者根本有很大的差別。

從 2018 年的六都和縣市長選舉結果看，所有封關民調沒有一個能準確預測主要候選人得票數的落點。換句話說，投票的選民與民調的選民分屬於不同群體。這個現象應讓民調專家和媒體引以為戒，候選人更不該唯民調是從，在落敗後質疑投票做假。有些人會提出美國 2016 年總統選舉川普贏得大位，堅持民調不可靠。兩者都是對民調的誤解。

民調絕對有誤差，即使是隨機抽樣，只是大小而已。以美國 2016 年總統大選結果來說，因為川普民調落後，卻在投票當天打敗希拉蕊（Hillary Clinton），很多人都相信民調錯得離譜，事實不然。

從 1948 年起，美國的全國普選民調，包括 2016 年與 2020 年，都準確預測普選票的落點在民調的正負差範圍內，比較有問題的是各州的預測。在 2016 年，希拉蕊在普選票上的確領先川普（48.1%對 46.1%，超出 280 多萬票），她最後輸在選舉人票（以州為計算單位，270 票定輸贏）。在誤差範圍內的幾個關鍵州（密西根、威斯康辛、賓夕凡尼亞、佛羅里達和北卡羅萊納），兩人其實是打成平手，川普也可能勝出，事實確是如此。

針對 2020 年 11 月 3 日的美國總統選舉，從 10 月 28 日到 11 月 2 日，全國 15 個民調機構的最後預測是，Joe Biden 的得票率介於 48%到

54%之間，換算正負誤差後，投票當天的落點應介於 45.5%到 55.7%。以
2020 年 11 月 29 日的統計為準（最後數字會有所變異），他共獲得
80,117,578 票（51.1%），擊敗川普的 73,923,495（47.2%），符合所有
最後民調的預測。跟 2016 年不同的是，Biden 在幾個關鍵州都以極小差
距贏得選舉人票。

　　另外，三家以選舉民調見長的機構，在 11 月 2 日之前，在一對一的
局面下（Biden vs. Trump），整合各家的民調數字所做的最後預測，幾
乎是全國投票日當天的翻版，Biden 的得票率是：51.1%，《270 to Win》；
51.2%，《RealClear Politics》；與 51.8%，《Five ThirtyEight》。唯一出
乎意料的地方是，兩人的輸贏差距（3.9%），幾乎只有預測的一半（7.2%
-8.4%），一個可能的解釋是，民調大都以主要兩黨的總統候選人為調查
對象，選民在投票日卻有至少四位政黨候選人可選。

　　美國的總統選舉情勢無疑不同於臺灣的總統選舉，臺灣的民意調查
（假定都是隨機抽樣，樣本也够大）自然很難跟美國的相提並論，除了
民調專家在設計和操作兩方面技不如人，或許還有非技術性的變數橫生
枝節，幾個結構上的因素大致可以解釋為什麼民調非民心。

　　第一，民調和民心的母體不同。兩者母體看似重疊，其實有所差
異，民調具體，民心抽象。

　　合格選民的清冊（母體名單）一清二楚，人在，名在，憑身分證投
票，不太有模糊的空間，也没人可以取代其他人投票。民調抽樣的清冊
並不存在，就算有一份，恐怕沒有任何一家民調公司可以輕易取得。在
電腦抽樣時，透過電話號碼末幾個數字做變動，或訪問時別人出面代
答，或事後統計加權，都很難證明最後樣本十足代表原先的抽樣清冊，
更別提要符合投票選民的母體。

　　簡單説，從一個代表性樣本，到最後接受訪問的樣本，其中的變化
多少會受到外在因素的影響（例如，社會預期的偏差）。外在因素越劇
烈（暴力事件），變動就可能越大。

　　投票的選民，必須滿足法律規定；民調的選民，可能無關法律，只

要具備固定電話或手機，而且通過篩選標準就行。母體屬性不等，又各自獨立，民調和民心是否有一個可以理解的一對一邏輯關係，便不無疑問，所謂的假民調爭論不過是避重就輕。有些專家和學者企圖以沈默螺旋理論（見下文），合理化一個不合理的假定（所有不表態的受訪者全部一面倒的支持特定候選人），簡直不知所云。

第二，民調和民心所涉及的選民有被動與主動的分野。

民調以被抽中的選民為對象（沒有誰可以主動要求加入樣本的成員），經過篩選，受訪問者的回應基本上是被動的行為，不管是否深思熟慮，很可能會在訪問那一刻，當下回答問題，尤其是距離投票日還有一、兩個月的時間。美國社會學家 Babbie（2014: 304）指出，在被問到之前，大部分人對許多問題通常沒有意見或想法。

在這種情境下，歷史事件，特別是高度情緒化的問題，又發生在封關民調與選舉投票當天的十天之間，如候選人的醜聞（韓國瑜的炒房紛爭）或國內外危機（香港反送中抗爭），就有可能左右受訪者對候選人的觀感或認同感，從而影響投票意願與動向。選舉是零和遊戲，甲之得，必是乙之失。

如果不屬於民調樣本，選民一般不會透露投票意向，即使被抽到，他／她們也未必告訴訪員是否會投票，或想投給誰。除了機構效應（泛藍選民可以拒絕泛綠機構的調查訪問，反之亦然），訪員效應也不可忽視。

受訪者並不笨，一個說臺語、臺灣國語或字正腔圓「普通話」的訪員，可能會讓他／她們在心理感受上有差別反應（例如，林北知道你在問些什麼）。許多民調都有相當多人不表態或拒絕回答，不會只是礙難從命，他／她們多少會有某種算計。

選民投票是一種主動的行動，投不投票，或投給誰，完全取決於他／她們對公民責任的在乎與否，以及對候選人的好惡程度。沒有哪個選民會在投票當天被迫，或非自願，到投票場所排隊幾十分鐘，甚至更長，再選出他／她們或許都不認識的候選人。當然，非個人因素（刮風

下雨）也可能阻止選民投票的行動。

　　第三，民調和民心可以展現的期間有所差別。

　　民調通常分兩天進行，頂多三或四天，訪員有足夠的時間追尋被選中的受訪者，直到被拒門外。一旦拒訪的人數或替代的人數大到一定程度，原先抽樣的母體結構就被改變了，代表性相對減弱，結果難免是差之毫釐，失之千里。

　　投票只有一天，選民錯過了，就沒有再投票的可能，投票的最後人數就是母體的實證結果，亦即投票率。在民主國家，投票率不可能是百分之百，但不會出錯（有多少人投票，就有多少張票數可算），跟樣本統計的95%信心水平（做100次民調，只錯5次），是不同的概念與操作。民調與民心的差異，盡在其中。

　　第四，民調和民心的凝聚力不同。

　　民調是短暫的，往往因為某一件事而形成，很容易受外界因素不必要的干擾；民心是長期的，由於心理認同（如臺灣人或中國人身分的取捨）的社會化過程，不易在一夕之間變色。

　　民意如流水，不會是死水一灘。在訪問截止前，民調所收集到的數據，只代表在那個時空的選民投票意向，未必能再適用或反映訪問過後的民意，更別說行動，特別是勢均力敵的局面，後續的演變很可能不符預期。

　　這是為什麼總統民調要看長期的整體趨勢，而不能以任何一個時間點的結果，論斷誰主臺灣江山。胡幼偉堅信韓國瑜有900萬鋼鐵韓粉，不過是以偏概全的錯誤估算。在初選時，國民黨和民進黨都依賴一次性民調決定候選人，便有點荒唐，以過去一個定點的選民心思意念，預測幾個月後的走向。韓國瑜的民調從5月起節節敗退，無疑是個教訓。

　　民心如磐石，在投票當天前，不管是執政黨或在野黨，它們長期累積的作為與話語，在在是民心向背的基礎。因為生活經驗與政治方式的取捨，國民黨與民進黨相互攻防，加上中國共產黨隔海虎視眈眈，臺灣人民全看在眼裏，多少會感同身受。幾十年來兩黨政治運作所打造出的

板塊（基本盤），因此很難急速與劇烈移動，一代新人換舊人，藍綠易色是一項世代工程，民心，遂是楚河漢界的領土捍衛。

韓國瑜看得到的天下，也許還是國民黨不分區立委候選人吳斯懷心中 1911 年成立的中華民國，放眼逐鹿中原。蔡英文主導的天下，野心沒那麼大，只在中華民國之後加上臺灣兩字。兩者屬性顯然不同，2020 年 1 月 11 日總統大選，無疑是誰指點中華民國／臺灣江山的定奪，一種民調／民心的驗證，多少也曝露了民調專家解讀民意的爛調。

民意爛調：游盈隆的死亡交叉[4]

在 2016 年總統選舉中，民進黨候選人蔡英文於 1 月 15 日以 689 萬票（56.1%），擊敗國民黨候選人朱立倫（381 萬，31.0%），成為臺灣第一位女總統。12 月 2 日，她與美國當年總統當選人川普進行了兩國領袖之間少見的越洋電話對談，引起各國矚目。一般認為，這是臺灣與美國外交關係的突破，也顯示海峽兩岸力量較勁的某種提升。

從 2016 年 5 月 20 日就任以來，蔡英文的各種民調節節敗退，一路下滑的曲線慘不忍睹。「臺灣民意基金會」11 月底公布蔡英文施政半年來的民調，不贊同的比率首度超越贊同者，報告認為民調出現「死亡交叉」。負責民調的游盈隆指出，蔡政府面臨「領導危機」或「威權危機」，反映小英的「執政困境已經到來」。

從民意調查的角度看，川普與蔡英文打了一通國際電話，不管象徵意義或實質效應如何，短期內大概可以值幾個百分點。除非日本核災食品、婚姻平權和年金改革等重要議題及措施，持續引起社會紛擾或對立，在 2016 年後的最新民調中，蔡英文應可借屍還魂，從「死亡」民調

---

[4] 本節部分內容最早以「小英的民調　專家的濫調」為題，發表於《蘋果日報》（2016 年 12 月 9 日，頁 A21），本書經過改寫，不代表《蘋果日報》的立場。

邊緣，再度站上「領導」和「威權」的高地。

如果蔡英文的民調數字因為十分鐘的通話就往上揚，不論幅度大小，由民調本身看，大致有兩個意涵。第一，民調起伏反映民意的不穩定性與可塑性，往往受到瞬間現實的衝擊，如川蔡對話讓臺灣在國際新聞上曝光不少，鼓舞民心士氣。水漲船高，蔡英文的民調不往上提升就有點奇怪，她的困境也麻煩許多。

民調有時不可靠，尤其是解讀方面。儘管數字不會說謊，民調專家卻可能睜眼說瞎話，特別是在勢均力敵的局面下。在 2016 年美國總統大選中，因為川普擊敗原先被看好的希拉蕊，一般反應是民調錯得離譜。事實不然，全國的民調預測符合普選票結果，她輸掉大位，問題出在幾個關鍵州的選舉人票。民調數字（量化）不離譜，專家解讀（質化）倒是偏離統計抽樣的限制，或以全國趨勢推論各州的走向。

第二，民意如流水，在一定時間內，民調未必能有效掌握歷史事件帶來的干擾，尤其是那些慢慢發酵的議題，民調高低因此多少是短暫現象或假象，效用也很難跟選舉投票相提並論。不幸的是，臺灣的民調專家，特別是高調召開記者會宣佈結果的個人與智庫，例如游盈隆，在分析上難免無意誤讀或有意誤導，不僅信口開河，話語又唯恐天下不亂。

游盈隆是政治學者，現任臺灣民意基金會董事長，1991 年獲得美國北卡羅萊納大學政治學博士學位，研究專長是民意與投票行為。在政治理論與實務操作（民意調查）方面，游盈隆算得是學有專長，加上他定時發佈有關政治人物滿意度的民調結果、解讀與意涵，多少能够左右社會上的觀感，例如一些經過新聞媒體推波助瀾的關鍵詞，其中最為聳動的是「死亡交叉」這個概念。

從報導的角度看，「死亡交叉」的概念使用在民意調查的解讀中，是一種價值取捨。隱藏在背後的是一個新聞的核心工具，英國《經濟學人》（*The Economist*）雜誌所説的震撼價值（shock value），因為人並非

完全理性，感性可以用來觸動讀者的心靈與頭腦（hearts and minds）。[5]
在新聞裏，很少人看到「死亡」這個字眼不為之動容或心悸。

　　臺灣在 1996 年進行第一次民選總統，從 1996 年到 2004 年，八年
間，「死亡交叉」的概念不曾出現在民意調查的新聞報導裏，在股票市
場升跌趨勢與進場買賣的分析中，卻是一個常見的用語。由於缺少直接
證據，我們很難明確指認這個概念何時被研究者引用到選舉期間民意起
伏的走向。

　　唯一可以大致確定的是，「死亡交叉」的用語在游盈隆普遍使用前
就已存在，最早出現的時間可能是 2005 年 10 月 15 日《聯合報》的一篇
地方新聞報導。彰化縣長翁金珠競選總部於 2005 年 10 月 14 日公佈民進
黨中央黨部民調，她以 43.9%的看好率，領先國民黨候選人卓伯源的
18%。卓伯源說，「東森和 TVBS 民調都顯示他領先翁金珠 4%到 6%，
從民調理論看，原來領先者支持率下降叫做『死亡交叉』，落後者後來
居上稱為『黃金交叉』」（簡慧珍，2005，頁 C2）。

　　我們無法確知卓伯源引用的民調理論到底是什麼，因為在相關文獻
中，很難找到類似的說法。十多年來，從中央到地方，這兩個名詞在過
去的大小選舉期間不斷出現在新聞報導裏，卻是不爭的事實。例如，從
2005 年到 2018 年，在《蘋果日報》、《自由時報》、《聯合報》與《中
國時報》中出現「死亡交叉」字眼的新聞總共有 780 則，每年平均約 56
則，每報為 14 則。以選舉新聞來說，數量不可謂不大。[6]

　　雖然並非是始作俑者，在過去幾次的總統大選過程中，游盈隆確是
經常使用「死亡交叉」來描述候選人民調數字的交叉易位，或政治人物
（如蔡英文總統）滿意度高低交錯的情況。例如，2017 年 11 月 19 日，
游盈隆發表民調結果指出，蔡英文「上台十八個月以來，民調第三次出

---

[5] "Shock value," *The Economist*, online edition, July 11, 2020。

[6] 感謝交大應用藝術研究所博士生黃芷晴整理與分析臺灣報紙有關「死亡交
叉」的新聞報導。

現『死亡交叉』。蔡總統的聲望再次出現三字頭，不是很好的現象」（見
《中華日報》，2017 年 11 月 19 日）。

　　游盈隆以「第三次出現死亡交叉」來描述蔡英文的民調，真是語不
驚人死不休，「領導危機」的用語更是危言聳聽。死一次不夠，居然還
死了三次。死了誰？蔡英文政府垮台？危機何在？蔡英文坐困愁城，如
當年南韓總統朴槿惠成了過街老鼠？貓也許有九條命，人死了難以復
活，任何人只要稍為思考一下，就不難發覺「死亡交叉」的用語不合邏
輯，其實也不存在於現實世界。

　　歷史往往是一面鏡子，不幸的是，學者與新聞記者很少攬鏡自照，
正衣冠。當年陳水扁的 18%和馬英九的 9.2%民調都比蔡英文當時的還
低，看不出什麼「死亡」陰影或「領導危機」跡象，兩人都做滿任期，
也都連任。至於他們導致的政權交替則是另外一回事，蔡英文跟馬英九
一樣，當選總統恐怕並非自己厲害，而是對方政黨的候選人實在太差。

　　游盈隆的盲點在於，把蔡英文民調高低誤解成統治權力的民意基
礎，混淆民調與權力正當性的概念和操作。民調好壞是意見表達（認
知），權力的正當性來自投票後果（行動）。任何民調都無關統治是否
安穩，民調高，不會增加蔡英文的領導能力或威權架勢；民調低，也不
會減損總統地位。

　　民意的終極指標是選民投票，民調所謂的「死亡交叉」頂多是新聞
爛調，沒有任何實質意義。不管如何，在游盈隆公佈 2016 年 11 月的「死
亡交叉」民調後，蔡英文毫無意外的渡過四年任期，一掃「死亡」的威
脅，還以創歷史紀錄的 817 萬高票，在 2020 年當選連任，對民調的解讀
投下一道陰影。

　　當學者一再堅持透過「死亡交叉」的概念，解釋臺灣民意的起伏或
更迭時，從一而終，也許是擇善固執的一種學術態度。更可能是顯示，
作為學者，他／她沒有能力由其它視野或另類觀點，來觀察與分析同一
件事。游盈隆對民調數字的迷信與過度跨大數字背後的意義，已幾近走
火入魔的境界，頗符合 Mills（2000）有關量化研究所展現的摘要式經驗

主義的批判。

另外，作為學者，游盈隆與其他學者和政客疏忽的是對概念應用的嚴謹把握，稍一不慎，難免誤導一般人對概念與操作的認知。依據 Goffman（1974）的論點，一個名詞出現在文本中，「成為一種調子，後續的新聞報導和評論都多少圍繞在定調後的主軸上」（張讚國、劉娜，2016，頁46）。由許多選舉新聞的用語看，「死亡交叉」無疑是個調子。

Goffman（1974: 45）說，定調（keying）是一種系統性的轉化（systematic transformation），對被轉化後的行動（民調的交叉起伏）也許會有輕微的改變，但卻足以更改參與者（專家與政客）對事情的說辭；定調牽涉名詞的使用和作用，「一旦一個名詞被採用後，它便開始舉足輕重，不只關係到下文，也重彈同一章節裏的相關部分」（1974: 11）。過去的選舉語言在在說明，「死亡交叉」的概念一直是老調重彈。

Mills（2000）提出的訓誡（見第二章）豈只是針對初學者，其中有關避免制式常規，或不要執迷不悟的忠告，多少應該對游盈隆有點啟發，也照樣適用於其他有頭有臉的臺灣學者與專家，尤其是那些經常在社交媒體或新聞媒體上，對時事、民意或選舉，大放厥詞的傳播與政治學者。在他／她們看來，沈默不是金。

姚文智的神話：沈默螺旋？[7]

學者墮落與學術界唯恐天下不亂的一個指標之一是，假借科學研究，在抽象概念上隨意創造經不起邏輯檢驗的名詞，並一再濫用，誤導新聞界與一般人對社會現實和現象的認識及理解。在臺灣的主要選舉期

---

[7] 本節部分內容最早以「沉默不是金，何來螺旋？」為題，發表於《風傳媒》（2019年12月2日），本書經過改寫，不代表《風傳媒》的立場。

間，一個不時出現的學術用語是民意研究中所謂的「沈默螺旋」，幾乎常被學者、記者與政客使用，誰都可以朗朗上口，簡直像真的一樣。

「沈默螺旋」多少是個時髦的選舉概念，至少對一般人來說頗有現實意涵與學術味道，聽起來相當令人肅然起敬。在 2014 年臺北市長選舉時，國民黨候選人連勝文認為自己遭遇網路霸凌，中國文化大學廣告系教授鈕則勳的反應是，「當一方候選人在網路言論成優勢，會形成沉默螺旋效應」（鄭景雯，2014）。結果是，連勝文落選，「沉默螺旋效應」不過是鈕則勳販賣一點理論知識的藉口，唬人聽聞，又毫無事實依據。

在競選 2018 年臺北市長時，民進黨候選人姚文智的民調一直落後其他兩位候選人（現任市長柯文哲和國民黨候選人丁守中），從頭到尾，不見起色。姚文智在接受訪問時表示，「斷言選舉走勢都是言之過早，很多支持者是『沉默螺旋』」（陳冠穎，2018），他終究會翻盤，贏得選舉。姚文智如何主觀認定「沈默螺旋」的存在並不重要，重要的是客觀現實。

事實證明，姚文智輸得很難看，也說明根本沒有所謂的沈默螺旋這回事，至少選民的投票行動符合民調樣本的投票意願傾向。從 Mills（2000）對摘要式經驗主義的批判看，民意調查研究的虛實盡可從實證數據與理論解釋的脫節，看出大概。學者與政客在現實生活裏誤導一般人對學術研究的看法，是學術墮落的社會效應。

就期刊論文來說，「沈默螺旋」的概念最早出現在翁秀琪於 1990 年發表在《新聞學研究》的一篇介紹文章裏（民意與大眾傳播研究的結合──諾爾紐曼〔E. Noelle-Neumann〕 和她的沈默的螺旋理論），至於它何時出現在臺灣的選舉新聞裏，大概不易查考。根據相關資料，這個概念至少在 2005 年就被用來解釋當年陳水扁總統民意不振的原因。[8] 張立（2005，頁 A15）在《聯合報》一篇「民意論壇」的文章中指出，「民

---

[8] 謝謝國立交通大學應用藝術研究所博士生黃芷晴協助查考。

意研究中有一個理論叫做『沈默螺旋』，…在『強者愈強、弱者愈弱』的民意螺旋中，強勢意見往往被高估，弱勢意見則被低估」。對「沈默螺旋」理論，張立的描述大致不差。

沈默螺旋的理論由德國學者 Elisabeth Noelle-Neumann（1974）先以期刊論文發表，十年後，再以專著提出（Noelle-Neumann, 1984）。沈默螺旋的前提假定是，人們在表達意見前，不管是當下（被訪問時）或事先，都知道周遭環境裏對社會議題正反意見的分佈。這個資訊認知有兩個傳播來源——大眾傳播媒介與人際互動（家人、親戚、同事、朋友或路人甲等），人們獲得的資訊交互作用，構成民意環境，從而可能影響他／她們的意見表達。

簡單說，沈默螺旋理論宣稱，不管是真實的或想像的，當人們認為自己對公共事物的意見跟新聞報導的看法有所差異（例如個人贊成，新聞卻一面倒反對），而周遭的人似乎也跟自己唱反調，他／她會傾向於不公開表達意見。隨著時間演變，如果這種個人處於少數的感受維持不變，越來越多的人會選擇沈默，一個螺旋現象於焉形成，背後的意涵是，民意調查未必能反應真實情況（少數可能是多數）。

以 2018 年六都市長選舉為例，曾任報社總編輯的洪博學以「沉默螺旋的力量」為題，在《民報》一篇專欄（2018 年 11 月 18 日）中指出，「紅色代理人顯然理解臺灣，利用選舉撕裂臺灣，這個目的已經達成，當紅色聲囂的時候，綠營支持者越來越沉默，或者說，很多支持綠營人士，學習不吵架，因為，目前臺灣的政治氛圍下，有理說不清，乾脆就把自己的看法，放在心裡，但是，**這種沉默螺旋，有可能在投票日爆發**」（粗體字為作者所加）。洪博學顯然把理論當作事實。

在 2020 年 1 月 11 日總統大選投票前，國民黨候選人韓國瑜市長的民調，從 2019 年 5 月起一路下跌，幾乎兵敗如山倒。許多泛藍支持者不免鬱卒，又無力可回天，惶惶不可終日。韓國瑜的回應是，「得民心得天下，得民調得痔瘡」。不管是否合乎邏輯，他的論述實在有夠阿 Q，多少也隱含對沈默螺旋在投票當天扭轉乾坤的期待。

　　豈止韓國瑜阿 Q，許多政客、記者、專家和學者，特別是具有泛藍傾向的人，也有類似毛病。不過，不像韓國瑜口沒遮攔或言語粗俗，他／她們用詞收斂（韓國瑜副手張善政算是例外），也許會讀點書或看些期刊論文，嘗試在理論上，替韓國瑜的困境尋求合理化的下台階。書生之見，有時也有縛雞之力，至少可以搖旗吶喊。

　　針對韓國瑜民調低迷，但是造勢場面的氣氛熱，國民黨臺南市黨部主委謝龍介的解讀是（鄭惠仁，2019），臺灣「許多媒體不監督執政黨，反而監督在野黨，因國家機器介入，韓國瑜受抹黑的負面消息一直出現在網路等媒體上。也因此形成沉默螺旋的現象，韓國瑜的支持者認為自己的意見與多數媒體報導不同，因居於弱勢而保持沉默，不願表達」（粗體字為作者所加）。不管是否有證據，謝龍介倒是説得十分篤定。

　　如果翁秀琪針對 1993 年臺北縣長選舉所做的研究有當代參考價值，在驗證沈默螺旋理論中的「發表意願」部分，她表示，「研究發現並未能支持 Noelle-Neumann 的原始假設，即強勢意見的一方會比弱勢意見的一方更勇於在匿名公眾之前發表自己的意見」（頁 176）。她指出，即使處於弱勢，「死硬派」仍然會發表看法。不過，這項研究屬於初探性的地方調查，結果是否能適用於全國還值得進一步商榷。

　　因為幾乎所有的民調都有不少人尚未決定或不表態（數目大概介於 10%到 30%上下），一些專家和學者引用沈默螺旋理論，解釋韓國瑜的民調趨勢。他們估計，更堅信，韓國瑜的民調看似落後蔡英文一段距離，事實並非如此，還後勁十足，在投票當天一定豬羊變色，翻盤逆轉。這是對沈默螺旋理論與操作的誤解和濫用。

　　理由不外兩點，背後的假定都必須站得住脚，才會有點說服力：第一，支持韓國瑜的人，不論向心力如何，在接到電話民調訪問時，全部很有默契，忍氣吞聲，堅決不漏口風；第二，所有支持韓國瑜的選民，在投票當天，會傾巢而出，大軍如蝗蟲過境，讓蔡英文措手不及，殺個民進黨片甲不留。

　　任何有常識或知識的人，只要稍為思考，應會發覺這兩個假定都經

不起嚴格檢驗。

第一點，不可思議。

有哪一個龐大組織能夠全面策動韓粉，在他／她們被隨機抽樣選中時，稍安勿躁，閉口不談投票意願？即使韓國瑜於 2019 年 11 月 18 日公開呼籲支持者，在未來民調「一律拒絕回答」（見第二章），也難以保證所有人會接觸和接受指令，並像傀儡木偶，毫無自主能力，靜待發落。將帥無能，累死三軍，韓國瑜更進一步要選民「唯一支持蔡英文」，以彰顯民調做假。

表面上，這是非典型的競選手段，頗有置之死地而後生的壯烈，相當有創意，一新耳目，很可能讓民調機構進退兩難（他的要求不見得兌現，但卻是個不易測量的自變項）。深一層看，韓國瑜離棄甲曳兵，不過一步之遙，除了耍賴的輸不起心態，臺灣俗話所說的「不會駛船，嫌溪灣」，差可比擬。

韓國瑜的懇求恐怕是急病亂投醫，為了可能繼續下跌的民調，設定一個「料事如神」的口實。原因無它，他可以宣稱選民聽話，擺出兵不厭詐的架勢，絕地抗爭假民調的進擊。反正，成也民調，敗也民調，說不定瞎貓還碰到死老鼠。

反過來說，如果支持的人那麼「愚忠」，赴湯蹈火在所不惜（還有什麼傷得了鋼鐵打造的韓軍？），韓國瑜大可號召他／她們無論何時何地，堅守電話陣地，「一律回答」民調。中國文化大學教授胡幼偉就如此獻計過，自以為是奇謀，秀才遇到兵，相當諷刺。

第二點，根本不可能。

臺灣從 1996 年總統民選後，每次的大選投票率全不到 80%，2016 年更低到 66%，2020 年的投票率則上升到 74.9%。那些不投票的人，不論賭爛或力有未逮，絕無可能是清一色的泛綠或泛藍選民。這種系統化的不投票選民結構，根本不存在於兩黨體制的民主國家，美國如此，臺灣也不例外。

韓國瑜或蔡英文的支持者再如何死忠，大選當天，總有一定比率的

人會因不同藉口，放棄或無法投票（2020 年為 25.1%）。由於這些不投票的人很可能隨機分配，對兩黨候選人的殺傷力難免相互抵消，不致左右大局。要達到百分之一百的投票率，只有在獨裁或高壓的體制下才可能（如中國國家主席或共產黨總書記的選舉）。

死馬當活馬醫，對政治人物，或許是不離不棄的表徵。不過，支持韓國瑜的專家和學者以沈默螺旋理論為出發點，合理化一個不合理的假定（所有不表態的受訪者全部一面倒的支持特定候選人），簡直不知所云，更欠缺美國社會學者 Mills（2000）主張的社會學想像，尤其是批判思考的能力。

有些臺灣學者針對美國政治歷史學者 Allan Lichtman（2012）觀察總統大選經驗提出的 13 點「入主白宮關鍵」的是非題公式，稍作修改，便斷言「唯整體而言，蔡英文總統連任的機會不大」（謝明瑞，2019），就不免犯了時空情境難以有效比對的盲點。美國的政經環境與社會結構，更別提歷史因素，都跟臺灣的相去甚遠。

舉個例說，在保守程度上，美國的共和黨也許比較接近臺灣的中國國民黨，兩者卻有意識形態的差別（前者反共，後者親共）；在開放程度上，美國的民主黨未必等於臺灣的民進黨（前者多少親共，後者反共）。另外，美國的近鄰──加拿大和墨西哥──從來沒有武力攻擊美國的意圖，不像海峽對岸的中國，恨不得隨時揮兵跨海，或發射飛彈，把臺灣夷為平地，據為己有。

理論的跨國運用，因此不能來者不拒，學者總得思考「橘越淮而枳」的問題。所謂沈默螺旋，是一個牽涉民意與傳播互動的政治理論，已有 40 多年歷史。理論的來龍去脈有些學術上的辯證（背後的政治意涵是精英統治，因為如果民意可以操弄，民主就不可靠），雖然歷久不衰，又多少有實證研究，但是知識宣稱不見得沒有缺陷。

沈默螺旋與意識形態

　　在沈默螺旋理論帶來學術風騷後，Noelle-Neumann 本身卻也隨著引起相當爭議，特別是她的政治背景與理論構思之間似乎糾纏不清。1991年，美國學者 Leo Bogart 在 *Commentary* 雜誌中（1991, August），指出她在第二次世界大戰初期，效勞於德國納粹政府宣傳部長 Joseph Goebbels。針對這篇文章的指控，芝加哥大學終止她的客座教授身分（Honan, 1997）。

　　過了幾年，美國學者 Christopher Simpson 在知識社會學的框架下，從歷史角度出發，分析沈默螺旋理論的建構是否與她成長的社會情境與經驗有所關聯，於 1996 年在 *Journal of Communication* 發表"Elisabeth Noelle-Neumann's 'Spiral of Silence' and the Historical Context of Communication Theory"（Simpson, 1996）。其中最主要的結論是，她的民意理論跟她 1930 年代以來的政治或意識形態多少一致，與科學事實明顯不同，沈默螺旋理論充滿集權主義思維。

　　Simpson 的文章在學術界與新聞界造成一陣震盪，Noelle-Neumann 當然堅決否認指控，但承認的確在納粹宣傳部門做過事。支持她的人更大動干戈，認為 Simpson 的歷史分析不實，帶有偏見，並寄出惡劣信件，要求 American University 拒絕他的升等申請，把政治恩怨帶入學術辯證與大學教授升遷的領域。Simpson 於 1997 年 5 月順利升等為副教授（Honan, 1997），Noelle-Neumann 於 2010 年去世，有關沈默螺旋理論的紛爭並未就此塵埃落定。

　　三位傳播學者（Donsbach, Salmon & Tsfati）於 2014 年編輯了 *The Spiral of Silence: New Perspectives on Communication and Public Opinion*。隔年，斯洛維尼亞學者 Slavko Splichal（2015）在 *European Journal of Communication*（EJC），以"Legacy of Elisabeth Noelle-Neumann: The Spiral of Silence and Other Controversies"為題，發表書評，除了質疑沈默螺旋

理論是否嚴謹，甚至談不上是理論，也根據 Jörg Becker 所寫的 Noelle-Neumann 傳記，觸及一些紛爭。

　　由於傳記在德國引起爭議，Becker 受到禁止令（cease-and-desist）的法律約束，撤回一系列的陳述。EJC 在 2016 年被迫移除網路版，撤銷書評從第 7 頁起的後半部內容（8-11 頁）和相關註解，並重新刊登，但以黑色塗掉文字，版面看起來相當荒唐和詭異（圖 7.1），這大概是學術期刊少見的內容審查。

　　評鑑一個學者對文獻和知識的貢獻何在，他／她的道德擔當、研究操作與學術尊嚴當然會是衡量的依據。Noelle-Neumann 的生平、經驗和理論思維所以受到學術界的仔細檢查，無疑跟沈默螺旋在理論與實務方面造成的效應有關。不管如何形成，沈默螺旋既然是理論，我們不妨在證據上檢驗它是否站得住腳。

　　根據 2018 年（Matthes, Knoll, & von Sikorski, 2018）的一項整合分析（meta-analysis），意見環境與意見表達的正相關係數是 $r = 0.10$，就統計強度而言，非常薄弱，幾乎很難當真。學術研究的一個起碼知識是，統計上的顯著數據並不等於社會效應的顯著。不管再如何嚴謹，大眾傳播研究的發現頂多是知其然而不知其所以然，要解決社會難題（如網路上的政治霸凌或假新聞），還言之過早。

　　臺灣學者似乎假定，在日常生活中，就重大社會議題來說，絕大部分的人常關注民意調查的結果，也不時會跟身邊的人談論他／她們的看法。換句話說，臺灣人基本上是政治動物，而非經濟動物。這是一個很大的假定，但缺乏因果關係的明確數據佐證。

European Journal of Communication 30(3)

Notes

1. Public opinion. The discovery of the spiral of silence.

圖 7.1 *European Journal of Communication* 撤銷 Splichal 書評部分內容

　　事實是，臺灣到底有多少人會留意民調談些什麼？「在 95% 信心水準下，抽樣誤差為正負 3.0 個百分點」，對大部分人來說，又代表什麼，特別是在總統競選期間？選民不笨，只是這個統計上的或然率，離他／她們在意的切身問題（就業、待遇、物價、房價、教育和醫療等），無疑太遙遠，不易具體感受。

　　就算絕大部分臺灣人都知道民調所描述的狀況，根據沈默螺旋理論，如果他／她們發覺自己的意見跟多數看法（其實可能未必）相左，因為恐懼被孤立，很多人會選擇閉嘴。時間一久，一旦越來越多的人保持緘默，一個螺旋狀的沈默走向，從而成形。亦即，沈默螺旋的理論有個時間或過程層面，在一個時間定點所做的民調無異以管窺豹，目前沒有任何證據顯示選舉民意呈螺旋狀演變。

　　40多年前，網際網路、手機和各種社交媒體並不存在，在意見的自由市場裏，電視與報紙當道，一般人想公開表達意見的確很不容易（讀者投書畢竟有限，電視時間想都別想），大眾傳播媒介與人際傳播自然是他／她們了解社會脈動的途徑。如果他／她們在乎別人的看法，或不願意得罪人，也就可能受到反方意見的干擾，三緘其口，沈默螺旋的效應大致還說得過去。

　　從韓粉四處出征，或霸凌非我族類（包括攻擊美國在臺協會網站）的行為看，誰會相信支持韓國瑜的人會「罵不還口」，除非他／她們都是有組織的假帳號。比較可能的是，他／她們不甘寂寞，不分青紅皂白或不分是非，只要是逆我者，如臨大敵，一律殺無赦。對他／她們來說，沈默或許是弱者的表現，誰的聲音大，就可能製造多數輿論的假象，宰制對方。如果有沈默螺旋，合理的推測應是反其道而行（被打擊的一方噤若寒蟬），而非韓粉。

　　在目前臺灣的政治生態裏，社交媒體應有盡有，意見表達的管道通暢無礙，也許還泛濫成災。眾聲喧嘩，誰都可以在不同平台上取得正反雙方的資訊，或各事其主，大放厥詞。既然沈默不是金，何來螺旋？

　　當學者、專家或政客輕易拋出學術語言時，若非不求甚解，就是為民調落後在文獻中尋找一個合理化的藉口，一種夜間走路自己吹口哨壯膽的小動作，文獻有時會因此成為學者借屍還魂的一個場域。

　　雖然跟選舉或民調無關，前文化部長龍應台對文獻的引用，並透過說故事的方法，企圖再解讀一個牽涉海峽兩岸的歷史事件，多少犯了虛實不分的毛病，卻又堅信自己的知識宣稱毫無瑕疵。

「她從不認錯」：龍應台的學術道德[9]

作家孫瑋芒 2020 年 7 月 4 日在臉書上，指控龍應台於 2009 年出版的《大江大海一九四九》，「引用、改寫了李展平兄著作的段落，未註明出處，已嚴重違反學術道德；龍應台的回應，止於『已委託律師處理本案』」。[10] 孫瑋芒 7 月 5 日接受《放言》訪問時指出，「龍應台以『委託律師處理』作為回應，毫無誠意。『她從不認錯，從不接受他人意見』」。[11]

《大江大海一九四九》出版後，就被當時擔任臺灣文獻館編纂的李展平檢舉，部分內容抄襲自他的作品《烽火歲月》，龍應台卻置之不理，也未道歉。李展平指控說，「龍應台新作引用他的文章，卻沒註明出處，讓他心裡很不是滋味」。他表示，「她寫的東西，如果人家看到，咦李展平，這個文獻館的李展平怎麼很多文章好像都抄襲龍應台，我想這樣對我來講不太公平」（見洪玲明，2009）。

經過了 12 年，孫瑋芒舊事重提，龍應台既然已交由律師處理，便表示她不會親自回應他的嚴厲指控，這件公案最後可能像當年一樣，不了了之。

龍應台在《大江大海一九四九》中以「我」的第一人稱出發，儘管她在書裏第 16 頁指出「夜裡獨對史料」，就交代閱讀相關資料的來源，她的寫作手法加上一些深度訪談，文章讀起來都讓人感覺到龍應台人在

---

[9] 本節部分內容改寫自《民主、民意與民粹：中港台觀察與批判》，見張讚國（2016）。

[10] 見〈龍應台《大江大海》剽竊「李展平著作」風波再起〉，《放言》，2020 年 7 月 5 日，取自 https://www.fountmedia.io/article/2831，下載 2020 年 8 月 1 日。

[11] 見〈「學術道德」最為嚴重！作家孫瑋芒批龍應台：「從不認錯，從不接受他人意見」！〉，《放言》，2020 年 7 月 6 日，取自 https://www.fountmedia.io/article/63026，下載 2020 年 8 月 1 日。

現場，從事第一手觀察，事實卻非如此。

李展平認為，龍應台改寫他的作品《烽火歲月》，卻未註明出處的部分文字，出現在《大江大海一九四九》（2009）第 266 頁，前後都沒有任何註解。李展平被引用的地方在第 279 頁，註解 114，但內容跟以下文字無關：

> 　　一有了「軍屬」身分，少年們走在街上都覺得意氣風發。有些馬上就到日本軍部指定的商店裡去買了看起來像日本戰鬥兵的帽子，年輕稚氣的臉孔對著店裡的鏡子戴上，覺得自己挺帥氣，然後開心地上街閒逛。平常看見遊蕩的少年就要氣勢凌人叫過來教訓一頓的警察，現在竟然當街向他們舉手敬禮；少年心裡充滿了報效國家的激動和榮耀的感覺。

除非是小說，龍應台這段文字寫得活靈活現，任何人閱讀，都會覺得她親自站在街頭上和店裏，看著幾個少年買日本軍帽來戴，又對著鏡子顧影自憐一番，然後高興的上街遊蕩，還見到警察向他們舉手致敬。或許，龍應台也訪問了少年，才會知道他們「心裡充滿了報效國家的激動和榮耀的感覺」。在李展平看來，卻似曾相識，點滴在心頭。

根據《放言》報導（2020 年 7 月 5 日），龍應台當年「透過李展平想訪問臺籍日本兵辜文品，『但展平老師告訴龍應台，辜於兩年前過世』。事後，龍應台改寫李展平文章，『好像煞有其事的曾經親自訪問一般。試想，她是與靈魂對談嗎？（見鬼）』」。亦即，龍應台借用了李展平的故事，但是自己現身說法。

李展平對龍應台的指控還不只一段文字而已，他在回應歷史學者尹章義的評論時指出，「1949 大江大海，除請工讀生大量節錄桑品載等旅臺軍中作家流亡史，更完全不做田野調查，跨越二戰臺灣人日本兵，戰俘監視員，戰犯等故事，其中有 12 處抄襲，經多次抗議無效」（《放

言》，2020 年 7 月 5 日）。[12]

　　「工讀生大量節錄」、「完全不做田野調查」、「12 處抄襲」的意思是，龍應台自己未讀原典，未做實際調查，未必是原創，多少還借用／剽竊了其他人的著作。

　　這些字眼是何等嚴厲的指責，就像李眉蓁的碩士論文剽竊（見第八章），不難在事實上直接比對。龍應台到底有沒有訪問過李展平提到的相關人物，除了自己最清楚外，應也有客觀的訪談文字稿可以佐證。當原告都把證據攤開在眼前時，被告很難再顧左右而言他，就算不在法庭裏理出個頭緒，至少在民意庭中總該交代緣由。

　　從學術研究的角度看，《大江大海一九四九》並非是虛擬的小說（novel），而是質化研究中以作者視野凝視現實的一種敘事（narrative）。龍應台透過各種歷史材料的組織整理，再加上個人親身經歷、田野調查與相關當事人的深度訪談，編織了一個故事，有人物、角色、情節、場景、背景、地點、時間等，以及不同的敘事手法。不同的章節有不同的張力，串連起來，整個敘事都在鋪陳她的大中國史觀，與對當代的某種批判。

　　全書本文 361 頁，洋洋灑灑，因為時空的跳接與夾敘夾議，還談不上是 Clifford Geertz（1973）的 thick description（深厚描述），但是有憑有據，讀起來頗有讓人身臨其境的感受。這是龍應台基於事實，對 1949 年前後海峽兩岸所發生的時代悲劇的再呈現。學術研究的一個根本要求是，當事實的真實性受到質疑，或證據難以支撐事實的存在時，一個合理的反應是，學者必須重新檢驗事實，或向證據低頭。

　　龍應台學的是文學，如果《大江大海一九四九》是一部文學創作，就充滿跨時空的想像，極富兒女私情，與對家鄉或故國山河的殷切緬懷，很多人讀來應心有戚戚。可是，它卻是一部報導文學，全書都是對

---

[12] 見〈龍應台《大江大海》剽竊「李展平著作」風波再起　作家孫瑋芒抱不平：已嚴重違反學術道德〉，《放言》，2020 年 7 月 5 日。取自 https://www.fountmedia.io/article/62831，下載 2020 年 8 月 1 日。

事實的宣稱。既然有憑有據,便包含兩種知識,它們的構成元素都透過文本公開在眾人眼前:熟識知識與深切知識。

熟識知識,是基於她個人的經驗及跟他人互動的經歷,每個人的經驗與經歷都是獨一無二的小歷史,別人無法複製,因此也沒有爭論的餘地;深切知識,是他人的經驗與經歷,存在於各種聲像圖文的文獻和文件之中,可以是第一手(親身目睹)或第二手資料(他人轉述)。不管如何,這些頂多是第二手或第三手資料,作為作者,龍應台必須清楚交代來源。

剽竊是學術問題,一旦被舉發,龍應台沒有太多迴避的空間。從頭到尾,李展平堅持的其實很卑微,不過是一個公道、一聲道歉與一個註解。龍應台在書末的附註(頁 365-367)共有 127 個,再版時,即使多加一個註解,並無損書的內容。十幾年來,她相應不理,不僅難杜悠悠之口,更傲慢至極。她也許知識豐富,但膽識缺缺,拒絕直接面對與解決自己惹出來的個人麻煩。

龍應台是美國堪薩斯州立大學英美文學博士,曾在美國、德國、臺灣與香港的大學擔任過教職,學而優則仕,2012 年 5 月被馬英九政府延攬,出任第一任文化部部長,2014 年 12 月請辭,表示未來不再從政。[13]民進黨蔡英文於 2016 年當選總統,並於 2020 年獲得連任,龍應台的確再沒機會重回政治舞台。

作為一個公眾人物,龍應台集作家、學者與政客三種身分於一身,名利雙收。身為作家,她早年以《野火集》的犀利文字與見解,獨領風騷,紅遍海峽兩岸。身為學者,她的學術著作自有一定份量,四處應邀擔任講座。身為政治人物,她的言行卻顯得力有未逮,突顯知識與常識受到意識形態的扭曲,還得為當政者的政策辯解。

臺灣現有四座核能電廠,除了核四在 2015 年 7 月封存外,其他的核一、核二與核三電廠都還在營運。民進黨一向主張在 2025 年達成非核

---

[13] 龍應台在馬英九擔任臺北市長時,出任首任臺北市政府文化局局長(1999-2003)。

家園，2016 年 5 月 20 日取得執政權後，有關核一電廠是否重新啓用的問題，卻似乎有點搖擺不定，引起社會疑慮。兩項公投——「反空污」及「以核養綠」——於 2018 年通過後，經濟部在 2019 年 1 月決定，既有核電廠不延役，核四也不重啓，維持了政策的一貫性。

核能電廠一向是個燙手山芋，不論是民進黨或國民黨執政，由於牽涉環境保護、電力分配、經費預算和癈料處理等問題，核能發電都是令政府官員在立法院接受質詢時，一個不容易應付的難題。從 2012 到 2016 年，國民黨執政四年間，即使跟業務無關，第一任文化部長龍應台都得在立法院對核四表態，特別是來自在野黨的質問，進退之間，很難不透露出個人的視野和見解。

龍應台 2013 年 3 月 13 日在立法院回答質詢時說，核四「是知識問題，不是道德問題」。知識（基於事實驗證）與道德（攸關價值取捨）分屬兩個不同範籌，未必相互排斥，龍應台的斷言說明不是無知，而是一知半解。或許，她缺的不是知識，而是道德擔當。她以曾經是學者與大學教授的背景，在相當程度上，把核四的本質定位為自然問題，而非社會問題。

嚴格說，核四與文化沒有一個可以理解的直接邏輯關係，民進黨立委邱志偉在立法院教育委員會質詢龍應台，當然是一種政治算計，甚至是個圈套，逼迫政府官員對任何政策公開表示看法，目的不外是立此存照。雖然說立法委員的發言盡可率性而為，甚至天馬行空，而且言論對外不負責任，如此質問，不免有泛政治化傾向。

作為政務官，龍應台顯然被逼上了梁山，面對咄咄逼人的質問，匆促之下，以簡單的二分法邏輯，對複雜的核電工程遽下結論，暴露了有關核四問題的草率認知，更在德國社會學家韋伯所說的責任倫理上留下瑕疵。也許人在公門，身不由己，龍應台的回應不過是廻音版，為行政院集體思維的要求背書。

跟馬英九總統任命的許多政務官一樣，龍應台擁有博士學位，就算不是滿腹經綸，起碼比一般人多讀書，在知識技藝、問題分析或研究方

法上，應有足夠的訓練與實際操作的經驗。她至少應理解，許多社會問題，尤其是牽涉國計民生的大事，從前因後果看，涵蓋層面廣泛，不可能、更不該化約到單一因素，或固定在一個時間點。歷史上，多的是化約主義（reductionism）造成錯誤的教訓，馬克思主義帶來的人類生活經驗的幾十年浩劫，殷鑑不遠。

核四或其他核電廠，就是這樣一個問題。它不光是一座核能電廠而已，純粹由興建與否的角度看，龍應台的回應大抵無可厚非，那是知識問題，取決於理性、科學與技術的交互運用，並非任何當權者或政府部門可以想當然爾，以人民好惡，就決定是否蓋一座核電廠。民粹，通常與知識沒有太多關聯，絕大部分是政治作祟或功利考量。

有關反核四運動，龍應台說，要對核四表達態度，先須把功課做好，亦即了解歷史背景，觀察事實，並吸收最新的知識。這種「懂多少，說多少」的態度確實可取，只是在知識與道德之間做切割，也就反映出她在核四政策上的價值判斷或取捨：核四沒有道德爭議，用不著大驚小怪。

核四既然不是道德問題，知識便是唯一仲裁，龍應台沒有直接說的是，無知的人不應置喙，更不應越俎代庖，留待科學家和工程師來定奪。

不論是民主或獨裁國家，科學家和工程師總是人口的頂端少數。先不說論調是否有精英的傲慢，龍應台的盲點在於，核能電廠的建造不會只是用來觀賞，其存在也非一朝一夕，而是跨世代的現實難題。畢竟，任何科技的價值都不盡是有形物體本身，更在於如何使用、維護與後續發展，亦即它所能產生的社會效應，整個過程往往以幾十年計算。

龍應台在歐洲大學教過書，即使學的是文學，以當年寫《野火集》的批判精神，應該對 1986 年蘇聯烏克蘭發生的 Chernobyl 核電廠災變與對生命的傷害有所聽聞，除非她從來不看新聞。日本 2011 年海嘯導致福島第一核電廠災難，更是歷歷在目。兩個事件所造成的生命與財產的當下損失，遠超出一般人的想像，各種後遺症的摧殘也非一般人身心可能

負擔。

　　Chernobyl 核電廠建於 1977 年，才十年就惹出災禍。據保守估計，Chernobyl 災難造成十多萬人死亡，幾百萬人受到輻射感染或生活在污染區內。1990 年蘇聯在處理報告中指出，災變「是地球上曾經發生的最大慘劇」。慘劇的發生不會是興建核電廠的有意結果，而是無意後果。蘇聯在 1991 年解體，Chernobyl 卻還陰魂不散，繼續戕害大地。

　　科技上，有意結果（增加發電），應是知識與技術合理運用的目的；無意後果（如環境污染或殺傷武器），卻是沒人可以預料，其傷害之大，經常超乎想像，有時難以收拾。2016 年是 Chernobyl 核災 30 周年，當地居民可能還有幾十年無法返回家園。國際原子能總署（IAEA）4 月 26 日警告，世人對核能安全切勿過於「自滿」。

　　這麼大的核災慘劇，怎麼看，都不會只是多少人因何死亡或遭受死亡陰影折磨的知識問題。每一個環節都涉及道德問題和社會正義，如長期醫療、生育問題、環境善後、糧食生產和居住正義等。理由很淺顯，人的生活和生命都有無限尊嚴，檢驗的根本標準是人道關懷，而非知識多寡。道德無法量化，知識也難以論斤稱兩。

　　龍應台以知識範疇俐落的把臺灣核四問題定位，不僅太過輕率，也無視道德為何物。官員無知，或許力有未逮，情有可原，只要多讀幾本書，或不恥下問，無知不應是政客推脫職責的遮羞布。學者從知識角度出發，掩飾對道德的冷漠，或不聞不問，就不是知識份子該有的擔當，不可原諒。

　　龍應台不是第一個，也不會是最後一個學者，以知識、經驗與研究替官方的政策背書，或搽脂抹粉。獨立記者朱淑娟（2016，頁 68）在《走一條人少的路》中就描述了學者與政府官員在環評審查會的共生關係：「許多學者卻樂於跟官方配合，扭曲專業去迎合以換取行政資源。…在那個場域，總可以看到行政力無比強大的左右力量，以及學者在密室中所呈現出人性最深沉的陰暗面」。

　　從避談《大江大海一九四九》的改寫指控，到以知識排除道德對核

四的約束，龍應台的學術道德豈只蕩然無存，她的知識宣稱恐怕也經不起嚴格檢驗。從學術到政治場域，龍應台左右逢源，她或許不像其他學者受到權勢的污染，墮落到無以復加。作為學者和作者，她的傲慢倒是在有意或無意中彰顯學者的陰暗面，作假又作孽。

第八章

學術墮落：非作者、眞作假、自作孽

　　自作孽不可活，指的是人自己惹的罪孽逃不過懲罰。在 2020 年 8 月間高雄市長補選時，一個耐人尋味的現實難題是，如果李眉蓁不代表國民黨參選，她的碩士論文剽竊案是否會被攤在陽光下公開檢驗？一般的合理推論是，假如李眉蓁不強出頭，她的學術墮落不至於被揭發，依然會保有學位，論文終究會是文獻的一部分。

　　當然李眉蓁咎由自取，抄襲案件餘波蕩漾了一陣子，從個人到團體，學術界反思的聲音也激起短暫漣漪。看起來，臺灣學者的墮落已不是個人麻煩，而是社會問題。不過，李眉蓁的論文並未發表，最後也被國立中山大學正式公告撤銷，雖然個人誠信和顏面盡失，但社會效應不大，再說事過境遷後，群體總是健忘的。

　　就知識分享來說，尚未發表或出版的博碩士論文通常影響有限，一方面，取得不易，特別是沒有電子版可在「臺灣博碩士論文知識加值系統」上提供下載；另一方面，讀者可能不會太多，尤其是比較特殊的研究主題，例如合併前的國立交通大學傳播研究所 2019 年游雨珊的碩士論义《現代人的愛與性－網路約炮現象初探》，題目相當前端和聳動，卻無關學術倫理，也不至於敗壞臺灣學界的國際形象。

　　論文被國際期刊公開撤銷，就不能等閒看待了。全國私校工會 2020 年 7 月 31 日在立法院開記者會指出，從 2012 年到 2016 年，臺灣學者發表的論文被國際期刊撤銷的有 73 篇，居世界第二，僅次於中國的 276

篇。[1] 在政治攻防上，海峽兩岸的緊張關係已經够糾纏不清了，在學術倫理的衰敗上，臺灣與中國竟然亦步亦趨，未免是奇恥大辱。

都是陳家兄弟惹的禍？

教育部長潘文忠在接受訪問時表示，這 73 篇論文中，陳震遠和陳震武兄弟就佔了 63 篇（86.3%），兩位副教授的「取樣狹隘，不具代表性和全面性，對全國努力於學術專業的教授不公平」。[2] 弦外之音是，臺灣學者的整體表現並非像全國私校工會所指責的那樣難堪。潘文忠的回應，對錯各半。

對，是因為由內部看，臺灣學術界多年來的國際努力與尊嚴，是整個學術社群共同經營的集體後果，的確很難以兩個不知責任倫理為何物的年輕學者為代表，或毀於旦夕之間。錯，是由於從外部看，陳震遠和陳震武兩人經由電子郵件所投寄的論文稿，若非有.edu.tw 的字眼，論文刊登後的作者頁，通常也會有附屬機構的所在國家，在學刊編輯與外國學者眼裏，他們來自臺灣，不折不扣，是否有代表性其實並不重要。

不管如何，潘文忠輕易以技術的小樣本問題，企圖打發一個既定事實所帶來的難題：即使只是兩兄弟的個人麻煩，陳震遠和陳震武為什麼敢在國際期刊上如此膽大妄為？

這件學術醜聞不僅國內嘩然，國外新聞媒體與學術期刊也覺得難以思議，包括《紐約時報》和《華盛頓郵報》都顯著報導。國際頂尖期刊《自然》（Nature）更發表了一篇 2,400 字的專文，認為論文偽造是「令人歎為觀止的實例」（陳瑄喻，2014 年 11 月 27 日）。既然是歎為觀止，應是史無前例了。

---

1 見王品力（2020）。
2 見林曉雲（2020）。

表面上看，陳震遠和陳震武的所作所為，牽涉的只是一對難兄難弟（兩人是雙胞胎）的倫理墮落，他們可能欺騙學術界於一時，但無法欺騙於一世。深一層看，兩人沆瀣一氣，更暴露出學術期刊評審過程中的漏洞，因為編輯與評審對作者的信任（我們相信你／妳不會作假或詐欺），後者遂有機可趁，從而破壞整個論文發表的遊戲規則。儘管國際期刊自我修正的機制大致無礙，傷害已經造成，臺灣多少要背負學術造假的罵名。

醜聞於 2013 年被 SCI 國際期刊 *Journal of Vibration and Control*（《震動與控制期刊》）主編發覺，並與國立屏東教育大學（2014 年 8 月與國立屏東商業技術學院合併後改名為屏東大學）聯繫。當時陳震遠是副教授，陳震武則為國立高雄海洋科技大學教授（事發後被降級為副教授），前者是主謀，後者是共犯。整個計謀與過程是，陳震遠假造了 130 個人頭帳號，並偽裝成一個同儕圈，自己審查自己的論文。

經過 14 個月的調查，期刊的英國出版社 Sage Publishing 於 2014 年 7 月 8 日發佈新聞稿，一口氣撤銷 60 篇論文。紙終究包不住火，陳震遠早在 2014 年 2 月辭去教職。池魚之殃，期刊主編也在 2014 年 5 月黯然離職，為學術醜聞負起連帶責任，並從任教的大學退休。

Retraction Watch 在轉載新聞稿時指出，這個配得上一聲「哇」（This one deserves a "wow."），也就是《自然》期刊的嘆為觀止了。Retraction Watch 隨後列舉的每一篇文章，幾乎都可以看成是「哇」之後的嘖嘖稱奇，怎麼可能？

當然可能，而且壞事傳千里，糟蹋臺灣學術界的尊嚴（《紐約時報》和《華盛頓郵報》都記上一筆）。根據《科技報導》（201408-392 期）的整理分析，陳家兄弟的大膽行徑簡直是英文所說的 game the system（以手段玩弄體制），一個精心策劃和執行的預謀。論文被撤事件剛爆發時，一般「原本認為只是『球員兼裁判』的自審論文問題，在科技部介入調查後，發現陳氏兄弟的學術論文、出國報告內容都大有問題」。

大有問題的，還不在兄弟兩人，更突顯臺灣學術界官大學問大的心

態與陋習，最引起爭議的是不當掛名問題。在陳震遠被撤銷的 60 篇文章中，有五篇列名當時的教育部長蔣偉寧為共同作者。根據《風傳媒》調查統計，「蔣偉寧與陳震遠兄弟共同作者的論文占蔣所有文章的 61%，『拿掉陳震遠，蔣偉寧幾乎一無所有』」（王彥喬，2014 年 12 月 28 日）。換句話說，陳震遠與陳震武的論文造假，在相當程度上，墊高了蔣偉寧的學術地位與官位，前者的假論文，鋪排了後者的假權威，官大問題也大。

　　就行政職務來說，蔣偉寧一路由國立中央大學校長（2009-2012年），當到教育部長（2012-2014 年），應該夠權威了，在學術界足以呼風喚雨。2014 年 7 月陳震遠兄弟論文造假醜聞被舉發後，蔣偉寧先是強調不認識陳震遠，召開記者會時，又說論文都由陳震武投稿，他不知情，也未參與冒名審查論文。不過，《今周刊》認為，他絕對不是「無辜的當事人」（何欣潔，2014 年 7 月 17 日）。

　　陳震遠兄弟的造假事件不是個案，既非前無古人，也不會後無來者。教育部長蔣偉寧去職，更不是欲加之罪，而是罪有應得。屏東大學在臺灣 150 多所大學中，排名或許談不上舉足輕重，或者動見觀瞻，對國際形象所可能帶來的傷害，儘管不容小覷，比起兩年後臺灣大學發生創校以來最嚴重的學術倫理風波，卻是小巫見大巫。

池魚之殃：無辜的楊泮池？[3]

　　中國春秋時期，公孫龍提出白馬非馬命題，不管詭辯與否，經過2500 年，在臺灣依然有現實意義與教訓，特別是學術操守與責任承擔的辯證。這個教訓在 2016 年 11 月臺灣大學教授郭明良被設在美國加州的

---

[3] 本節部分內容最早以「論文造假：臺灣大學非大學」為題，發表於《科技報導》（2017 年 4 月 15 日，頁 4），本書經過改寫，不代表《科技報導》的立場。

PubPeer（學界同行審論平臺）揭發論文造假時，顯得格外諷刺，慘不忍睹。

　　根據《上報》2016 年 11 月 17 日獨家報導，從 2004 年到 2016 年，臺大生物化學所教授郭明良研究團隊發表的 11 篇期刊論文被檢舉數據造假，論文的第一作者幾乎都是郭明良指導的博士生，臺大校長楊泮池則在四篇論文中掛名為第二共同作者（唐筱恬，2016）。由於牽涉到校長，整件事鬧得滿城風雨，臺大校方、科技部與教育部都難逃干係，被迫進行調查。

　　針對醜聞，臺大組成特別委員會。學術副校長郭大維（2017）指出，「特別委員會的九名委員中，七名來自校外，其中四名是中央研究院院士，主席不是本校同仁。委員中有三名任職於國外，其中一名是具有處理學術倫理案件深厚經驗的外籍人士，他與臺灣毫無淵源。……參與調查的小組和委員會都是獨立運作，校方完全尊重他們採行的程序與工作上的判斷，不參與也無法干預」（頁 A2）。郭大維擺明的是，委員會獨立、自主和客觀。

　　特別委員會分兩階段調查事件的來龍去脈，於 2017 年 2 月 23 日提出英文報告，並翻譯成中文。[4] 第一階段調查郭明良與團隊的論文造假部分，認定他／她們「違反學術倫理」；第二階段則處理共同作者的責任歸屬與校長的去留問題，結果楊泮池絲毫無損，反而被判定是「無辜受害者」，不但出乎學術界意料，更不符社會期盼。例如，《天下雜誌》於 2017 年 4 月 12 日，以「錢、謊言、假論文」作為封面故事，進行專題報導，質疑大事化小。

　　臺大特別委員會的報告指出，「基於榮辱與共的原則，共同作者在合理範圍內應對論文內容負責，共同作者一旦在論文中列名，即須對其所貢獻之部分負責。依據這個原則，楊校長確實有資格擔任共同作者。然而，錯誤數據均源自郭教授實驗室成員，與楊校長在論文中貢獻的部

---

[4] 臺大特別委員會的報告依據中文版本。

分無關，因此楊校長只是被其他不遵守規範的合作者所波及的**無辜受害者**，無須為違反學術倫理負責」，「**不具備辭職的理由**」（粗體字為作者所加）。

另外，教育部與科技部分別認定楊泮池並未違反學術倫理。換句話說，從臺大到相關學術行政機構，楊泮池作為研究團隊的一員，他的共同作者身分被抽離處理，也另眼看待，在學術界和社會上多少留下只打蒼蠅不打老虎的觀感。

根據臺大報告，由於違反學術倫理，郭明良、張正琪、查詩婷、林明燦、譚慶鼎、郭亦炘、蘇振良與陳百昇，依個人在團隊裏所承擔的情節輕重，分別予以處分，包括解聘（郭明良、張正琪）、撤銷教授資格（張正琪）、停權與追回研究經費等。至於臺大校長楊泮池擔任被調查論文（四篇）的共同作者合宜，但不須為論文中的錯誤數據負責，其中「無辜受害者」的論定尤其刺眼。

從郭明良團隊論文造假看，如果「白馬」（雙屬性）非「馬」（單屬性）站得住脚，「臺灣大學」就非「大學」了。即使面對千夫所指，臺大與校長楊泮池的反應拖泥帶水，的確看不出大學格調和風範，更踐踏學術、知識和真理尊嚴。這是一種變相的理性（rationality）算計，透過分工合作的口實，切割楊泮池的責任，以控制醜聞對臺大與校長的傷害。

臺大特別委員會指出，楊泮池擔任多篇論文共同作者「合宜」，不過「找不到理由」須辭職，三言兩語，避重就輕，把責任洗刷乾淨。像白馬非馬，唯一的辯解立足點是，共同作者（集體屬性、雙屬性）非作者（個別屬性、單屬性），只有作者（郭明良和張正琪）應為個別行為付出代價，刑不上集體，尤其是校長。邏輯上強渡關山，楊泮池也就全身而退，「不續任」的宣稱多少掩耳盜鈴。

不論有意或無意，有關共同作者的責任認定部分，臺大特別委員會和楊泮池似乎見樹不見林，只看到郭明良和張正琪的個人或局部錯誤，導致數據偏差，忽略了整篇論文因而產生的誤導，甚至曲解結論，對知

識和真理難免造成更大戕害。《今周刊》對楊泮池不需擔負任何責任頗感訝異，認為「學界多難認同」（彭筱婷，2017）。

在學術研究領域裏，只要列名作者，論文一旦刊登，白紙黑字，所有作者勢必要肩負三層相互糾葛的倫理關係：作者與作者、作者與論文及作者與期刊，三者涵蓋個人誠信和集體道德擔當的雙重原則。這些多少都跟 Mills 所說的知識藝師（intellectual craftsman）的養成與自反的習性有關，一個慎重的藝師對自己的經驗既信任又質疑，但不會在知識技藝的規範與要求下造次。

臺大特別委員會顯然在作者跟共同作者之間做了二分法的切割，才會斷定楊泮池排列共同作者「合宜」，卻不必承擔論文造假的直接或間接責任。從委員會到楊泮池，說穿了不外是，他並未跟郭明良或張正琪沆瀣一氣，「共同」造假，要分攤其他作者的學術倫理缺陷，不免株連九族，茲事體大，更何況牽涉大學校長。

依據臺大的調查邏輯分析，如果郭明良的研究團隊是一部大型論文生產機器，楊泮池大概只算是一個小螺絲釘，整部機器壞掉了，沒有道理要計較某一個螺絲釘的作用，並追究到底是否與其它部分具有互動關係。

在邏輯思考上，科技部不遑多讓，新任部長陳良基曾任臺大副校長，他要求比照國外期刊，把論文共同作者的責任和貢獻劃分清楚，同樣是基於分工合作的盤算。亡羊補牢，遠水卻救不了近火，多少還合理化臺大的鴕鳥作為。當然，科技部是否可以直接干涉大學的行政自主和學術自由則是另外一回事。

除非是單獨作者，一篇學術論文從構思、數據收集、分析到寫作的整個過程，在技術或操作流程方面，所有參與的作者可以勞力分工，各司其職。論文完成後產生的研究結果，特別是新知與見解的知識宣稱和效度，卻不可能因作者人數多寡而進一步細分，或量化個人的貢獻。

學術研究與知識宣稱的效度並不各自獨立，也非是零和遊戲，一篇好論文不會因作者眾多，而減輕品質份量；一篇壞論文也不能因單一作

者，藉口力有未逮，而濫竽充數。不管單打或群鬥，作者與論文良窳的功過，只有質的概括承受，特別是象徵意義，沒有量的均分稀釋，尤其是比例的分配。

臺大對造假案的處分，依據的或許是一套機械化的數學邏輯，幾番加減乘除，推算到楊泮池，責任就奇妙的歸零了。因為事不關己，楊泮池對錯誤部分無須負責。反過來說，如果這些論文的數據毫無缺陷，在知識宣稱上，又極具創見和突破，國際醫學界的認可和讚揚不會只是因為其中的某些部分，而是整體結果，楊泮池在貢獻方面到底會如何取捨？弱水三千，只取一瓢？或是堅持雨露均霑？

不管是自然或社會科學，任何像樣的期刊，在編輯政策或投稿須知中都會明文規定，論文由送審到接受刊登，作者應保證研究是原創，數據真確，程序符合道德規範，內容毫無抄襲，更沒一稿兩投。

儘管不具約束力，在知識生產和真理追求上，這些要求是學術期刊與作者雙方難以推諉的起碼倫理和職責。臺大特別委員會找不到理由要楊泮池負責，如果不是認定「共同作者」不等於「作者」，便是無視知識和真理為何物。

家醜不外揚，臺大的做法不過是阿 Q 的自然反應，教育部與科技部的事後調查與審議竟然也附和臺大的立場，就不無狼狽為奸的集體思維了。教育部認定，楊泮池應擔負應注意而未注意的責任，但是並無違反學術倫理，科技部的調查也持相同看法。楊泮池應注意而未注意，便是疏忽職守，居然沒有違背專業道德，簡直難以想像。

楊泮池後來宣佈「不續任」，未必是向真理低頭，頂多是避免臺大的學術墮落在公共領域裏繼續成為學術界的笑談。從個人到機構，倫理不必外求或經由他律，不論實質或觀感，臺大的倫理規範至少應讓人有仰之彌高、望之彌堅的道德擔當。這是大學的一種社會責任，不過，像所有商業公司一樣（Friedman, 1970），作為一個機構，臺大本身頂多是一個法人（artificial person），無法負起實質責任，而必須由校長個人承擔。

就算臺大可以肩負某種虛假責任（artificial responsibility），即使形式和內容兼具，操作起來一旦刑不上大夫，對內，留下「抓小偷放大盜」的瑕疵；對外，難以杜眾人口實。楊泮池不僅是臺大校長，也是一個學者，肩負雙重責任，無法切割。

面對臺大醫學院惹出的學術醜聞，因為研究不符合要求，被迫辭職的前腎臟科主治醫師高芷華一定感慨萬千。她說，「我腦海中無法想到，誰會絕望到不擇手段買賣論文或造假。每個人在遇到困境時一定會找出路，找出路的過程中，有沒有取巧？或許有，但我真的不知道」（程晏鈴，2017 年 4 月 11 日）。

高芷華不知道的是，在臺灣學術界，無論出自什麼動機，不擇手段買賣論文、造假或抄襲的學者大有人在，尤其是年輕學者。

學者一旦墮落，受影響的不只是個人顏面問題，文獻中的學術尊嚴與知識價值連帶的被大打折扣。論文剽竊，是一回事；在教授審查與口試下，論文一字不改的通過，最後還廁身國家圖書館的學術殿堂，則是另外一回事。

雖然並非史無前例，國力中山大學教授林德昌與他所指導的碩士研究生李眉蓁所共同引起的論文醜聞，對臺灣學術界來說，仍是一個足以痛定思痛的教訓。

從「影印機」到「總開關」：林德昌的困境[5]

韓國瑜市長於 2020 年 6 月 6 日以 94 萬票被高雄市選民罷免後，中央選舉委員會依規定在 8 月 15 日進行市長補選。國民黨推出高雄市議員李眉蓁參與角逐，民進黨由前行政院副院長陳其邁再度披掛上陣，臺灣民眾黨則徵召親民黨的高雄市議員吳益政投入選局。最後由 2018 年以

---

[5] 本節部分內容最早以「有林德昌，就有李眉蓁」為題，發表於《風傳媒》（2020 年 7 月 27 日），本書經過改寫，不代表《風傳媒》的立場。

74 萬票輸給韓國瑜的陳其邁當選，雖然他的得票數（67 萬票）遠不如上次，但是得票率 70%，卻打破歷年紀錄。

在競選期間，李眉蓁的國立中山大學碩士論文被舉發抄襲，鬧得沸沸揚揚。《鏡周刊》（黃驛淵，2020 年 7 月 22 日）發現，她的 2008 年論文全文抄襲國立臺北大學 2000 年碩士雷政儒的論文。《鏡周刊》與其它相關團體和個人的比對顯示，李眉蓁幾乎一字不改，照抄他人作品，資深媒體人黃創夏稱她是「影印機」。[6]

嚴格説，李眉蓁的論文已不是抄襲問題，而是公然剽竊，她把雷政儒的研究改頭換面，佔為己有了。她的論文紙本送交國家圖書館典藏，這是一個客觀存在的事實。不論是抄襲或剽竊，攤開來，只要跟內容來源做詳細比對，是非曲直都可以一一驗證，不容作者狡辯。

醜聞剛出現時，李眉蓁以論文已經過中山大學審查，因此不值得追究幾年前發生的事，一方面，企圖為自己侵犯他人版權與知識産權開脱；另一方面，更把個人學術操守的責任轉移到制度審查的倫理機制。最後，甚至拖總統蔡英文下水，堅持蔡英文如果回應「論文門」的爭議（見第一章），她就回答論文抄襲的指控。

如此荒唐的比擬，除了顯示李眉蓁自己知識技藝的貧瘠與無視知識生産的尊嚴，簡直傲慢和無賴到極點。也許是為了挽救岌岌可危的選情，她在 2020 年 7 月 23 日公開道歉，並宣佈放棄中山大學的碩士學位，表面上似乎在承擔違反學術倫理與法律規範的責任，其實是為學位不可避免會被大學撤銷的後果，先找好下台階。

不管是什麼形式，論文作假，都是一個相當嚴重的學術倫理問題，由此而獲得的學位，也非當事人説放棄，就可擺脱道德與法律的雙重制裁。任何學位都是一種制度的授予，大學在經過一定程序後（例如修課與寫論文），依據相關法規（見「學位授予法」），頒予符合規定的個人，而非個人可以一時興起，隨意取得或拋棄。

---

[6] 見黃鞠禾（2020 年 7 月 22 日）。

　　國立中山大學先是聲明，學位沒有由當事人放棄的規範，只能由學校撤銷，2020 年 7 月 24 日更指出，審定委員會「一致發現被檢舉人之碩士論文內容文字，與童振源教授之專文及雷政儒的碩士論文，高度相似」，這件學術醜聞多少已蓋棺論定。

　　死馬不能當活馬醫，中山大學除了依法撤銷李眉蓁的論文與學位外，別無選擇。鐵證如山，中山大學不可能不動如山，倒是李眉蓁的指導教授林德昌卻沈得住氣，在整個過程中都不吭一聲，大有泰山崩於前而不動聲色的鎮靜。

　　其實，林德昌根本沒有任何正當性出面為李眉蓁辯解，他本人都自身難保了。木已成舟，李眉蓁的論文是一把雙面刃，林德昌再怎麼拿，都會傷到自己。一個合理的推論是，有林德昌這樣的教授，就有李眉蓁這樣的學生，反之亦然。

　　李眉蓁的學術倫理醜聞，不會只是她個人惹出來的麻煩，林德昌更難辭其咎。他只要盡到指導教授的最起碼職責，堅守論文審查的程序規則（也許臺北市長柯 P 的 SOP 應有點啓發），她再如何糟蹋學術尊嚴，玩弄三位教授的知識與常識，整件事不會如此難看與難堪，白紙黑字，千古留名，笑罵由人。

　　如果李眉蓁是資深媒體人黃創夏 2020 年 7 月 22 日所說的「影印機」，林德昌大概就是「總開關」了。開或關，只要時機正當或符合能源效益，不過舉手之勞。沒電，任何影印機的功能再多、再厲害，也會一籌莫展。林德昌守得住關卡，李眉蓁又如何能過關斬將，一路面不改色。

　　李眉蓁論文封面之後的第一頁是「審定書」，明顯記載，李眉蓁的論文經「本委員會審查並舉行口試，符合碩士學位論文標準」。這是一份正式的公文書，林德昌在三個地方簽名：考試委員、指導教授與系主任／所長。也就是說，從個人，到團體，再到機構，他以三個身分的權威為李眉蓁背書到底。

　　不談剽竊，李眉蓁的論文怎麼看，都難以「符合碩士學位論文標

準」。中山大學表示，「本案仍將送校外專業領域公正學者審定」。論文的存在是客觀事實，我們不妨先做個文本分析，抽絲剝繭，看看林德昌是如何指導李眉蓁。

依據《鏡周刊》2020 年 7 月 22 日提供的網路影印版，任何人只要細讀李眉蓁的論文，就不難發現林德昌根本不曾讀過，頂多是翻個幾頁，大致過目一下，就算是指導了。 不管如何，他的學術尊嚴、知識技藝與批判能力未免輕率到極點，作為學者，實在墮落到無以復加。

以下幾點，都可以佐證林德昌不曾認真指導李眉蓁的論文，其實兩位口試委員（趙甦成、朱景鵬）也沒嚴格讀過論文，審查或口試只不過是在形式上過個場，幫林德昌演一場慘不忍睹的戲。在相當程度上，依 Childress（2019）的看法，雖然只是碩士論文，他／她們的疏忽在美國無疑構成一種瀆職（malpractice），也不具知識份子應有的批判功能。

論文本文的第 1 頁第一行的第三個字，則，是第一個線索，表示前面還有一句或一段對比的文字。除非林德昌沒讀過論文原稿，或者中文與邏輯實在差到難以想像，不然他怎麼可能看不出文法上不通的問題？

就算不以一個單字論是非，林德昌只要繼續認真讀下去，第 1 頁的第三段和第 2 頁的第二段，除了後者莫名其妙多出來的幾個字——「臺商是兩岸經貿關係的主要行」，根本是重複的段落。這 13 個字，加上兩段相同的文字，無疑亮起雙紅燈，林德昌竟然就看著李眉蓁呼嘯而過。

即使這些瑕疵都可以利用技術疏失打發掉，林德昌只要繼續認真讀下去，在第 14 頁的第一段的「（Thomas,1975）」（原文少了一個間格），應該也會亮起紅燈。因為他只要比對參考文獻，就不難發現這個引用並未列在其中，而是出現在一個中文註解裏，不是原典。類似的地方不少，借屍還魂，是抄襲的一個指標。

林德昌只要繼續認真讀下去，在第 45 頁的表 3-3：臺海兩岸經貿政策互動比較（1990-1999），同樣應閃起紅燈。再不然，她在表 3-4 的註

解「2008.5.20 查詢改網頁」（第 53 頁），也該警鈴大響。對一份在 2008 年完成的論文，林德昌怎麼就不會想到問一下李眉蓁，數據為什麼都停留在 1999 年（雷政儒的論文完成於 2000 年），從 1999 年到 2008 年，十年間，臺灣與中國在經貿方面再無互動了？一般人都會知道不可能，三位教授竟然毫無疑問。

李眉蓁的論文共 137 頁，其中本文 123 頁，參考文獻 14 頁。後者共 136 個條目，包括 58 個中文書籍、3 個英文書籍（未按字母順序列舉）、53 個期刊論文、16 個研討會論文集與 6 個碩士論文，不過不見童振源被抄襲的文章，也沒有被剽竊的臺北大學公共行政暨政策學系雷政儒的碩士論文。

其中最大的紅燈應是三本英文書籍，第一本是亞當史密斯（Adam Smith）的 *An Inquiry into the Nature and Causes of the Wealth of Nations*（《國富論》，1976 年版）。這三本英文書的條目看起來根本就是稻草人，裝模做樣。李眉蓁連她自己的中文論文都不曾仔細讀過了，我們很難相信她會讀過英文原典。林德昌大可一問，她為什麼不引用英文，而是參考中文版？

再進一步分析，既然是參考文獻，就表示李眉蓁真的參考過這些書籍、期刊文章和學術會議的論文。一般來說，書籍與期刊文章大致不難在圖書館中查閱，學術會議的論文（見第五章），特別是比較專門的小型會議，只有人在現場，才可能獲得論文內容，除非事後作者把全文發佈在網路上（很少人會如此做，因為等於是出版）。李眉蓁在第 136 頁列出高長與蔡慧美 1992 年在中華戰略學會專題演講會所做的報告，卻沒交待是取自「論文集」，就表示十多年前她人在會議現場，這根本不可能。

另外，一些註腳並未包含在參考文獻裏，全部 136 個文獻項目中，只有 36 個被引用到而出現在註腳裏，其它的作用是用來裝飾門面，特別是那些 2000 年以後出現的 19 個書目。如果林德昌認真閱讀過李眉蓁的論文，一個規避不得的提問是，她如何參考並引用其它 100 個書

目？

　　李眉蓁荒誕離奇的碩士論文在林德昌指導下，居然全身而退。也難怪，在「臺灣博碩士論文知識加值系統」網站搜尋，從 90 至 107 學年度，18 年間，林德昌總共指導了 177 篇論文，其中博士 29 篇、碩士 148 篇，幾乎平均一年十篇、一個月將近一篇，數量之多，簡直是論文製造工廠。

　　除非閱讀所有論文，我們無法斷定這些博碩士論文的品質如何。李眉蓁論文的口試委員之一、現任國立東華大學副校長朱景鵬 2020 年 7 月 23 日說，他學到了一個教訓。對整個學術界來說，這個教訓的代價未免太大與慘痛，一竹竿打翻了一船人。南華大學通識中心專任教授謝青龍（2020 年 8 月 3 日）就認為，「李眉蓁的碩士論文抄襲案，其實並不是個案，而是整個臺灣高等教育不斷沈淪的冰山一角而已」。

　　不管是實際或觀感，一粒老鼠屎壞了一鍋飯，李眉蓁豈只斷送了自己的政治生涯，連帶陪葬的，恐怕是林德昌指導過的其他博碩士生的幾年辛苦與努力。

　　在高雄市長補選過後，李眉蓁慘敗給陳其邁，中山大學也在 2020 年 10 月 13 日正式公告撤銷她的碩士學位。另外，林德昌 2020 年 8 月 1 日新學期開始後，就不再兼任亞太所英語碩士專班主任職，也不再充當專班研究生指導教授，校方批准他在 2021 年 2 月 1 日提前退休。[7] 這期間，林德昌不曾對外公開說明緣由或道歉。

　　從徐若瑄到李眉蓁，兩人論文所引發的爭議性質不同。由知識技藝的角度看，她們本人當然應該承擔終極責任，在相當程度上，兩人的指導教授卻也難以卸責。徐若瑄的指導教授許安琪至少發表三點聲明為類似她個人自傳的報告辯護，李眉蓁的指導教授林德昌在整個過程中，倒

---

[7] 見《蘋果日報》，〈撤銷學位　指導教授林德昌申請提前退休獲准　李眉蓁回應了〉，2020 年 10 月 14 日，取自 https://tw.appledaily.com/politics/20201014/JEYTCEKDUZCJRCFIT5Q5UEO4SQ/，下載 2020 年 10 月 14 日。

是一直保持緘默。

　　一般來說，如果學生執意在論文上做假，指導教授很難事先防範，但總有事後避免或修正的可能途徑。只要審視李眉蓁論文的一些技術問題，我們大致可以斷定林德昌根本沒有仔細閱讀過他所指導的這篇論文，睜一隻眼，閉一隻眼，多少是一種變相的詐欺作為，甚至是共犯，學術之痛，傷害的不只是個人。

學術之痛：從假論文到偽期刊

　　由 2014 年的陳震遠兄弟到 2020 年的李眉蓁，他／她們既然都寫了論文，依 Mills（2000）的看法，就表示在相關題目上他／她們全「想清楚了」，再付諸文字，正式或非正式的發表研究結果。問題只在於，他／她們寫出來或投稿的文章徒有文字，談不上是如假包換的真論文，特別是缺少嚴謹的評審，說他／她們製造假論文一點也不為過。

　　沒有評審或假冒評審，就直接發表的論文，在知識宣稱上，往往經不起事後檢驗，如果散佈於學術界，對文獻和知識生產的傷害，可能難以估計。一方面，假論文與經過評審的正式論文可能被混淆，造成內容上的誤解（學術論文不過如此）；另一方面，評審過程的尊嚴被破壞，帶來形式上的謬誤（所謂評審只是過場）。

　　無論是誤解或謬誤，一旦醜聞變成新聞話題，學術研究就難免淪為社會笑柄，學者也不免是記者揶揄的對象，笑罵由人。《社會文本》（Social Text）1996 年在美國學術界鬧出的笑話，豈只惡名昭彰，不僅為期刊論文的匿名評審提供一個強有力的理由，也引發自然科學與人文社會科學之間的緊張關係。

　　《社會文本》是美國 Duke University 發行的學術期刊，創立於 1979年，以研究社會與文化現象為重點（例如性別、種族和環境問題等），探討有關後殖民主義、後現代主義和流行文化等文化理論。從創刊到1996 年，《社會文本》並未採取學術期刊通行的編輯政策，把論文投稿

交由同儕評審，或送外審，只由期刊的幾位編輯審核。

　　當年，紐約大學物理學家 Alan Sokal 覺得人文社會科學在文化研究上走火入魔，至少從存在論與知識論的角度出發，有些文化研究在自然科學家看來，違背科學的實證原則，簡直難以忍受。他決定開《社會文本》一個玩笑，用實際行動證明期刊的相關研究不知所云。

　　他胡亂寫了一篇無厘頭的文章，但是運用許多文化研究的術語。其中一段指出，物理現實不過是社會與語言的建構，而科學知識也非客觀，反映的是產生這種知識的文化中的主宰意識形態與權力關係（這幾乎是文化批判與社會建構主義的基本論點）。文章被刊登後，Sokal 公開表示，那篇論文根本是胡說八道，沒有任何研究價值，讓《社會文本》一時成為笑柄，無地自容，也震撼整個人文社會科學界（Scott, 1996）。

　　即使不過是一個學術研究的荒謬註腳，事隔多年，我們不妨想像《社會文本》的編輯們當年會如何反應與興奮，他／她們大概會有某種吾道不孤的被認同感。一個自然科學家居然投稿到一份人文社會科學期刊，以他／她們熟悉的文化研究術語和觀點，詮釋自然現象，不就說明文化研究也有跨學門的科學基礎或證據？

　　《社會文本》的難堪經驗顯然並未讓一些人文社會期刊學到教訓，相隔 20 多年後，三位美國學者（Helen Pluckrose, James A. Lindsay 與 Peter Boghossian）於 2018 年對幾份文化研究的期刊進行一場大規模的惡作劇。他／她們宣稱，胡鬧的目的在確保學術尊嚴，特別是研究品質比較差的一些學門（Schuessler, 2018），亦即戳破期刊論文評審的漏洞與假象。

　　他／她們以一年時間，寫了 20 篇文章，投稿到 *Sex Roles*、*Cogent Social Sciences*、*Gender* 、 *Place & Culture*、*FAT Studies* 與 *The Journal of Poetry Therapy* 等文化研究期刊。結果有四篇被刊登，三篇被接受但尚未出版，七篇還在評審，六篇被拒絕。惡作劇被新聞媒體報導後，期刊出版商 Routledge 自然相當難看，匆匆撤回四篇文章，相關期刊的編輯當然

更灰頭土臉，設法找下台階，自圓其說。

　　不管如何，從學術研究、知識宣稱與社會效應看，論文經過評審，總比不評審來得理性與理想。評審是一種品質管控的機制，形式大致有兩種，相沿成習，也多少有成文規定。一個是公開與記名的制度審核，如博碩士學位的授予標準之一；另一個是封閉和匿名的同儕檢驗，如學術期刊的投稿要求。比起前者，後者尤其重要。

　　不論是自然科學或社會科學，任何學術研究的發表都有一定的檢驗程序，其中最重要的一環是同儕評審。評審的一個基本假定是三個臭皮匠勝過一個諸葛亮，更何況幾個專家嚴格獨立審核，有時英雄所見略同，有時長短互補。這是學術尊嚴的自我防衛機制，目的在確保知識宣稱的可靠與可信，並分辨真知或假道學，以作為人民日常生活中的指引，或政府政策的依據。

　　當然，匿名評審並非萬無一失，稍一不慎，為害之烈（例如陳震遠兄弟的偽造匿名評審圈），比起沒有評審的論文，有時可能有過之，而無不及。

　　以 2020 年的武漢／新冠肺炎為例，即使是歷史悠久的著名醫學期刊，如 *New England Journal of Medicine* 與 *The Lancet*（分別創立於 1821 年和 1823 年），都可能因搶時效，導致評審過程鬆散或不夠嚴謹，甚至被研究者有意矇騙，刊登了不應發表的論文。一個反效果是，社會大眾未蒙其利，學術尊嚴卻已先身受其害，尤其是曝露匿名評審未必能充分把關的破綻。

　　《紐約時報》於 2020 年 6 月 14 日，以「疫情造成新受害者：威望的醫學期刊」（The Pandemic Claims New Victims: Prestigious Medical Journals）為題，報導 *New England Journal of Medicine* 與 *The Lancet* 如何在肺炎肆虐時，因匿名評審出了差錯，被迫在同一天內撤回文章，學術界與新聞界一時嘩然（Rabin, 2020）。

　　在頂尖醫學期刊上，*New England Journal of Medicine* 與 *The Lancet* 發表與撤回論文的決定同樣匆促，顯示匿名評審機制並不如學術界所宣

稱的滴水不漏。學者與研究者應該負責解決社會問題，卻變成麻煩製造者，醜聞演變成新聞，難免帶來社會效應，譬如，一般人對科學研究的不信任，以及醫學操作及用藥可能潛在的危機（Rabin, 2020）。

　　期刊如此，大學的博碩士論文就更容易在評審過程中，出現睜一隻眼閉一隻眼的放水缺失，在一個小圈子裏，近親繁殖。惡性循環，最後慢慢擴及整個學術界，在示範效應（demonstration effects）下，學術研究的規則與知識宣稱的尊嚴雙雙大打折扣。

　　除了指導教授外，大學博碩士論文評審委員會的人數通常介於兩人到五人，只要委員會做到應盡的把關職責，認真閱讀全文，並提出修改意見，一篇博碩士論文要想濫竽充數，成為文獻或知識的一部分，例如收入「臺灣博碩士論文知識加值系統」中，大概不容易，也很難逃過眾多讀者或學者的銳利眼光。在論文刊登後，*New England Journal of Medicine* 與 *The Lancet* 就是因其他研究者發現瑕疵，而被迫撤回文章。

　　如果一篇博碩士論文要在正式期刊上發表，自然還得經過匿名評審，不過論文的歷史背景有時會是個關鍵。[8] 不管排名如何，一個像樣的期刊通常有兩位到三位評審委員，編輯則是最後的仲裁，以打破僵局（一正一反），或變更多數決（2：1）的正反意見，要求作者採取某種後續行動。越是自我要求高的期刊，編輯的生殺大權越大。

　　評審結果不外是直接拒絕（reject）、修改再送審（revise and resubmit, R&R）、接受／小改（accept with minor revision）與接受／大改（accept with major revision）。很少有論文不經修改就直接被刊登，作者除了面對現實，沒有討價還價的可能，至於寫信去罵編輯或評審有眼無珠，除了不自量力，更顯得無知。

---

[8] 在投稿期刊時，年輕學者只要在封頁上註明依據博碩士論文改寫，編輯多少會明瞭，文章至少已有指導教授與兩位或三位論文委員審核過，內容不會有太大問題。交代論文的歷史還有一個用意，萬一作者捲入抄襲的爭議（見第五章），論文的來龍去脈有助於釐清寫作時間的先後。如果文章最終還是被拒絕了，就表示博碩士論文寫得實在太差，或不符合期刊的嚴謹要求。

　　小改或大改的評審結果多少表示，論文被期刊編輯接受了，但是最後還得看作者是否能在規定時間內（例如，三個月到六個月），依據評審意見與建議，修改到令評審與編輯滿意的程度。修改再送審，就是重來一遍，但並非毫無希望，很可能是論文具有相當潛力，只是現有的理論框架不足或數據分析不夠透澈，必須修訂，才能有效評定。

　　基本上，評審是局外人（讀者），如果用心閱讀論文，經常可以看出局內人（作者）的思維盲點，或寫作缺陷。他／她們的修改意見多少足以把論文品質提升到一個比較高的層次，這是一種學者對學者的對話，某種知識技藝的互動。很多年輕學者在接到 R&R 後，就灰心放棄，其實是半途而廢，錯過了一個讓論文刊登在更好期刊的機會。

　　急病亂投醫，有些學者為刊登而刊登，不分青紅皂白，到處亂投稿，尤其是在論文被正當期刊拒絕或要求再送審之後，狗急跳牆，結果難免陷入偽期刊或掠奪性期刊的邀稿陷阱，例如特刊的客座編輯（圖8.1）。一如掠奪性學術會議（見第五章），掠奪性期刊是網際網路與數位傳播科技在 1995 年普及後一個新興的商業市場，以 Open Access 打亂了匿名評審規則和知識宣稱的尊嚴，而且越演越烈。

　　掠奪性期刊的運作不以學術為宗旨，而以商業模式經營一種剝削作者的網路刊物（作者付費、讀者免費），針對學者的論文出版壓力與數豆子的需求（見第六章），引誘作者上鉤。它們在編輯政策中聲稱論文投稿經過同儕評審，事實並非如此，根本是偽期刊，掛羊頭賣狗肉，只要作者願意付錢，論文一律照登不誤。

Ada Zhao <ada.zhao@mdpi.com>　　　　Thu, Dec 31, 2020,
11:01 AM

to me, Sustainability

Dear Professor Chang,

We invite you to join us as Guest Editor for the open access journal
Sustainability (ISSN 2071-1050), to establish a Special Issue. Our suggested
topic is 'Sustainability and International Communication'. You have been
invited based on your strong publication record in this area, and we hope to
work with you to establish a collection of papers that will be of interest to
scholars in the field. Please click on the following link to either accept or
decline our request:
https://susy.mdpi.com/guest_editor/invitation/process/2003298/dpJISF3H

As Guest Editor, we would ask you to define the aim and scope of the Special
Issue, assist in inviting contributions, be the final decision-maker for
articles after peer-review, and collaborate with our editorial team at MDPI.

The editorial office will take care of setting up the Special Issue website,
arranging for promotional material, assisting with invitations to contribute
papers, and administrative tasks associated with peer-review, including
inviting reviewers, collating reports, contacting authors, and professional
production before publication.

Please feel free to contact us if you are interested and would like further
details, or have any questions.

Kind regards,
Ms. Ada Zhao
Assistant Editor
E-Mail: ada.zhao@mdpi.com

MDPI
Sustainability Editorial Office
St. Alban-Anlage 66, 4052 Basel,
Postfach, CH-4020 Basel,
Switzerland

圖 8.1　掠奪性期刊的特刊客座編輯邀請函

根據英國《經濟學人》報導，假冒同儕評審的掠奪性期刊數目在
2018 年多達 8699 個，比前 1 年加倍（B. S., 2018），到了 2020 年，至
少有 1 萬 3000 個，絕大部分刊物出現在奈及利亞和印度，作者以開發中
國家居多，但也不乏西方學者被騙上當（*The Economist*, 2020），在在顯
示國際掠奪性期刊的猖獗，防不勝防。

臺灣也有不少學者投稿到掠奪性期刊，《天下雜誌》2019 年以專題
報導「學術黑市現形記」，詳盡描述了臺灣學者如何在「國際學術期
刊」上發表假論文。從 2010 年到 2017 年間，臺灣學者刊登在 22 家「疑
似掠奪性出版集團期刊」的論文數目共有 469 篇，「來自 114 所大專院
校，15 家醫院」，「前五名分別是：南榮科大、臺大、成大、清大、高
雄科大、中興大學與嘉義大學」（盧沛樺等，2019，頁 87）。

依職稱比較，在 402 篇中，教授投稿將近一半（193 篇，48.0%），
副教授佔了快三分之一（119 篇，29.6%），特聘教授則有 58 篇
（14.4%），助理教授只有 21 篇（5.2%），另外醫師 11 篇（2.7%）（盧
沛樺等，2019 年，頁 87）。也就是説，在臺灣，副教授以上的學者投了
大量（92.0%）的掠奪性期刊論文，跟文獻中所説的以年輕學者居多數
的看法，顯然背道而馳。

特聘教授應是教學或研究傑出的學者，他／她們不能説無知，雖然
文章篇數不算多，顯然也無法避免掠奪性期刊的誘惑（其中四位重複投
稿）。這種現象説明的不僅是整個臺灣學術界出了問題，更是學者個人
墮落的麻煩。可惜的是，《天下雜誌》在檢視 469 篇論文後，根本可以
直接列出作者的名字，卻以「目的不是使人難堪」，決定「公布學校而
非學者名」（吳琬瑜，2019，頁 14）。

《天下雜誌》也許與人為善，其實相當鄉愿，更透露出記者與編輯
們的知識技藝與分析能力的不足，看不出問題的真正所在，或者避重就
輕。學術倫理的遵守有兩個層面，一是大學應有的制度規範，二是學者操
守的個人堅持。《天下雜誌》只公佈大學名單，隱匿個人姓名，等於放棄
了新聞媒體作為社會公器的職責，讓學者逃避該負的責任倫理（圖 8.2）。

南榮科大、台大投稿20篇同居榜首
投稿篇數前10名學校名單

名次	學校	篇數
1	南榮科技大學	20
	台灣大學	20
2	成功大學	18
3	清華大學	14
4	高雄科技大學	13
	中興大學	13
5	嘉義大學	11
6	大葉大學	10
	台灣科技大學	10
7	銘傳大學	9
	台北醫學大學	9
	台灣海洋大學	9
	雲林科技大學	9
8	逢甲大學	8
	明志科技大學	8
9	虎尾科技大學	7
	屏東科技大學	7
	義守大學	7
	真理大學	7
	中山大學	7
10	輔仁大學	6
	交通大學	6
	聯合大學	6
	屏東大學	6
	中正大學	6

共計469篇論文來自114所大學、15所醫院和4個機構。

註：高雄科技大學是由高雄應用科技大學、高雄第一科技大學及高雄海洋科技大學於2018年2月合併成立，篇數以3校合計。

圖 8.2　南榮科大、臺大投稿 20 篇同居榜首

（來源：《天下雜誌》，取自 https://www.cw.com.tw/article/5094488）

　　以南榮科大和臺大為例，兩校各投稿了 20 篇掠奪性期刊論文，並列第一。就量來說，它們看來不相上下（一篇就是一篇），同樣惡劣。以質而言，隱藏在數量背後的意義卻大相徑庭。不論歷史、形式或內容，作為臺灣學術界的龍頭，臺大比起南榮科大，顯然更糟糕。《天下雜誌》卻拿後者開刀，輕輕放過前者。

在所有作者中，《天下雜誌》以相當篇幅，特別點名，並質疑已經退休的南榮科大助理教授余啟輝，有點打落水狗的味道。余啟輝一個人就發表了 20 篇，頂多是一鍋飯裏的一粒老鼠屎，臺大卻是一整鍋飯裏盡是點點老鼠屎，至少看起來讓人難以下嚥。《天下雜誌》卻為德不卒，只在乎余啟輝怎麼可能辦到的，而不計較臺大有多少教授混水摸魚。

由於《天下雜誌》缺乏膽識和道德擔當，我們無法確定臺大的 20 篇到底包含幾位學者，同樣問題也發生在成大（18 篇）和清大（14 篇）。如果每一篇都是不同作者，臺灣的幾個頂尖大學便有 14 個到 20 個學者糟蹋學術尊嚴，就算是每校七到十個，比起余啟輝一個人投機取巧，在敗壞學術倫理上，嚴重程度令人難以想像。

一個非預期後果是，《天下雜誌》的專題報導做了其實跟沒做一樣。因為沒名沒姓，在所有涉及投稿到掠奪性期刊的大學裏，從第三人稱效應（third-person effect）看，個個教授都有嫌疑，但是人人都可以推脫卸責。第三人稱效應是個傳播理論（Davison, 1983），基本論點是，不良行為大都發生在第三人身上（他或她），你我不至於如此惡劣。其實，這些教授自己心裏有數。

不論是常識或知識，一葉知秋，臺大、成大和清大等大學竟然有相當比例的教授為建構履歷表的內容，不惜在學術形式上降格以求，才是高教學術倫理之痛。常識，是日常生活中待人處事的基本見聞或經驗養成，大學教授位居學術殿堂，更不可或缺；知識，是學術專業對現實的實證認知與深切理解，大學教授從事科學研究，更應懂得虛假知識對社會之為害。

從資深教授（副教授以上）佔絕大多數投稿掠奪性期刊的現象看，十年磨一劍，似乎對這些學者的知識技藝沒有任何啟示，可能還虛擲光陰。他／她們倒是懂得走研究發表的捷徑竅門，在學術廚房裏，利用幾把粗製濫造的菜刀和鏟子，快炒一番，反正端上桌就是菜，至於是否色香味俱全又可口，就不是大廚的事了，倒霉的是那些當作一回事，又認真品嚐的讀者。

第九章

結論：十年磨一劍

在附錄「論知識技藝」中，Mills（2000: 195）開宗明義指出，社會科學是一種技藝的實踐。依據他的討論，這種實踐或操練並非在短時間內一蹴可幾，而是需要借助自己的經驗，不斷反覆的實際操作，才能在知識領域裏，賦予一種形狀。中文所謂的十年磨一劍，大概差可比擬。磨，是一種技藝；劍，即是一種形狀。

十年磨一劍，就是慢工出巧匠。巧匠，自然是技藝精湛與細膩，但不具匠氣或急功近利的商業氣息。在許多場域，特別是不追求時效、實用與立竿見影的領域，如文學或藝術，巧匠的技藝大致不會引起爭議。在學術界，只要是像樣的研究型大學，沒有哪個系所會容忍一個年輕學者用十年時間證明自己的知識技藝。畢竟，一個學者的學問再好，也得不斷在功夫上見真章。

在武俠小說裏，天下第一劍只有一個。除非定期比武，以淘汰方式論武術高下，江湖中的遊戲規則是一種叢林生存法則，弱肉強食。打打殺殺，拼個你死我活，大概是不二法門。任何人想獲得並獨佔「天下第一劍」的頭銜，恐怕得付出相當代價，最壞的結局是賠上生命，埋身荒野，連個名號都不留。

劍客墮落，不在劍術不如人，落魄江湖，而在於仗恃手中一把劍，假借替天行道，魚肉鄉民。

在學術世界中，即使缺乏實證，我們有理由相信，沒人敢自稱是天

下第一學者，「究天人之際，通古今之變，成一家之言」。自然科學如此，社會科學尤其不例外。透過文獻引用與知識分享，多少學者在期刊、書籍和其它學術場域進行思考及寫作，並在學術網路上充當一個節點，承先啓後。只是，有些人成為強連結，引領風騷，更多的人不過是弱連結，搖旗吶喊。

學者墮落，不在知識技藝不如人，成為學術界的邊緣人，而在於位居大學殿堂，以假亂真，戕害學術研究與知識的尊嚴，愚弄別人。

劍客浪得虛名，終究會不堪一擊；學者沽名釣譽，遲早會身敗名裂。兩者所缺少的是十年磨一劍的功夫。中國唐朝詩人賈島（779-843）的〈劍客〉詩不妨是個啓示：十年磨一劍，霜刃未曾試。今日把示君，誰有不平事？

劍客手持利刃，為不平事出聲，自是一種個人抱負或社會使命。在臺灣，劍客當然不復存在，以筆代劍，學者卻是滿街跑。在「不出版，就滾蛋」的大學機制結構中，特別是期刊發表的要求，「十年」磨一劍，對許多急就章或充滿急迫感的學者來說，未免不切實際。十年，自然是虛時，其實是堅忍，刻苦磨練，經得起環境的挑戰。

怕熱，就不要進廚房。不過，不進廚房試試煎、煮、炒、炸的基本功夫，沒有人能夠知道自己的手藝如何，做的菜好是否好吃，中看不中吃，總是敗筆。學者也一樣，不寫作或不發表論文，就無從了解自己的知識技藝是否足以在學術界取得一席之地。學者浪得頭銜，徒負社會對知識份子的期待。

進廚房，就不要怕熱。這句話也經常用來描述政治界爾虞我詐的現象，學術界其實也相去不遠，只是廚房的熱度有別，學者不至於像政客在選舉期間公然於前台上顛倒是非，又面不改色。學術與政治都是韋伯（Gerth & Mills, 1948）所説的一種志業，沒有人生來就注定在官場或校園打滾，當政治人物或大學教授是個人的偏好，選擇的後果卻往往有相當社會意涵。

在政治舞台上，政治人物墮落，從施政偏差，到貪污、濫權、腐

敗、舞弊或徇私等，帶來的不僅是個人麻煩（吃上官司），更可能成為社會問題（人民權益受損），影響到一般大眾日常生活的形式與內容。政客之為害也許不如黑社會的打殺，殺人不見血，有時更見政治的無情，例如 2020 年公費流感疫苗出現短缺的難堪局面。

在學術界，知識技藝的好壞，不至於殘酷到如江湖裏的廝殺，更不會有生命危險。因為教授職位有限與升等壓力，甚至是學術地位（所謂泰斗或大師）的莫須有稱呼，對學者（教書匠可以不算）來說，大學也是一個競技的場域。如果再加上社會對知識生產的期待和倫理要求，學者面對的更是一種「作之師」的學術環境（知識份子的社會責任或使命），以天下為己任，沒有妥協的太大空間。

學者墮落，不在知識技藝相形見絀下，到處無藏身之地，而在於憑著手中一支筆或一張嘴，拿著雞毛當令箭，替權勢或財閥塗脂抹粉。一個比較引人注目的例子是余光中以大智若愚「為馬英九護航」的討論與爭議（曾泰元，《蘋果日報》，2017 年 12 月 16 日）。

英國《經濟學人》雜誌 2012 年 11 月 17 日以 "Ma the Bumbler" 為題，引用 TVBS 的民調指出，臺灣似乎同意一件事：總統馬英九是一個「ineffectual（無能的） bumbler（拙蛋）」。在英文中，bumbler 並沒有「笨」的涵意，頂多指一個人笨手笨腳而已。

當時，媒體未經仔細斟酌 bumbler 這個字的意思，把標題直接翻譯為「馬笨蛋」，引起一場英文真正意義的混戰。在余光中看來，"ineffectual bumbler" 卻是「大智若愚」，硬是把「拙」解釋為「大智」的一種「愚」指標。借用許全義（2020）的看法，這是浮濫的翻譯，「余老在謙虛翻譯之道上墮落了」。[1]

---

[1]　許全義在討論余光中 2010 修訂出版的《老人與海》時指出，「就圍棋大局觀來看，這譯本實屬廢子、累贅，誤導比澄清的還多」，見許全義（2020）。余光中於 2017 年 12 月 14 日去世，但未獲蔡英文總統褒揚令。遺孀范我存表示，「余光中生前並未追求獲獎聲名，身後也不會在意總統是否有頒褒揚令」（《自由時報》，2018 年 3 月 12 日）。

在一個自由民主的社會，從初出茅廬的年輕學者，到飽讀詩書的老學究，任何人只要一頭闖進學術場域，基本上，就受到學術自由的庇護，百家爭鳴，並不意外。余光中在翻譯 ineffectual bumbler 時，強作解人，只是眾聲喧嘩的雜音，為政客找一個穿鑿附會的下台階，就有點拍權勢的馬屁了。

不管是余光中或其他學者，他／她們的正反意見都基於學術自由的理念。臺灣雖然沒有明確的大學教授終身制，但是教授升等與職位保障跟美國相當類似。根據美國大學教授協會（AAUP, American Association of University Professors）[2]，美國大學終身制的重要性，在於保障高等教育的學術自由，包括言論、出版與研究發表，特別是引起爭端的社會議題。這是為什麼 AAUP 在 1915 年成立後，戮力推動終身制，以確保社會的共同利益。

理由很簡單，第一，如果大學教授因課堂言論或學術研究而喪失教職，他／她們難免避開探討引起爭議的公眾問題，勢必無法承擔生產與傳遞知識的核心責任。第二，在大學中，自由研究、自由表達和公開反對，對學生學習和知識增長相當要緊。終身制的目的確保大學教授不受公司、利益團體、宗教組織或政府的控制，最終受益的是社會整體。

在自由主義的學風下，美國不少學者，特別是早期的社會科學家，終其一生，發表的期刊論文不多，談不上著作等身，但是他／她們卻留下一、兩本經典著作，即使經過了幾十年，書中的概念與獨到見解（無關事實發現），依然在學術界獨領風騷，左右一代又一代的學者與研究生，包括臺灣的學術界。

臺灣的學術界多少也承繼了自由主義的思維，特別是受過美國十大（Big 10）與十二大（Big 12）聯盟大學[3]以及其它頂尖私立大學的博士

---

[2] AAUP 網頁，https://www.aaup.org/issues/tenure，2020 年 6 月 14 日下載。

[3] 臺灣不少學者畢業於 Big 10 或 Big 12 大學，他／她們把這兩個聯盟翻譯為十大名校或十二大名校，就不免自抬身價。Big 10 或 Big 12 最早成立時只是大學校際運動的結盟，無關學術地位。當然，兩個聯盟中不乏學術與運動都傑出的大學，例如威斯康辛大學、密西根大學或德州大學。

教育訓練，幾年下來的社會化作用，學者往往複製他／她們在美國的學習和課堂經驗，好處是知識與研究方法的擴散，壞處是近親繁殖，多少形成某種集體思維。

集體思維的限制與危機

集體思維（groupthink）是一種心態與操作，簡單說，「就是一個小圈子群體容不下另類觀點或主張，這是典型的等級或階級系統的毛病」（張讚國，2016）。從公司行號到學術機構，集體思維的現象可以出現在任何組織裏，影響所及，因集體性質而異，但基本上對群體的決策與行動多少都會有所限制，也可能帶來難以預料的危機。

以日本豐田（Toyota）汽車公司來說，由於設計上的瑕疵，豐田在2010年召回全球幾百萬汽車，除了財務損失慘重，公司的品質信譽也連帶受害。英國著名的雜誌《經濟學人》（2010年2月13日）就認為，豐田的失敗是集體思維導至另類觀點的缺乏，根本原因是董事會沒有一個外來的獨立董事，都是圈內人，沒人敢唱反調或獨排眾議。

集體思維的理論不算新，由美國社會心理學者 Irving Janis 在 *Victims of Groupthink*（1972）中探討群體決策時提出，過去幾十年在學術界不斷引起爭辯和研究。依據 Janis 的理論主張和相關實證研究，集體思維的後果是扭曲的現實觀、過度樂觀導至的倉促與蠻幹的政策，以及對倫理的疏忽，其中又以組織內非倫理的操作最易帶來後遺症（Riordan & Riordan, 2013）。

因為這些缺陷，充滿集體思維的群體在決策和管理方面，就難以創新或無以為繼，最終不免失敗，成為受害者（Hart, 1991）。不管如何，當人們以集體形式處理問題，而非個人思考與行動時，就是集體思維。基本上，它出現在人們為共同原因聚集在一起的地方或工作場所（Pautz & Forrer, 2013），自然也包括大學或其它學術機構。

儘管臺灣學術界有關 Janis 集體思維現象的研究相當少見，因為大

學或學術行政機構本身便是一種組織，由大到小，包含不同層次的群體，集體思維理論在臺灣學術界的應用多少可以從一些個案看出端倪。

　　一方面，集體思維是行政決策或規定對群體表現的評鑑標準（團隊價值）；另一方面，它是升等要求對個人工作表現的倫理規範（個人價值）。無論群體或個人效應，集體思維一旦形成，它所約束的不僅是管理階層的制度化行為，更是學者在整個學術界裏進退依據的無形或有形遊戲規則，如果進一步產生一種成文的制約，就從間接思維變成直接行動的控制了。

　　縱使教育部和科技部一再重申，大學評鑑、教授升等、研究經費補助、國外研討會旅費和進修等相關學術活動，不以 SCI 與 SSCI 等國際英文期刊或 TSSCI 論文為審核項目之一，從文獻與實際個案看，事實並非如此。一個主要原因無疑是集體思維的潛移默化作用，特別是學術的功利導向，在 SCI 與 SSCI 期刊之外，形成一個論文觀感重於實質內容的後現代現象，而且方興未艾。

　　雖然缺乏全面證據，我們很難想像，從公立到私立大學，臺灣有哪一所大學不會訂定類似「國立屏東大學辦理科技部研究獎勵作業要點」（2019 年 1 月 3 日修正通過），其中以 Journal Citation Reports 資料庫的 SCI、SCIE、SSCI 和 AHCI 的期刊論文為主，積點數（介於 2 點到 6 點）遠高於發表在 TSSCI 期刊（最高為 2 點）的論文。白紙黑字，便是一個可以計算的研究表現公式，適用於所有相關人員。

　　面對如此差別待遇，學者的反應可想而知，他／她們在大學情境裏會如何自處也不言可喻。例如，劉世閔（2013，頁 36）指出，「教授們的 SCI 與 SSCI 作品比 TSSCI 可獲得獎助更多，這些指標也常被當成他們升等或聘任之依據」。換句話説，集體思維變成一套界定學者發表研究成果的明確條文，可以論件計酬或論功行賞。這不是自主的知識生產所帶來的附加價值，而是功利算計成為學術活動的被動促因。

　　除了學術的功利導向，在集體思維的學術環境下，學者為了生存，難免採取旁門左道的對應手段，從而衍生出一些違反學術倫理的醜聞。

正規嚴謹的期刊在論文品質上的要求畢竟有一定水準，加上粥少僧多，沒有相當的知識技藝，一個學者要想在 SCI、SSCI 或 TSSCI 期刊發表文章恐怕不易，比較便捷的無疑是投稿一些山寨或假冒期刊（見第八章），連帶的是踐踏倫理。

倫理不假外求，而是一種個人操守的堅持。雖然談的是政治倫理，德國社會學者韋伯在〈政治是志業〉（Politics as Vocation）中所提的兩種倫理（Gerth & Mills, 1948; Smith, 1986），就形式與內涵看，同樣適用於學者，特別是置身學術界管理階層的大學教授，或者學而優則仕投身政治界的高官。

韋伯認為倫理有兩種，一是信仰倫理（ethics of conviction），二是責任倫理（ethics of responsibility）。簡單說，信仰倫理與責任倫理是規範個人在家庭、群體、社會與國家不同單位中，一套行為處事的信念、原則和擔當（最起碼規矩是當一天和尚撞一天鐘），一種內在養成的操守，不須外力介入。

學術倫理與知識宣稱

就學者來說，信仰倫理應是對己、對人、對專業、對研究與對知識的尊重，以及對社會與國家該有的進退之道；責任倫理則著重學者對職責的拿捏，和對學術尊嚴的堅持，亦即在操作上，對有形的界線究竟何在，與因而引起的無形戒線，都必須有清晰的定位，並嚴格遵守。[4]

對己：整個倫理的結構與過程當然從學者個人開始，再涉及其他人。除非是一個研究團隊，大部分時候，學者從事的學術研究都是單打獨鬥，由構思到寫作全是他／她本身的獨立作為，沒有其他學者能夠探知背後的真正動因與發展細節。人無信不立，沒有爾虞我詐的僥倖空

---

[4] 這部分改寫自張讚國〈吳斯懷一將功成的悲劇〉，《風傳媒》，2020 年 3 月 31 日，不代表《風傳媒》的立場。

間。誠信，是學者對自己負責，論文抄襲或研究作假都不可原諒。

即使是團隊的一份子，學者個人也應理解自己所處的位置與可能扮演的角色。只要在論文中掛名，一旦出現倫理方面的大小瑕疵，他／她沒有任何正當理由推脫責任，以不曾參與某一部分研究的實質工作，為個人開脫，例如前臺大校長楊泮池在郭明良醜聞案中的顢頇舉止（見第八章）。

對人：教學是大學教授所以廁身學術殿堂的主要原因，從大學部到研究所，教授無可避免的會接觸不同年級的學生，由於課堂和學位要求，每年都會閱讀一定數量的學期報告或博碩士論文。這些報告或論文的品質不一，也不見得有發表的潛力，但是總有少數學生的想像力和創造力超乎預期，提交不錯的研究結果，得來全不費功夫。

對那些追求數豆子（見第六章）的學者而言，一篇送上門又像樣的學生報告／論文多少代表現成文章的初稿，誘惑不可謂不大。教授一旦見獵心喜，利用師生權力不對等的關係，把學生的研究結果變相的據為己有，即使加上學生為共同作者，或在註記中感謝學生的貢獻，依然犯了學術倫理的大忌。

例如，國立成功大學政治系副教授、中央選舉委員會委員蒙志成（任期 2019-2023 年）於 2019 年在未經所有相關學生的同意下，擅自使用一組學生的期末報告內容，並在當年的學術研討會上發表論文，引起紛爭。爭執的焦點在於，論文的構思和寫作都出自學生們的共同努力，受到知識產權的保護，蒙志成不過利用師生課堂的便捷與作業的要求，就想當然爾的取巧使用，違反學術倫理。[5]

在大學裏，師生之間必須保持一定距離。太近，學者會產生盲點，看不到問題所在，對學術研究的要求，尤其是學術倫理，可能睜一隻眼

---

[5] 成大在經過半年調查後，於 2020 年 7 月提出最終審議，認為蒙志成並未違反學術倫理，相關學生不滿校方做法，除了向法院提告，更向《上報》投訴。見楊毅（2020 年 9 月 29 日）。

閉一隻眼，甚至放水，例如臺大郭明良論文造假的弊病，或者中山大學林德昌和李眉蓁師生引起的醜聞。太遠，會產生疏離，學問的切磋與對話，難免避重就輕，應付了事。推到極致，整個學術界不免形成小圈子或文人相輕。

對專業：學術倫理（academic ethics）是專業倫理（professional ethics）的一部分，所謂專業（profession），指的是一套成員可以共同遵循的遊戲規則、知識與操作技巧或技藝。以醫生或律師為例，在世界許多國家，包括臺灣，醫生與律師所以需要通過考試，取得合格證照，才能公開執業，有時還得定期接受檢核，主要原因是兩者的工作都涉及一般人的生命或財產的安全。

大學教授毫無疑問是一個專業群體，服務於特定的機構，可能參加相關的學會，論文往往發表在學術界認可的期刊，言行舉止受到一套倫理的規範。不過，並非所有的問題都是學術倫理關注與探討的問題，例如殺人放火，沒有任何人可以殺人放火，所以這不是學術倫理應該注意的課題，而是常識與知識。

對研究：研究倫理牽涉的不只是避免非倫理的操作或符合規範而已，它涉及整個研究過程的尊嚴，由微觀的特定價值（如論文作者的排名），到宏觀的普世價值（如對被研究對象的人權與生命的尊重），每一個環節都有不同的考量與操作。拿捏之間，學者本身扮演相當重要的角色。

因為涉及師生互動，特別是研究生與指導教授的長期關係，研究生的最起碼人權與尊嚴必須被尊重。一方面，在學術研究之外，研究生不應該成為教授日常生活中的私人助理；另一方面，年輕學者的研究不能受到其他人的無理干預或限制，例如博碩士生的論文，根本原因是獨立思考與判斷是學術研究的基石，也是避免近親繁殖與集體思維的必要途徑。

對知識：學術研究通常不以滿足個人的好奇心或職位升遷為出發點，而是針對廣大社會的知識需求，特別是新媒體與個人傳播工具盛行

的當代社會。任何知識宣稱，一旦行之於文字，都應該事先接受同儕的
論文評審，與事後的公開檢驗，例如口試、匿名審稿或其他學者的質
疑，而非在過程中干涉他人的研究發展，除非當事人提出諮商。

　　知識宣稱存在於書籍與期刊之中，不管是經典文獻或是一般文獻，
學者對文獻不求甚解或來者不拒，特別是在中文環境裏依賴大量英文文
獻的臺灣，一個可能產生的後果是，集體思維普遍存在於大學校園裏，
尤其是講究門派或師生關係的小圈子，以及中文與英文使用界面的障
礙，對學術研究所可能帶來的立即傷害與潛在危機。

　　本書無意以一竹竿打翻一船人，《墮落的學者》並非學者的墮落。
水往下流，人往上爬，墮落不是一種自然態度，而是個人或社會態度。
臺灣的學者成千上萬，散佈在許多大學的各個角落，學者不必然會墮
落，墮落的學者卻不時出現在過去，更活生生的存在於目前，未來也難
免。

　　如果《墮落的學者》中的反思與批判對文獻有任何貢獻，甚至有任
何知識宣稱，不分重要次序，以下幾點結論或許值得進一步思考：

　　第一，在臺灣，學者與政客的共生關係，不僅反映在平常的政治議
題方面，更出現在各種選舉期間的黨派色彩上，尤其是總統大選。從過
去幾次總統選舉看，無論藍綠的政治光譜或另外的其它色澤，我們不難
發現學者與專家為特定候選人搖旗吶喊的現象，甚至假借短暫民意調
查的數據為候選人背書，背離了學術研究不為政治價值服務的基本原則
和尊嚴。

　　就社會責任來說，學者投入政治事件的觀察、分析與解讀，對一般
人理解臺灣政治生態的複雜和紛擾，顯然具有教育作用，至少在正反兩
方攻防之間，提供人民一個是非判斷與理性抉擇的知識基礎，多少符合
知識份子在民間「作之師」的起碼要求。如果學者成為當權勢力或反對
派的御用喉舌，特別是事實與證據無法被合理推翻時，一再堅持利用民
粹的操作，替既得政治或財經利益，甚至是個人顏面，無理取鬧，不免

是一種墮落。

除非涉及版權、知識產權或其它法律問題（如捏造事實、數據或文書等），任何學術爭議和知識宣稱都缺少正當理由與合法基礎在法庭上提出爭辯。民意庭的仲裁也許不失為一個可行的途徑，至少當事人難杜悠悠之口。比較站得住腳的辯證，無疑是透過學術社群反覆查證事實與檢驗證據，並在邏輯方面避免公婆各有理的表述，終至難以收拾。

第二，知識技藝是相當個人的技能，牽涉的不只是學者的技術能耐，更關係學者的能動性。臺灣的大學教育行政單位（教育部與科技部）與大學主管（校方和系所）卻在環境結構上，有形或無形的設下一些遊戲規則，例如鼓勵或獎勵學者投稿到以英文期刊（如 SCI 與 SSCI 期刊）為主流的國際學術市場，把原本應是自主和自發的個人行動，變相的轉化為群體操控的制度化行為。

往好的方面看，在學術研究與論文發表過程中，不論是政府或大學主管單位，都遵循一套可以共同接受的英文學術刊物，在知識分享上，多少能維持臺灣學者一定程度的國際能見度，至少本土的學術社群不至於被排除在一個較大的無形學院之外，畢竟知識沒有國界。

從壞的方面看，一旦國際英文期刊被認定或指定為官方與大學認可的刊物，從而成為研究品質好壞的一種標竿，甚至是學術成就的一種印記，臺灣的學者難免被迫從事一場以非母語發表的論文遊戲，間接參與並助長英文主宰各種文獻的霸道。反客為主，本土研究多少變質為國外研究的翻版，或淪為拾人牙慧的展示案例。

第三，從自然科學到社會科學，臺灣的大學教授，除了極少數的領域外，在文獻存取與使用上，大致不受中英文閱讀能力的限制，特別是不少學者都受過國外大學的嚴謹博士課程訓練。他／她們回到臺灣任教與從事研究後，在課堂裏和論文報告中大量採用英文文獻，就知識分享來說，無可厚非，也許還引進了新的理論與研究方法。

一個缺憾是，他／她們往往看到相關問題，卻無視背後所隱含的難題。他／她們未經反思、質疑與批判，把英文文獻視為理所當然，並直

接複製在國外的求學和研究經驗，忽略了跨國情境及社會結構差異對知識宣稱的影響。理論和相關知識也許沒有國界，數據的收集與解讀卻脫不了時空的侷限，因此英文文獻不能來者不拒，照單全收。它終究不是臺灣人民的母語，即使雙語教育普及，也難以取代日常生活的用語。

在概念理解與使用上，學者總得斟酌中文與英文之間是否有一對一的必然關係，以及由此衍生而出的實務難題：學生在英文文獻中所接觸到的抽象世界，跟他／她們身處的現實世界，到底具有什麼可以理解的邏輯關係？

第四，從教育部長、大學校長到個別教授，由官僚體系到學術社群，臺灣的學術尊嚴與研究品質，在論文發表前的寫作參與（研究團隊）及事後評鑑（就職與升等）過程中，都發生數據不實、論文造假、抄襲與濫竽充數（掠奪性學術會議和期刊）等的案例，看起來似乎只是少數人的個人麻煩，就廣度與深度來說，其實已構成社會問題，尤其是涉及國家學術和行政資源的浪費。

由內到外，無形學院固然存在於一個較大的學術空間，但也非無邊無界，總有結構上的節點與彼此間的對應關係。臺灣的學術研究體系再強，也強不過其中最弱的一環。從個人、群體到制度層面，只要任何一個環結出現斷裂的破口，例如學者舞弊、大學失職或學術界難以自我矯正，整個體系難免產生連鎖反應。

即使是星星之火，為害之處，輕者，侷限於局部（學者或大學），不至於波及其他無辜的學者或較大的學術社群；重者，摧枯拉朽，連帶斷送的恐怕是國際間學者和期刊對臺灣學術界的信任與尊重。大廈之傾，非一日之故；學者墮落，也不在旦夕，總有一些軌跡可尋，除非層級的審核機制睜一隻眼閉一隻眼。

第五，學者的墮落未必全是象牙塔裏的現象，臺灣的學者不時穿梭於政學兩界的旋轉門，學優則仕或官大學問大，一直是學者和政客身分糾纏不清的定位問題，甚至出現學者一日為官，終生猖狂的傲慢。

不管任期長短，有些學者因為從政，進而取得在新聞媒體中發言的

機會與場所；有些民選或非民選的政客，在卸任後棲身大學，從此得以學者的地位在意見的自由市場裏佔有一席之地。他／她們的話語經常夾雜研究數據、學術概念和理論，販賣經不起嚴謹檢驗的知識宣稱。不幸的是，記者也往往有意或無意的成為傳聲筒。

在數位媒體盛行與個人傳播和資訊工具普及的當代臺灣，學者與政客的各種言論，特別是出自有頭有臉的公眾人物，無疑會是新聞追蹤及報導評論的對象，經過擴散、誇大作用或外溢效應，難免在不同管道或社群團體中流傳，多少成為社會知識的一部分。

長期下來，一些未經有效實地檢驗的外來概念、理論和假設，一再被接受是事實的指標與社會操作，從而在新聞與意見市場裏以訛傳訛，積非成是。始作俑者無疑是欠缺反思、歷史觀與知識技藝的學者，以及不知超然、質疑與批判為何物的記者，兩者沆瀣一氣，導致學術研究被濫用、知識宣稱被誤導和社會現實被扭曲。

第六，無論規模大小，真正的學術會議代表一個技藝切磋與知識交換的場域，學者群聚一堂，提出論文報告或審核意見，不在裝模作樣，而在磨練知識技藝與學術經驗。國際性掠奪性學術會議的存在，不管形式上看起來如何像樣，總是贗品對真品的一種侵犯和侮辱。

臺灣學術界追求研究表現的量化指標，終究會導致以表相取代實質的認證偏差，學者競相組團出國參與掠奪性學術會議，到此一遊，遂成為國際化的虛假印記。掠奪性國際期刊也如出一轍，甚至有過之而無不及。它們所共同掠奪的不只是學者個人的倫理操守，更是學術研究的集體尊嚴。

《墮落的學者》只是敘述了一些學者的墮落，根據的雖然都是已知的事實，卻談不上是全面與系統化的調查和分析，頂多是切片及選擇性的故事。

不論是個人麻煩或社會問題，學者一旦不能反思與反省，縱使不至於集體墮落，一個社會注定要在學術醜聞中糟蹋大學的信任與知識的尊重，推到極致，喪失的恐怕不會只是學者的人格而已。臺灣的學術界再

如何趾高氣昂，也高不過一般人嗤之以鼻。

　　不管如何聳動或令人搖頭嘆息，這些案例全會隨時間消逝而掩埋在社會的歷史檔案中，時間一久，終究會被排除於集體記憶之外。前事不忘，後事之師。歷史事件本身固然不可能重演，臺灣的學者如果不能從歷史中學到經驗與教訓，類似的案子勢必在個人和群體間一再反覆出現。墮落的學者難免此起彼落，只不過換了名字與時間地點。

參考書目

中文部分

大紀元時報（2017 年 2 月 7 日）。〈2016 年香港最佳大學校長排名〉，《大紀元時報》。取自 https://hk.epochtimes.com/news/2017-02-07/香港最佳大學校長排名-84071420。

王品力（2020 年 7 月 31 日）。〈台灣論文造假數全球第二！私校工會嘆：學術道德淪喪至此〉，《風傳媒》。取自 https://www.storm.mg/article/2902002，下載 2020 年 8 月 2 日。

王宏仁（2010 年 9 月）。〈擺脫期刊發表糾纏的另類選擇：專書寫作〉，《人文與社會科學簡訊》，11，63-64。

王宏仁、龔宜君主編（2010）。《臺灣的社會學想像》。臺北市：巨流。

王彥喬（2014 年 12 月 28 日）。〈蔣偉寧論文 6 成與涉假陳震遠兄弟合著〉，《風傳媒》。取自 https:// www.storm.mg/article/38001，下載 2020 年 8 月 4 日。

王聖藜（2020 年 6 月 24 日）。〈蔡英文「論文門」可受公評　王泰俐被訴判無罪〉，《聯合報》。取自 https://udn.com/news/story/7321/4657381，下載 2020 年 6 月 25 日。

中央社（2016 年 4 月 18 日）。〈郭位退出中央研究院院長遴選聲明全文〉。取自 https://www.cna.com.tw/news/firstnews/201604180006.aspx。

中研誠信電子報（2018 年 10 月 11 日）。〈不可不慎的掠奪性出版〉，

《中研誠信電子報》。取自 https://ae.daais.sinica.edu.tw/uploads/datas/ 2020/3/3135e70b0ad2053e4ced2ebd46e8e6d2.pdf，下載 2020 年 8 月 27 日。

中華日報（2017 年 11 月 19 日）。〈最新民調　蔡聲望 3 度死亡交叉〉，《中華日報》。取自 http://cdns.com.tw/news.php?n_id=3&nc_id= 197600，下載 2020 年 8 月 1 日。

衣冠城（2020 年 10 月 18 日）。〈別再迷信學者從政〉，《風傳媒》。取自 https://www.storm.mg/article/3112564，下載 2020 年 10 月 18 日。

朱淑娟（2016）。《走一條人少的路》。臺北市：遠見天下文化。

李金銓（2019）。〈傳播縱橫：學術生涯 50 年〉，《傳播研究與實踐》，9，131-163。

李康译（2017）。《社会学的想象力》。北京市：北京师范大学出版社。（原書 C. Wright Mills [2000]. *The Sociological Imagination*, fortieth anniversary edition. New York: Oxford University Press.

自由時報（2018 年 11 月 8 日）。〈IEEE 十年來默默撤 7263 篇論文　95％稿件來自中國…〉，《自由時報》。取自 https:// today.line.me/tw/ v2/article/IEEE 十年來默默撤 7263 篇論文+95%稿件來自中國 -EvLBEP。

自由時報（2020 年 6 月 14 日）。〈三校合併？臺科大+雲科大+屏科大恐等 8 個月後再說〉，《自由時報》。取自 https://news.ltn.com.tw/ news/life/breakingnews/2856657。

余也魯（2015）。《萬水千山都是詩：余也魯回憶錄》。香港：海天書樓。

何欣潔（2014 年 7 月 17 日）。〈蔣偉寧絕不是「無辜的當事人」〉，《今周刊》。取自 https://www.businesstoday.com.tw/article//category/ 80392/post/201407170013/蔣偉寧絕不是「無辜的當事人」，下載 2020 年 8 月 4 日。

吳清山（2011）。〈正視臺灣學術研究評比的迷思〉，《臺灣教育評論

月刊》，1，5-7。

吳琬瑜（2019 年 3 月 27 日）。〈高教之痛，見微知著〉，《天下雜誌》。
　　669，14．

《放言》（2020 年 7 月 5 日）。〈龍應台《大江大海》剽竊「李展平著
　　作」風波再起〉，取自 https://www.fountmedia.io/article/62831，下
　　載 2020 年 8 月 1 日。

《放言》（2020 年 7 月 6 日）。〈「學術道德」最為嚴重！作家孫瑋芒
　　批龍應台：「從不認錯，從不接受他人意見」！〉，取自 https://www.
　　fountmedia.io/article/63026，下載 2020 年 8 月 1 日。

周必泰（2020 年 9 月 16 日）。〈臺大化學系廢碩班？淺談國內學術科
　　研結構〉，《風傳媒》。取自 https://www.storm.mg/article/3035117?
　　mode=whole，下載 2020 年 9 月 16 日。

周祝瑛（2013）。〈大學評鑑中 SSCI 與 TSSCI 指標對臺灣女性學界人士
　　之挑戰〉，《臺灣教育評論月刊》，2，1-8。

林照真（2018）。〈假新聞情境初探：以阿拉伯世界的資訊逆流為例〉，
　　《傳播研究與實踐》，8，1-26。

林健正（2020 年 7 月 22 日）。〈論大學教授的待遇，兼談學術資源的
　　分配〉，《風傳媒》。取自 https://www.storm.mg/article/2867908，
　　下載 2020 年 7 月 21 日。

林曉雲（2020 年 7 月 31 日），〈私校工會批學術造假世界第二　教長：
　　不宜以 2 位副教授代表臺灣〉，《自由時報》。取自 https://news.
　　ltn.com.tw/news/life//breakingnews/3245472，下載 2020 年 7 月 31 日。

洪玲明（2009 年 9 月 15 日）。〈文未註出處　李展平要龍應台道歉〉，
　　《TVBS News》。取自 https://news.tvbs.com.tw/entertainment/143929。
　　下載 2020 年 8 月 2 日。

洪博學（2018 年 11 月 18 日）。〈沉默螺旋的力量〉，《民報》。取自
　　https://www.peoplenews.tw/news/579bd082-f6ec-4ed4-99f1-3b307583
　　c462，下載 2020 年 6 月 8 日。

科技報導（201408-392 期）。〈陳震遠論文假審查事件全整理〉，《科技報導》。取自 https://scitechreports.blogspot.com/2014//10/blog-post_15.html，下載 2020 年 8 月 4 日。

孫中興（1995）。〈米爾斯《社會學的想像》導讀〉，張君玫、劉鈐佑譯（1995），《社會學的想像》，頁 1-25。臺北市：巨流。

陳冠穎（2018 年 9 月 18 日）。〈姚文智回應第三名民調：有默默支持我的沉默螺旋，很有信心〉，《三立新聞網》。取自 https://www.setn.com/News.aspx?NewsID=431153，下載 2020 年 6 月 8 日。

陳瑄喻（2014 年 11 月 27 日）。〈陳震遠論文造假案　Nature：嘆為觀止實例〉，《中時》。取自 https: //www.chinatimes.com/realtimenews/20141127004928-260405?chdtv，下載 2020 年 8 月 4 日。

翁秀琪（1990）。〈民意與大眾傳播研究的結合──諾爾紐曼（E. Noelle-Neumann）和她的沈默的螺旋理論〉，《新聞學研究》，42，71-101。

翁秀琪（1997）。〈選民的意見形成──以民國八十二年臺北縣縣長選舉為例檢驗「沉默螺旋」理論〉，《新聞學研究》，55，160-182。

唐筱恬（2016 年 11 月 17 日）。〈PubPeer 踢爆！臺大造假論文 11 篇楊泮池共同掛名 4 篇〉，《上報》。取自 https://www.upmedia.mg/news_info.php?SerialNo=7571，下載 2020 年 10 月 4 日。

郭大維（2017 年 2 月 13 日）。〈臺大學術倫理案的三點說明〉，《蘋果日報》，A12。

郭明政（2005）。〈以 SSCI 及 TSSCI 為名的學術大屠殺──廢文棄法的文化大革命〉。收於反思會議工作小組編，《全球化與知識生產：反思臺灣學術評鑑》，頁 154-178。臺北市：臺灣社會研究季刊社。

符碧真（2013）。〈TSSCI 期刊論文的回顧與展望〉，《臺灣教育評論月刊》，2，22-26。

許全義（2020 年 9 月 24 日）。〈浮濫的翻譯傳統：以嚴復和余光中為例〉，《上報》。取自 https://www.upmedia.mg/news_info.php?SerialNo=96442，下載 2020 年 9 月 25 日。

張立（2005 年 11 月 5 日）。〈選舉民調中的沉默螺旋〉，《聯合報》。A15 版。

張君玫、劉鈴佑譯（1995）。《社會學的想像》。臺北市：巨流。（原書 C. Wright Mills [2000]. *The Sociological Imagination*, fortieth anniversary edition. New York: Oxford University Press.）

張茂桂（2003）。〈SSCI 與學術的「認可」問題〉，《人文與社會科學簡訊》，5，5-11。

張明杰（2020 年 6 月 17 日），〈首席觀點//典範轉移台灣準備好了嗎？〉，《經濟日報》。取自 https://money.udn.com/money/story/11038/4639447，下載 2020 年 7 月 12 日。

張美華（2018 年 6 月 7 日）。〈QS 世界大學排名　港大升至 25 位　城大跌出 50 位　清華成亞洲第三〉，《香港 01》。取自 https://www.hk01.com/社會新聞/196440/qs 世界大學排名-港大升至 25 位－城大跌出 50 位－清華成亞洲第三。

張讚國（2016）。《民主、民意與民粹：中港台觀察與批判》。香港：香港城市大學出版社。

程晏鈴（2017 年 4 月 11 日）。〈主治醫師的告白：離開台大，是我唯一的出路〉，《天下雜誌》。取自 https://www.cw.com.tw/index.php/article/5081863?from=search。

彭秀玲、黃囇莉 （2017）。〈師生戀變奏曲？－女大學生師生性騷擾之經驗歷程〉，《教育心理學報》，48，427-448。

彭筱婷（2017 年 3 月 9 日）。〈楊泮池全身而退　學界多難認同〉，《今周刊》。取自 https://www.businesstoday.com.tw/article-content-80392-162424，下載 2020 年 8 月 11 日。

黃驛淵（2020 年 7 月 22 日）。〈有夠扯！李眉蓁按下時間停止器　8 年前舊資料沒更新還照抄〉，《鏡周刊》。取自 https://www.mirrormedia.mg/story/20200721inv013/，下載 2020 年 7 月 2 日。

黃鞠禾（2020 年 7 月 22 日）。〈李眉蓁論文惹議　黃創夏：走了總機來

個「影印機」〉，《ETtoday 新聞雲》。取自 https://www.ettoday.net/news/20200722/1766825.htm，下載 2020 年 7 月 22 日。

游家政（2011 年）。〈社會領域學術評比不應獨尊 SSCI〉，《臺灣教育評論月刊》，1，21-22。

葉日武（2020 年 12 月 27 日）。〈不識盧山真面目，只緣身在此山中…淺談我們對理論的誤解〉，《風傳媒》。取自 https://www.storm.mg/article/3273848?mode=whole，下載 2020 年 12 月 27 日。

楊巧玲（2013）。〈TSSCI 問題化的問題〉，《臺灣教育評論月刊》，2，9-16。

楊毅（2020 年 9 月 29 日）。〈學生控抄襲剽竊課堂報告研究成果　中選會委員兼成大副教授挨告〉，《上報》。取自 https://www.upmedia.mg/news_info.php?SerialNo=96992，下載 2020 年 9 月 29 日。

鄭惠仁（2019 年 11 月 29 日）。〈接到民調說不知道　謝龍介：沉默螺旋的擴大效應〉，《聯合報》。取自 https://udn.com/vote2020/story/12702/4195823，下載 2020 年 9 月 29 日。

鄭景雯（2014 年 11 月 21 日）。〈網路霸凌　學者：如沉默螺旋〉，《台灣英文新聞》。取自 https://www.taiwannews.com.tw/ch/news/2625925，下載 2020 年 6 月 8 日。

劉世閔（2013）。〈臺灣學術界教育學門 TSSCI　制度衍生之問題與批判〉，《臺灣教育評論月刊》，2，33-37。

蕭新煌（2010）。〈我與臺灣的社會學想像〉。收於王宏仁、龔宜君主編，《臺灣的社會學想像》，頁 3-11。臺北市：巨流。

盧沛樺、田孟心、楊卓翰、陳一姍與楊孟軒。（2019 年 3 月 27 日）。〈台灣為何成為掠奪性期刊的大肥羊？〉，《天下雜誌》，669，85-95。

劉娜譯（2020）。《新聞與輿論：羅伯特・E・帕克論文選集》。臺北市：雙葉書廊。

龍應台（2009）。《大江大海一九四九》。臺北市：天下雜誌。

蔡英文（2011）。《洋蔥炒蛋到小英便當：蔡英文的人生滋味》。臺北市：圓神。

謝明瑞（2019 年 11 月 28 日）。〈蔡英文總統能連任嗎？〉，《國政評論》。取自 https://www.npf.org.tw/1/21874，下載 2020 年 11 月 29 日。

謝青龍（2020 年 5 月 29 日）。〈教師如此姑息，高教何可救？〉，《風傳媒》。取自 https://www.storm.mg/article/2695984，下載 2020 年 6 月 12 日。

謝青龍（2020 年 8 月 3 日）。〈台灣的低級教育──兼論李眉蓁事件〉，《風傳媒》。取自 https://www.storm.mg/article/2902711?mode=whole，下載 2020 年 8 月 4 日。

簡慧珍（2005 年 10 月 15 日）。〈綠軍公布民調　翁金珠領先對手〉，《聯合報》。C2 版，彰化縣新聞。

羅世宏（2019 年 9 月 23 日）。〈蔡英文博士學位真假　誰說的算？〉，《蘋果日報》。取自 https://tw.appledaily.com/forum/20190923/CDJOY4EJUYQIFEDDM5YNQUQAPE/，下載 2020 年 10 月 9 日。

蘇國賢（2004）。〈社會學知識的社會生產：臺灣社會學者的隱形學群〉，《臺灣社會學》，8，133-192。

英文部分

Adler, Paul S. (2009). *The Oxford handbook of sociology and organization studies: Classical foundations*. Oxford: Oxford University Press.

Alberts, Bruce. (2013, May 17). *Impact factor distortions*. *Science*, Vol. 340, No. 6134, p. 787.

Allen, Ryan. (2018, October 19), "The rise and rise of predatory journals," *World University News*. http://www.universityworldnews.com/article.php?story=20181016093848271. Accessed August 25, 2020.

Anderson, Benedict. (1983). *Imagined communities: Reflections on the origin and spread of nationalism*. New York: Verso.

Anderson, Benedict. (2016). *A life beyond boundaries: A memoir*. New York: Verso.

Babbie, Earl. (2014). *The basics of social research*, sixth ed. Boston, MA: Cengage Learning.

Babbie, Earl. (2016). *The practice of social research*, fourteenth ed. Boston, MA: Cengage Learning.

Baird, Laura M. & Oppenheim, Charles. (1994). Do citations matter? *Journal of Information Science*, 20, 2-15.

Becker-Lausen, Evvie & Rickel, Annette U. (1997). Chi-squares versus green eye shades: Psychology and the press. *Journal of Community Psychology*, 25, 111-123.

Behr, Dorothee. (2016). Assessing the use of back translation: The shortcomings of back translation as a quality testing method. *International Journal of Social Research Methodology*, DOI: 10.1080//13645579.2016.1252188. Accessed September 13, 2020.

Berger, Peter L. & Luckmann, Thomas. (1966). *The social construction of reality: A treatise in the sociology of knowledge*. New York: Anchor Books.

Bogart, Leo. (1991, August). The pollster and the Nazis. *Commentary,* pp. 47-49.

Boutwell, William D. (1952). What can we do about movies, radio, television? *The English Journal*, 41, 131-136.

B.S. (2018, July 10). What are "predatory" academic journals? *The Economist*. https://www.economist.com/the-economist-explains/2018/07/10/what-a re-predatory-academic-journals. Accessed September 5, 2020.

Cameron, W. B. (1963). *Informal sociology: A casual introduction to sociological thinking*. New York: Random House.

Camic, Charles. (2008). Classics in what sense? *Social Psychology Quarterly*, 71, 324-330.

Campbell, Donald T. (1988). *Methodology and epistemology for social science: Selected papers*. Chicago: The University of Chicago Press.

Chambers, Chris. (2017). *The seven deadly sins of psychology: A manifesto for reforming the culture of scientific practice*. Princeton, NJ: Princeton University Press.

Chang, Tsan-Kuo. (2010). Changing global media landscape, unchanging theories? In Guy J. Golan, Thomas J. Johnson & Wayne Wanta (eds.), *International media communication in a global age* (pp. 8-35). New York: Routledge.

Chang, Tsan-Kuo. (2015). Beyond Lazarsfeld: International communication research and its production of knowledge. In Chin-Chuan Lee (ed.), *Internationalizing "international communication"* (pp. 41-65). Ann Arbor, MI: University of Michigan Press.

Chang, Tsan-Kuo & Tai, Zixue. (2005). Mass communication research and the invisible college revisited: The changing landscape and emerging fronts in journalism-related studies. *Journalism & Mass Communication Quarterly*, 82, 672-694.

Childress, Herb. (2019). *The adjunct underclass: How America's colleges betrayed their faculty, their students, and their mission*. Chicago: University of Chicago Press.

Christenson, James A. & Sigelman, Lee. (1985). Accrediting knowledge: Journal stature and citation impact in social science. *Social Science Quarterly*, 66, 964-975.

COPE. (2019, July 17). Case discussion: Editor manipulation of impact factor. https://publicationethics.org/news/case-discussion-editor-manipulation-impact-factor. Accessed August 8, 2020.

Cotlar, Seth. (2019). Introduction. In Seth Cotlar & Richard J. Ellis (eds.), *Historian in Chief: How Presidents Interpret the Past to Shape the Future* (pp. 1-26). Charlottesville: University of Virginia Press.

Cozzens, Susan E. (1989). What do citations count? The rhetoric-first model. *Scientometrics*, 15, 437-447.

Daniels, Jessie & Thistlethwaite, Polly. (2016). *Being a scholar in the digital era: Transforming scholarly practice for the public good*. UK: Bristol University Press.

Davison, W. Phillips. (1983). The third-person effect in communication. *Public Opinion Quarterly*, 47, 1-15.

De Solla Price, Derek J. (1965, July 30). Networks of scientific papers. *Science,* 149, 510-515.

Dickson, Thomas V. & Sellmeyer, Ralph L. (1992). Green eyeshades vs. chi squares revisited: Editors' and JMC administrators' perceptions of major issues in journalism education. Paper presented at the Annual Meeting of the 75th Association for Education in Journalism and Mass Communication, Montreal, Quebec, Canada, August 5-8, 1992.

Donsbach, Wolfgang; Salmon, Charles T. & Tsfati, Yariv. (2014). *The spiral of silence: New perspectives on communication and public opinion*. New York: Routledge.

Dutton, Michael. (2005). The tricks of words: Asian studies, translation, and the problems of knowledge. In George Steinmetz (ed.), *The politics of method in the human sciences: Positivism and its epistemological others* (pp. 89-125). Durham: Duke University Press.

Eaton, S. E. (2018). *Avoiding predatory journals and questionable conferences: A resource Guide*. Calgary, Canada: University of Calgary.

Edelman, Murray. (1985). *The symbolic uses of politics*. Urbana, IL: University of Illinois Press.

Evers, Colin W. & Mason, Mark. (2011). Context based inferences in research methodology: The role of culture in justifying knowledge claims. *Comparative Education*, 47, 301-314.

Friedman, Milton. (1970, September 13). A Friedman doctrine- The social responsibility of business is to increase its profts. *New York Times*. https://www.nytimes.com/1970/09/13/archives/a-friedman-doctrine-the -social-responsibility-of-business-is-to.html?smid=em-share. Accessed December 20, 2020.

Fukuyama, Francis. (2014). *Political order and political decay: From the industrial revolution to the globalization of democracy*. New York: Farrar, Straus and Giroux.

Geertz, Cliford. (1973). *The interpretation of cultures: Selected essays*. New York: Basic Books.

Gerth, H. H. & Mills, C. Wright. (1948). (eds.). *From Max Weber: Essays in sociology*. London: Routledge & Kegan Paul.

Goffman, Erving. (1959). *The presentation of self in everyday life*. New York: Doubleday Anchor.

Goffman, Erving. (1974). *Frame analysis: An essay on the organization of experience*. New York: Harper & Row.

Granovetter, Mark. *(1983). The strength of the weak ties: A network theory revisited. Sociological Theory,* 1, 201-233.

Greenberg, Bradley S. & Schweitzer, John C. (1989). 'Mass communication scholars' revisited and revised. *Journalism Quarterly,* 66, 473-475.

Hantrais, Linda & Mangen, Steen. (2007). *Cross-national research methodology & practice*. London: Routledge.

Haridakis, Paul M. & Whitmore, Evonne H. (2006). Understanding electronic media audiences: The pioneering research of Alan M. Rubin, *Journal of Broadcasting & Electronic Media*, 50, 766-774.

Hart, Paul 't. (1991). Irving L. Janis' victims of Groupthink. *Political Psychology*, 12, 247-278.

Hayakawa, S. I. (1939). *Language in action*. New York: Harcourt, Brace, Company.

Hernán, Miguel A. (2009, May). Editorial: Impact Factor: A call to reason. *Epidemiology*, 20, 317-318.

Honan, William. (1997, August 27). U.S. professor's criticism of German scholar's work stirs controversy. *New York Times*, p. 8.

Hong, Yejin & Chang, Tsan-Kuo. (2011). Culture and international flow of movies: Proximity, discount or globalization? *Journal of Global Mass Communication*, 4, 152-173.

Horgan, John. (2012, May 23). What Thomas Kuhn really thought about scientific "truth". *Scientific American*. https://blogs.scientificamerican.com/cross-check/what-thomas-kuhn-really-thought-about-scientific-truth/. Accessed July 12, 2020.

Janis, I. L. (1972). *Victims of Groupthink: A psychological study of foreign policy decisions and fiascoes*. Boston: Houghton Mifflin.

King, Elliot. (2010, Summer). Notes from the chair. *Clio among the Media*. 44, 1-16.

Koçak, Zafer. (2020, January). Precise and immediate action against predatory conferences. *Balkan Medical Journal*, 37, 1-2.

Krell, Frank-Thorsten. (2010). Should editors influence journal impact factors? *Learned Publishing*, 23, 59-62.

Krugman, Paul. (2020, September 15). Science has a well-known anti-Trump bias. *New York Times*. https://messaging-custom-newsletters.nytimes.com/template/oakv2?campaign_id=116&emc=edit_pk_20200915&instance_id=22208&nl=paul-krugman&productCode=PK&regi_id=57571362&segment_id=38113&te=1&uri=nyt%3A%2F%2Fnewsletter%2F65e5

85c9-bcfc-50bc-b125-078c16c49470&user_id=68bcd5a289ff31906f230
66304f8f5d9.

Kuhn, Thomas. S. (1970). *The structure of scientific revolutions*, second
edition, enlarged. Chicago: The University of Chicago Press.

Kunitz, S. J. (undated) "Abstracted empiricism in social epidemiology",
available at http://www.ep.liu.se/ej/hygiea/v7/i1/a2/hygiea08v7i1a2.pdf.
Accessed October 6, 2020.

Lewin, Kurt. (1943). Psychology and the process of group living. *Journal of
Social Psychology*, 17, 113-131.

Lievrouw, L. A. (1989). The invisible college reconsidered: Bibliometrics and
the development of scientific communication theory. *Communication
Research*, 16, 615-628.

Lichtman, Allan J. (2012, October). The keys to the White House. *Social
Education,* 76, 233-235.

Mainichi, The. (2019, January 19). 'Predatory' int'l conferences flourish to
make money, not for academic reasons. *The Mainichi*. https://mainichi.jp/
english/articles/20190119/p2a/00m/0na/008000c. Accessed August 29,
2020.

Mannheim, Karl. (1936). *Ideology & utopia: An introduction to the
sociology of knowledge*. San Diego: Harcourt Brace & Company.

Matthes, Jörg; Knoll, Johannes & von Sikorski, Christian. (2018). The
"Spiral of Silence" revisited: A meta-analysis on the relationship
between perceptions of opinion support and political opinion expression.
Communication Research, 45, 3-33.

Mattick, Karen; Johnston, Jenny & de la Croix. Anne. (2018). How to…write
a good research question. *The Clinical Teacher*, 15, 104-108.

McCombs, Maxwell. (2005). A Look at agenda-setting: Past, present and
future. *Journalism Studies*, 6, 543-557.

McCrostie, James. (2018). Predatory conferences: A case of academic cannibalism. *International Higher Education*, 93, 6-8.

Medina, Luis Fernando. (2007). *A unified theory of collective action and social change*. Ann Arbor, MI: University of Michigan Press.

Memon, Aamir Raoof & Azim, Muhammad Ehab. (2018). Predatory conferences: Addressing researchers from developing countries. *Journal of the Pakistan Medical Association*, 68, 1691-1695.

Merton, Robert K. (1968). *Social theory and social structure*, enlarged edition. New York: The Free Press.

Merton, Robert K. (1972). Insiders and outsiders: A chapter in the sociology of knowledge. *American Journal of Sociology*, 78, 9-47.

Merton, Robert K. (1973). *The sociology of science: Theoretical and empirical investigations*. Chicago: The University of Chicago Press.

Metcalfe, Mike. (2006). Justifying knowledge claims. In John P. van Gigch & Janet McIntyre-Mills (eds.). Volume 1: *Rescuing the enlightenment from itself*. Boston, M.A: Springer.

Mills, C. Wright. (2000). *The sociological imagination*, fortieth anniversary edition. New York: Oxford University Press.

Moores, Shaun. (2000). *Media and everyday life in modern society*. Edinburgh, UK: Edinburgh University Press.

Noelle-Neumann, Elisabeth. (1974). The spiral of silence: A theory of public opinion. *Journal of Communication*, 24, 43-51.

Noelle-Neumann, Elisabeth. (1984). *The spiral of silence: Public opinion-our social skin.* Chicago: University of Chicago Press.

Orman, Evelyn K. & Price, Harry E. (2007). Content analysis of four national music organizations' conferences. *Journal of Research in Music Education*, 55, 148-161.

Park, Robert E. (1927). Topical summaries of current literature: The American newspaper. *American Journal of Sociology*, 32, 806-813.

Pautz, Jessica A. & Forrer, Donald A. (2013). The dynamics of Groupthink: The Cape Coral experience. *Journal of International Energy Policy*, 2, 1-14.

Penny, Lauri. (2020, June). Tea, biscuits, and empire: The long con of Britishness. *Longreads.* https://longreads.com/2020/06/18/the-long-con-of-britishness/. Accessed June 28, 2020.

Polanyi, Michael. (1962). *Personal knowledge: Towards a post-critical philosophy*. Chicago: The University of Chicago Press.

Rabin, Roni Caryn. (2020, June 14). The pandemic claims new victims: Prestigious medical journals. *New York Times.* https://www.nytimes.com/2020/06/14/health/virus-journals.html. Accessed September 2, 2020.

Radder, Rajkumar S., Yankanchi, Shivanand R. & Gramapurohit, Narahari P. (2008, October 10). Imperfect impact factor. *Current Science*, 95, 813.

Ramirez Montoya, María Soledad. (2012). Academic networks and knowledge construction. *Revista Española de Pedagogía*, 70, 27-43.

Retraction Watch. (2018, January 5). Meet the scientist whose ideas were stolen at least three times. https://retractionwatch.com/2018/01/15/meet-scientist-whose-ideas-stolen-least-three-times/. Accessed August 22, 2020.

Rice, Ronald E.; Chapin, John; Pressman, Rebecca; Park, Soyeon & Funkhouser, Edward. (1996). Special feature: What's in a name? Bibliometric analysis of 40 years of the journal of broadcasting (& electronic media). *Journal of Broadcasting & Electronic Media*, 40, 511-539.

Riordan, Diane & Riordan, Michael. (2013). Guarding against groupthink in the professional work environment: A checklist. *Journal of Academic and Business Ethics*, 7, 1-8.

Rolfe, Gary. (2011). C. Wright Mills on intellectual craftsmanship. *Nurse Education Today*, 31, 115-116.

Russ-Eft, Darlene. (2008). SSCI, ISI, JCR, JIF, IF, and journal quality. *Human Resource Development Quarterly*, 19, 185-189.

Sancho, Rosa. (1992). Misjudgements and shortcomings in the measurement of scientific activities in less developed countries. *Scientometrics*, 23, 221-233.

Schiller, Herbert I. (1971). *Mass communications and American empire*. Boston: Beacon. (Original work published in 1969)

Schuessler, Jennifer. (2018, October 4). Hoaxers slip breastaurants and dog-park sex into journals. *New York Times*. https://www.nytimes.com/2018/10/04/arts/academic-journals-hoax.html. Accessed September 1, 2020.

Schweitzer, John C. (1988). Research article productivity by mass communicaiton scholars. *Journalism Quarterly*, 65, 479-484.

Schweizer, Peter. (2020). *Profiles in corruption: Abuse of power by America's progressive elites*. New York: HarperCollins Publishers.

Scott, Janny. (1996, May 18). Postmodern gravity deconstructed, slyly. *New York Times*. https://www.nytimes.com/1996/05/18/nyregion/postmodern-gravity-deconstructed-slyly.html. Accessed September 1, 2020.

Scott, John, & Nilsen, Ann. (2013). C. *Wright Mills and the sociological imagination: Contemporary perspectives*. Cheltenham, UK: Edward Elgar.

Simpson, Christopher. (1996). Elisabeth Noelle-Neumann's "spiral of silence" and the historical context of communication theory. *Journal of Communicaiton*, 46, 149-173.

Small, Henry G. (1978). Cited documents as concept symbols. *Social Studies of Science*, 8, 327-340.

Smith, Michael Joseph. (1986). *Realist thought from Weber to Kissinger*. Baton Rouge: Louisiana State University Press.

Splichal, Slavko. (2015). Legacy of Elisabeth Noelle-Neumann: The spiral of silence and other controversies. *European Journal of Communication*, 30, 353-363.

Stinchcombe, Arthur L. (1982). Should sociologists forget their mothers and fathers. *The American Sociologist*, 17, 2-11.

Sutton, Robert I. & Staw, Barry M. (1995). What theory is not. *Administrative Science Quarterly*, 40, 371-384.

Tankard, James W., Jr., Chang, Tsan-Kuo & Tsang, Kuo-Jen. (1984). Citation networks as indicators of journalism research activity. *Journalism & Mass Communication Quarterly*. 61, 89-96, 124.

Thaler, Richard H. (2015). *Misbehaving: The making of behavioural economics*. UK: Penguin.

The Economist. (2020, May 30). How to spot dodgy academic journals. *The Economist*. https://www.economist.com/graphic-detail/2020/05/30/how-to-spot-dodgy-academic-journals. Accessed September 5, 2020.

Thornton, Patricia H. (2009). The value of the classics. In Paul S. Adler (ed.). *The Oxford handbook of sociology and organization studies: Classical foundations* (pp. 20-36). Oxford: Oxford University Press.

Tunstall, Jeremy. (1977). *The media are American: Anglo-American media in the world*. New York: Columbia University Press.

Tunstall, Jeremy. (2008). *The media were American: Anglo-American media in the world*. New York: Oxford University Press.

Vermaas, Pieter E. (2016). Towards precedence that justifies the knowledge claims of design methods. *The Design Journal*, 19, 195-204.

Wallner, Christian. (2009, January 23). Ban impact factor manipulation. *Science*, 323, 461.

Watts, Geoff. (2009, February 21). Beyond the impact factor. *British Medical Journal*, 338, 440-441.

Weinstock, M. (1975). *The Social Sciences Citation Index*, more than a tool. Paper presented at the annual meeting of the Information Industry Association, March 5, 1975, New York City.

West, Robert; Stenius, Kerstin & Kettunen, Tom. (2017). Use and abuse of citations. In Thomas Babor; Kerstin Stenius; Richard Pates; Michal Miovský; Jean O'Reilly & Paul Candon (eds.). *Publishing addiction acience: A guide for the perplexed* (pp. 191-205). London: Ubiquity Press.

Whitehead, Alfred North. (1916). The Organization of thought. *Nature*, Vol. 44, No. 1134: 409-419

Wilcox, Allen J. (2008). Rise and fall of the Thomson impact factor. *Epidemiology*, 19, 373-374.

Zhu, Xiaodan; Turney, Peter; Lemire, Daniel & Vellino, André. (2015). Measuring academic influence: Not all citations are equal. *Journal of the Association for Information Science and Technology*, 66, 408-427.